삼대
잡설

삼대 잡설

발　행 | 2018년 02월 20일
저　자 | 이헌태, 이원교, 이승은
펴낸이 | 한건희
펴낸곳 | 주식회사 부크크
출판사등록 | 2014.07.15.(제2014-16호)
주　　소 | 경기도 부천시 원미구 춘의동 202 춘의테크노파크2단지 202동 1306호
전　화 | 1670-8316
이메일 | info@bookk.co.kr

ISBN | 979-11-272-3358-7

www.bookk.co.kr

삼대잡설 上

이헌태
이원교
이승은

목차

아들의 말

저희 아버지(이헌태)께서 평생을 걸쳐 독서를 하시면서 모아둔 글귀를 넣어 카페에 백두대간 종주기를 쓰셨는데 내용이 너무 재밌고 유익해서 그 당시 많은 분의 칭찬을 들었다고 합니다. 최근에 우연히 제가 이 글을 읽고서 글을 엮어 책으로 펴내 더 많은 사람이 읽는다면 얼마나 좋을까 해서 직접 편집하고 아버지의 글 끝에 '나의 말'이라는 댓글을 달았습니다.

책 제목은 '삼대잡설'로 최근 TV에서 유행한 '알쓸신잡'처럼 다양한 잡지식이 있는 것처럼 보이지만 그 안에는 자연의 아름다움과 선조들의 멋진 시, 시대를 관통하는 지혜가 있기에 이 책은 출판될 가치가 충분히 있다고 생각했습니다.

개인적으로는 할머니가 자서전형식으로 쓰신 '할머님 이야기'를 통해 할머니의 삶과 격변의 한국사를 볼 수 있었습니다. 모쪼록 이 책에서 자신만의 길을 찾았으면 좋겠습니다. 가족의 안녕을 빌면서 지금은 하늘나라에 계신 할머니에게 이 책을 바칩니다.

딸의 말

오빠에게 너도 글 좀 덧붙여보라고 연락이 왔을 때 친구랑 초밥을 먹고 있었어요. 자초지종을 듣고선 장어초밥을 우물거리며 '좋아, 오빠가 차린 밥상에 가볍게 숟가락 얹어볼까'라고 생각했고요. 농담 반 진담 반으로, 처음엔 말이죠. 조금만 쓰려고 읽다가 푹 빠져버려서는 어느새 밤새 편집을 도우고 열심히 노트북자판을 두드리고 있었습니다. 그렇게 두세달이 흘러 이렇게 서문을 적고 있네요.

저는 제가 빠져든 이 '백두대간 종주기'가 참 좋습니다. 아버지의 유쾌한 실제 성격이 보이거든요. 아버지를 이루고 있는 무엇들이 드러난 것 같기도 하고요. 그리고 이제야 아버지께서 얼마나 얼마나 산과 자연을 사랑하시는지 알겠습니다. 아버지와 꽤나 등산했다고 생각하지만 무릎이 건강하셨을 때 더 같이 다녔더라면 좋았겠어요. 지나고 나서야하는 후회겠지요. 그렇기에 가족과 함께 이 나이, 이 계절, 이 시간에만 보낼 수 있는 순간들을 더욱 소중히 할 거예요.

아직 봉오리인 제 글이 흐드러지게 피어서 독권을 내는 날을 바라며, 어느 삼대의 이야기가 여러분들에게 재미와 위로가 되기를 또 바랍니다. 뭔가를 써야만 직성이 풀리는 유전자가 어디까지 내려갈까요? 이러다 시리즈가 될지도 모르겠어요. 사대잡설, 오대잡설, 이씨족보가 따로 없네요.

끈질기게 들러붙는 내게 예쁜 표지를 만들어준 같은 날에 태어난 운정아 정말로 고마워. 마지막으로, 나와 날이 새도록 얘기하던 어떤 사랑하는 삶들에게 이 말을 전합니다.

"모든 사람의 삶은 제각기 자기 자신에게로 이르는 길이다. 길의 추구, 오솔길의 암시다. 일찍이 그 어떤 사람도 완전히 자기 자신이 되어본 적은 없었다. 그럼에도 누구나 자기 자신이 되려고 노력한다." 〈데미안〉 헤르만 헤세

제 1 장 겨울

시작

혹자는 러시아의 대문호 '톨스토이'보다 '도스토예프스키'를 훨씬 더 높게 평가한다. 그의 시 한 편으로 백두대간 종주기를 시작한다. 백두대간 종주기인 이헌태의 글을 고상한 글로 위장하고 있구만. '위장취업'이 아니라 '위장종주기'구만. 혹세무민하는 '위장종주기'. 혹시 '혹세무민'이 무슨 뜻인지 아세요. '혹독한 세상 민, 즉 백성을 위무한다'. 아니면 그만이고.

(아니면 그만이고, 라고 말씀하시면 독자들이 얼마나 당황하겠어요? 그래서 아들인 제가 친절히 설명해드리겠습니다. 혹세무민(惑世誣民) 한자를 풀면 미혹할 혹, 세상 세, 무고할 무, 백성 민입니다. 한마디로 세상을 어지럽히고 백성을 속인다는 뜻이죠. 혹독한 세상에서 백성을 위로한다는 뜻이었으면 더 좋았을 거 같아요! 세상을 보는 관점을 바꿔버리다니. 아버지의 센스란.

아마 이 책은 이런 식으로 전개될 거 같아요. 아버지는 독서하시면서 좋은 구절들을 틈틈이 모았고 2003년 백두대간 종주기에 그 구절들을 인용해서 '백두대간 종주기'를 쓰셨어요. 이 책은 제가 그 글을 다시 읽으면서 제 방식대로 편집했습니다. 원래의 아버지의 글을 최대한 보존하면서도 그에 대한 저의 생각을 쓰려고 했죠!)

그건 그렇고. 한국의 24시는 위장정치인, 위장기업가, 위장공무원, 위장문화인 등등 위장이 판치는 '위장전성시대'. 정치권에 갔으면 올바른 정치를 하고, 돈 벌러 갔으면 옳게 돈 벌고, 국민을 위해 봉사하겠다고 했으면 희생정신으로 해야지. 막상 그 현장 가서는 딴 짓을 하잖아요. 본래 목적도 모르는 이상한 글이나 쓰는 놈이 말이 많기는. 죄송합니다.

아차, '도'선생 시부터. 한국에서 '도'선생은 도둑놈인데. "모든 것을 사랑하라./....../ 모든 잎사귀를 사랑하라./ 모든 동물과 풀들/ 모든 것을 사랑하라./ 네 앞에 떨어지는 빛 줄기 하나까지도/ 만일 네가 모든 것을 사랑할 수 있다면/ 모든 것 속에 담긴 신비를 보게 되리라./ 만일 네가 모든 것 속에 신비를 본다면/ 날마다 더 많은 모든 것을 이해하리라./ 그리고 마침내는 모든 것을 받아들이고/ 너 자신과 세상전체를 사랑하게 되리라."

보너스 하나. 아메리카 인디언 '나바호족'의 노래. "모든 것이 아름답다/ 내 앞의 모든 것이 아름답고/ 내 뒤의 모든 것이 아름답다/ 내 아래의 모든 것이 아름답고/ 내 둘레의 모든 것이 아름답다" 캬, 좋다. 아희야, 산 건너 술도가에 가서 막걸리 한 통 사오거라. 뭐야. 초장 좋은 글로 시작해 놓더니 좋은 분위기 망치네.

겨울

11월아 안녕. 한국 사람들에게는 11월은 추위가 시작되는 계절이죠. 형식은 '가을'의 범주에 들어가지만 내용은 찬바람이 불어 겨울 외투를 입기 시작하는 '겨울'의 범주에 들어가죠. 가을과 겨울, 양다리 걸치고 있어서 별로 주목 받지 못하는 계절이죠. 경상도 사투리로 얍삽하네. 사전에는 약삭빠르네.

조상들은 11월이 되면 일월산천에 수확제를 올리고 난로회(煖爐會)라 해서 화롯가에 둘러앉아 추위를 막는 시절 음식으로 쇠고기를 구워 먹었다고 하네요. 예전과 지금, 쇠고기의 용도가 달랐구만. 하기사 따뜻한 겨울옷이 없으니 고기를 구워 먹어 몸에 살이라도 푹푹 찌게해서 추위를 덜 느꼈나 보지. '똘똘한 民族'이구만. 앞으로 정육점을 난방가게로 임명합니다.

추위를 누그러지게 하기위해 쇠고기를 구워 먹다니. 흘러간 옛 노래구만. 지금이야 뒤룩뒤룩 살찌지 않기 위한 '고기 기피' 현상이 강토를 휩쓸고 있죠. 소싯적을 회고할 때, 고기 구워먹는 것은 기억에 없고 아부지가 한 달에 한 번 월급 타오시는 날에 큰 냄비에 쇠고기국을 많이 끓여서 온 가족이 한 그릇씩 푸짐하게 뚝딱 밥 말아 먹었던 것 같아요. 대략 20여년 전부터 '고기 구워먹기'가 성행하면서 대량생산, 대량살육의 '소, 돼지의 통한의 역사'가 이어지고 있는 것 같아요.

불교가 나중에는 자기 스스로의 해탈을 추구하는 소승불교와 일체중생을 제도하는 대승불교로 갈렸잖아요. 한국은 대승불교가, 동남아지역은 소승불교가 각각 판을 치고 있죠. 한국에서는 스님이 고기를 먹으면 난리가 나죠. 소승불교에서는 고기를 먹는가 봐요.

우째 스님이 고기를 잡수시나. 한국에서는 도저히 이해가 가지 않죠. 이헌태야, 무식해서 잘 모르죠. 다만 무식한 제가 봐도, 부처님이 살생을 금하라고 엄명하셨는데 스님이 괴기를 잡수시는 것은 아무래도.

이헌태, 니는 니 일 아니라고 말 함부로 하지마라. 요즘 세상에 평생 고기 안 먹고 건강이 우찌 유지가 되노. 스님도 간혹 고기를 잡수셔야지. 그건 또 그렇구나. 여기서 밑줄 쫙, 남 얘기는 함부로 하지 맙시다. 특히 자기도 그렇게 하지 않으면서. 이헌태 철 많이 들었구나. 동서고금, 즉 동양이나 서양이나 옛날이나 지금이나, 꼭 필요한 말이 있어요. 역지사지(易之思之). 한국은 곳곳이, 천지 사방, 구석구석이 '싸움 중'이라고 하네요. 이것은 제가 볼 때는 '역시사지' 정신이 없어서 그래요.

조계종 종정을 지내신 동산스님의 실화 하나. 오래전에 태국의 불교 종정과 총무원장이 방한을 했었죠. 우리나라 한 스님이 "저희 대승불교 교단에서는 스님들이 육식을 금하고 있는데 어찌하여 소승불교에서는 육식을 합니까."라고 일침을 놓았죠. 이에 태국 총무원장이 "죽은 고기도 마음에 걸려 먹지 못하면서 어떻게 산 고기(중생)를 제도한다고 하십니까."라고 비아냥댔다고 하네요.

약간의 침묵 뒤에 또 한 스님이 "태국에도 도인이 있습니까?"라며 의기양양하자 태국 총무원장은 "마음이 열리고 나면 두두물물(頭頭物物) 화화초초(花花草草)가 도인 아님이 없지요."며 맞불을 놓았다고 하네요. 한국 스님들은 황당하고 불쾌했죠.

나중 이들 일행이 경주 불국사에 갔는데 동산스님이 다보탑 위 포효하는 듯한 돌사자 한 마리를 가리킨 뒤 "저 사자를 보시오." 라면서 "저 사자의 울음소리를 듣고 있습니까?"라고 물었다고 하네요. 이에 태국 고승들은 입을 꾹 다물고 쩔쩔 매었다고 하네요. 동산스님은 이어 "내가 당신들에게 선사할 것은 이것뿐이오."라며 말했다고 해요. 마침내 태국 승려들이 "한국 불교 내에 대승선을 아는 스님이 없다고 말한 것 취소합니다. 동산스님은 참으로 훌륭한 스님입니다."라고 고백을 토로했다고 하네요.

11월이 지나면 올해 마지막 달인 12월. 또 한 해가 무참히 무참히 다 지나가는구만. 올 한 해 이헌태는 뭘 했던가. 세월이 쉬지 않고 흘러가고 또 나이 한살 더 먹겠구나. 인생이 허무하다.

공자의 말씀이 불현듯 떠오른다. 논어 '자한'에 따르면 공자는 흘러가는 강물을 보고 "흘러가는 것은 이와 같이 밤낮을 가리지 않는구나." 그 당시에는 거의 밤낮을 가렸지만 지금 시대는 밤낮 구별이 없는 '24시간 영업'도 흔해 빠졌죠. 그러니 논어의 말씀이 크게 실감나지 않을 수도. 뭐야.

나의 말

최근에 박찬욱 감독님의 '옥자'라는 영화를 본 후에 제가 아무 생각 없이 먹었던 고기에 대해서 다시 한번 생각해보았습니다. 제가 고기를 참 좋아하거든요. 친구랑 같이 삼겹살을 먹고 특별한 날에는 소고기를 먹고 야식이 당길 때는 치킨을 먹고. 그렇지만 저는 제가 먹는 고기가 어떤 환경에서 키워지고 도살되는 것은 생각도 하지 못했습니다. 어쩌면 일부러 그런 생각을 안 하려고 했는지도 모르겠네요. 그렇지만 제가 고기를 좋아해서 육식을 안 할 수는 없고 참 고민이 됩니다. 나에게 힘을 준 고기들아 미안해.

인생

인생이 나온 김에, 인생(人生)이 뭔 줄 아세요. 사람 인(人)도 있지만 참을 인(忍)도 있어요. 참고 사는 게 인생(忍生)이라고. 흔히 "인생은 고(苦)"라고 하죠. 참고 사는 것이 더욱 중요하죠. 샐러리맨 생활 즉 출퇴근표에 도장 찍는 인생(印生), 그런 인생도 있죠.

'인생'이란 거대한 담론가지고 말장난 치는 이헌태가 불쌍하고 가련하다. 이헌태는 장난을 쳐도 의미있는 장난을 치죠. 이헌태가 누구인가요. 서양 최고의 이야기꾼 '이솝'과 같은 집안이죠. 동(同)씨잖아요. 이솝은 기원전 6세기쯤 고대 그리스 부잣집 노예였다고 하네요. 안짱다리, 불룩 나온 배, 검고 비할 데 없이 추악한 용모를 가졌지만 이야기를 너무 너무 많이 알고 재미있게 했다고 하네요. 노예 출신이구나. 근래 잘 나가는 소설가나 문학가들은 오래전 과거 노예출신의 후예들이구나.

아세요. '노자'가 이 씨라는 것. 모르셨구나. 이외에도 시선(詩仙) '이태백', 당나라 세운 '이세민' 등등. 이헌태 니 조상은 중국 사람인 모양이다. 너무 좋아하네. 인류는 모두 한 형제. 조선을 세운 태조 이성계도 이씨 성.

아는 체하자. 노자의 성은 이(李)씨, 이름은 이(耳). 조선의 성리학자 이이(李珥)하고 이름이 똑같고 한자도 비슷하네. 한글로 보면 '동명이인'이네. 어쨌든. 당나라 태종 이세민이 혁명의 정통성을 강화하기 위해 노자를 잘 활용했다고 해요. 노자와 종씨라는 거죠.

당 고종 건봉원년(서기 666년)에는 노자에게 어떤 존호를 붙였나 하면은요. '태상현원'(太上玄元)황제 즉 '가장 위이고 뿌리가 되는

왕'으로 불렀죠. 이 존호는 그래도 양반이네. 당 현종 천보 13년(서기 754년)에는 '태성조고상대도금궐현원천황대제(太聖祖高上大道金闕玄元天皇大帝)' 즉 '가장 뛰어나신 조상으로 거룩하시며 세계의 이치를 설파하시고 황금 문이 있는 곳에 계시며 만물의 뿌리이신 하늘과 같으며 위대하신 황제'. 어휴, 길기도 길다. 여러분, 격찬 가운데 이런 격찬 보았어요. 하여튼 중국사람들은 통이 대단하구만. 아예 격찬만을 갖고 마침표 없이 책 1권 자리로 만들어 버리지. 노자를 인간이 아니라 거의 신으로 격상시켰구만. 당나라도 나라를 막 일으켜 세웠을 당시에는 답답했던 모양이지. 하기사 노자가 신선이 되어 사라졌다는 얘기도 있으니.

이빨

보너스. 이헌태가 이빨이 세잖아요. 이빨에 대한 얘기도 추가. 이빨도 이(李)씨네. 이헌태, 이숍, 이빨 다 통하는 구만. 통하였느냐. 네.

신라시대에는 이빨이 센 사람이 왕이 되었어요. 웃기죠. 기원전 69년 박혁거세가 신라를 세웠죠. 삼국유사에 나오는 황당한 얘기. 제2대 남해왕이 승하하자 아들 노례가 매부 탈해에게 양위하려 했어요. 이에 탈해 왈, "내가 듣기에 성스럽고 지혜가 많은 사람은 치아가 많다고 합니다."라며 떡물기 시합을 했어요. 이로 인해 노례가 잇금(이빨자국)이 많아 제3대왕에 즉위했고 탈해는 제4대왕에 올랐죠.

박혁거세에서부터 경순왕까지 56명의 신라왕을 분석해보면 거서관과 차차웅이라 부른 임금이 각각 한명, 마립간이라 부른 임금이 네명, 이빨로 인한 이사금이라 부른 임금이 2대 노례왕부터 무려 열여섯 명이나 되었다고 하네요. 이빨 세고 이빨 많은 사람들은 신라시대 때 태어나면 대접 받았을 텐데. 아셨죠. 이빨이 얼마나 중요한가를 말이죠. 역사적으로 증명되었죠. 이헌태가 이빨 세다고 할 때 그 이빨이 아니잖아. 니는 구라가 센 것이지, 차원이 다르지. 네. 죄송합니다.

이빨이 세면 음식을 잘 씹기도 하잖아요. 금쪽같은 얘기만 담겨있는 '채근담' 아세요. 이 말은 송유학자 '왕신민'이 먼저 썼어요, 사람이 항상 나무뿌리를 씹을 수 있다면 백가지 일을 할 수 있다는 말에서 유래되었죠. 고생하면 결국 성공한다는 뜻도 있고 실제로 뿌리에서 참 맛이 나온다는 뜻도 있고요. 여기서도 씹는 얘기 나오네.

'채근담'의 작자는 명나라 때 홍자성. 나온 김에 좋은 글 하나. "세월의 길고 짧음도 생각하기에 달려 있고 세상의 넓고 좁음도 마음먹기에 달려있다. 마음이 유한(悠閑)한 사람에게는 하루가 천년처럼 길고 뜻이 넓은 사람에게는 오막살이도 우주 공간처럼 넓은 것이다."

'마음' 얘기가 나왔으니. 조계종 종정을 지내신 고암스님은 어느 스님에게 "네가 한 물건이 있으니 허공보다 더 비었고 우주보다 더 크고 일월보다 더 밝아서 밥도 먹고 옷도 입고 다니고 일하고 말할 줄 알되 볼 수도 없고 만질 수도 없는 이것이 무엇인지?"라고 물었다고 하네요. 대답을 못하자 고암스님 왈, “마음이지. 그렇지. 이놈을 잘 다스려야 돼. 그런데 그게 안 된다 말이야. 중생계는 분별경계에서 살아가느라 실(實)하기는 제일인 문안쪽 일을 까맣게 제쳐놓고 문밖에서만 맴돈단 말이지.” 국민 여러분, 아셨죠. 마음이 이렇게 허공보다 더 비었고 우주보다 더 크고 일월보다 더 밝다고 합니다. 자기 마음을 닦습니다. 자기 마음을 잘 활용합시다. 하모하모.

결론은 많이 씹어야 합니다. 공자든 제갈공명이든 약점이 잡히고 걸리기만 하면. 실제로 음식을 꼭꼭 씹어 먹어야 뇌가 발달하고 씹지 않으면 뇌가 둔화된다고 하네요. 껌은 오래 씹으니 턱뼈가 얼얼하든데. 400만년 전 인류가 직립할 때 두뇌는 400그램, 이것이 1백만년 전까지 그대로 유지되었다고 하네요. 현대에 와서는 남자는 1400그램. 많이 씹으면서 현대인이 탄생되었다고 하네요.

수천년 전과 비교해서는 거꾸로. 통계에 의하면 일본의 경우 2천년전 야요이시대 사람이 한 끼를 먹는데 대략 4천 번 씹었다고 하네요. 불과 50년 전만해도 대게 1400-1500번 정도, 지금 일본 젊은이들은 햄버거 스파게티를 먹을 때 620번씩 씹는다는 해요. 이로 인해 문제가 많이 발생합니다. 한국 젊은이들도 걱정입니다. 얼마 전 식당에서 한 청년이 밥을 먹으면서 씹지도 않고 죽 먹듯이 술술 넘기더라구요. ‘엽기식사’예요. 꼭꼭 씹어 먹읍시다. 머리가 다시 퇴화되기 전에.

사람의 치아모양을 보면 32개 가운데 육식과 관련된 것은 송곳니 4개뿐. 육식동물인 호랑이와 사자는 장이 짧고 초식동물은 길잖아요. 사람들도 장이 긴 것으로 봐서는 초식동물이었다는 반증. 인간도 토끼처럼 풀 먹고 삽시다. 냠냠, 맛있다. 건강의 비결, 고기보다는 채소. 잉, 채소도 소네.

나의 말

'마음이 넓은 사람에게는 오막살이도 우주 공간처럼 넓은 것'이라니 지금 제가 지금 사는 옥탑방도 마음을 넓게 생각하면 아파트, 아니 펜트하우스가 되는 것인가요! 그럴 리가. 드라마에서 옥탑방을 보면 집안도 크고 그 앞에는 별을 `보는 커다란 평상도 있던데. 살아보니 해와 가까워서 여름에는 쪄죽고, 겨울에는 반대로 추워죽습니다. 집에서 나오면 높은 건물이 사방을 막고 있어서 별도 보기 힘들죠. 그렇지만 나는 펜트하우스에 살고 있다. 살고 있다!

시

이헌태의 이빨, 구라 자랑을 딱 한번만 더 하겠습니다. 기분 나쁘면 경찰서에 신고하고. 신고하면 그 놈이 쪽팔리지 뭐. 이번에는 한국의 전통시를 화끈하게 연구했습니다. 분야별로 1등을 발표하겠습니다. 둥둥둥둥.

1) 한국최고의 '퇴폐문란시' 1등. 고려가요 '쌍화점'. 몽고의 지배를 받고 사회 풍기가 극도로 문란했던 13세기 충렬왕 때 만들어졌죠. 작자미상. "만두가게에 만두 사러 갔더니 몽고인이 내 손목을 쥐더이다./ 이 말씀이 이 가게 밖에 나며들며 하면(소문나면) 조그

마한 어린 광대(심부름하는 아이) 네가 퍼뜨린 말이라 하리라./ 그 자리에 나도 자러 가리라./ 그가 잔 곳 같이 어수선한 곳이 없다."
4연으로 외국인이 경영하는 만두집인 쌍화점 주인, 삼장사 주지, 우물 밑에 사는 용, 술집주인이 등장하죠. 한때 학생들한테 만두집에서 스캔들이 났는데 고려시대 때도 만두집이 그런 장소였구만.

2) 한국최고의 '뒤룩뒤룩 욕심시' 1등. 태조 이성계가 지은 '등(登) 백운봉'라는 제목의 한시죠. "댐댐이 덩굴 잡고서 상봉에 오르니/ 암자 하나 구름속에 위치해 있네/ 눈에 띄는 땅이 모두 내 것이라면/ 초월(楚越)강남 땅도 모두 내 것이 되리라" 조선땅을 먹었다고 해서 중국땅까지. 호방 호방해도 너무 심하구만.

3) 한국최고의 '뻥 과장시' 1등. '북정(北征)', 즉 '오랑캐를 치다'는 제목의 남이 장군의 시. "백두산 돌들은 칼을 갈아 닳았고/ 두만강 물줄기 말이 모두 마셨네/ 남아 이십에 나라를 태평케 못한다면/ 뒷날에 누가 대장부라 일컬으랴" 백두산이 칼 갈아 없어졌고 두만강물이 말이 마셔 없어졌다고, 뻥이 너무 심하구만. 또 "대동강 물이야 언제 마르리/ 해마다 이별 눈물 보태는 것을"이란 시도 있으니. 우리 조상들도 중국 사람들 닮아서 통 크게 놀았구만. 눈물이 모여 대동강물이라고. 중국 사람들이 한꺼번에 오줌 누면 황해가 오줌바다로 되는 거나 마찬가지구만.
태종의 외손이었던 남이는 17세에 무과에 급제, 이시애의 난을 평정하고 26세에 병조판서를 지냈지만 28세 아까운 나이 때 유자광에 의해 위 시일부가 '미평국(未平國)'에서 '미득국(未得國)'으로 고쳐져 무고하게 죽음을 당했죠. 뻥이 심하면 훗날 우환이 오죠.

이헌태 조심해. 저야 권력과 전혀 관계없는 뻥이라서 괜찮지 않을까.

4) 한국최고의 '로또대박신화시' 겸 한국최고의 '건망증시' 1등. 고종 아버지 흥선대원군 이하응이 가난하던 시절 지은 '빈한(貧寒)시'. "부귀가 하늘에 닿아도 예로부터 죽음 있고/ 가난이 뼈에 차도 오히려 삶이 있네/ 억 천 년이 지나도 산은 오히려 푸르고/ 보름달이 오면 달은 다시 둥글도다" 개구리 올챙이 시절 모른다고, 대원이 어른, 그래 놓고서 어마어마한 경복궁은 왜 복원해서 국민들을 못 살게 굴었는데.

5) 한국최고의 '공주병환자 기생시' 1등. 작자 미상의 '전주기(妓)' 제목의 시. "나는 원래 달나라에 사는 선녀로/ 인간에 내려와 명창이 되었네라/ 만일 내가 오나라 소대에 있었다면/ 서시가 어찌 오왕을 모실 생각이나 했으랴" 잘 놀고 있다.

6) 한국최고의 '측은시' 1등. '김삿갓'으로 불린 김병연(1807-1863). 황해도 선천 부사로 있던 조부 김익순(金益淳)이 홍경래 반란군에게 투항한 후 처형당하고 일족이 폐족 당해 도망 다니다가 20세 때 영월 고을 향시에 응시, 장원 급제. 이 시험에서 김익순의 죄가 하늘에 이를 정도였음을 통탄하였다가 나중에 그분이 조부인 것을 알고 죄책감에 빠져 방랑을 시작했죠.

제목은 '자탄'. "구만리 장천에 머리 들지 못하겠고/ 삼천리 넓은 땅에 다리조차 못 펴겠네/ 새벽 누각 오름은 달구경이 아니요/ 사흘을 굶었음은 신선 되려 함이 아니다" 김삿갓이 잘 곳이 없어 흙

구덩이에 박혀 있다가 답답해서 누각에 올라가 지은 것이라고 하네요. 오매 불쌍한 것.

김삿갓의 '난고평생시' 하나 더. "새에게는 둥지있고 짐승 또한 굴이 있거늘/ 나의 평생 돌아보니 정처 없이 홀로였네/ 죽장에 짚신 신고 수천리를 방황했고/ 물처럼 구름처럼 아무데나 내 집 삼았네/ 하늘 향해 내 팔자를 원망키도 어려워/ 세밑에 슬픈 감회 애를 끊는 듯해라" 지금은 저소득층으로 지정받으면 밥은 먹고 사는데.

시쳇말로 걸뱅이, 각설이 시인이지 뭐. 제가 볼 때는 한국 최고의 재기 넘치는 시인인 것 같다. 그의 시를 보면 번쩍이는 아이디어가 물씬.

제목은 '설경', "옥황상제가 죽었는가 나라 임금이 죽었는가/ 산과 나무 천하가 모두 상복을 입었구나/ 해님이 소식을 듣고 내일 문상을 오면/ 집집마다 처마끝에 눈물을 흘리리라"

보너스 하나. '博(박)' 즉 '장기'라는 시도 있어요. "술친구나 글친구들이 뜻이 맞으면/ 마루에 마주 앉아서 한바탕 싸움판을 벌이네./ 포가 날아오면 군세가 장해지고 사나운 상이 웅크리고 앉으면 진세가 굳어지네./ 치달리는 차가 졸을 먼저 따먹자/ 옆으로 달리는 날쌘 말이 궁을 엿보네./ 병졸들이 거의 다 없어지고 잇달아 장군을 부르자/ 두 사가 견디다 못해 장기판을 쓸어버리네." 에게게, 이게 무슨 시야. 그러나 김삿갓이 쓰면 시가 됩니까. '유명세'라고나 할까요.

이헌태도 김삿갓처럼 삿갓쓰고 지팡이 하나 짚고 전국을 주유천하하면서 자연을 벗하고 글이나 쓸까나. 이헌태가 바로 '현대판 김삿갓'이랍니다.

7) 한국최고 '까불이시' 1등. 김삿갓의 '구월산'. "작년 구월에 구월산을 지났고/ 금년 구월에 구월산을 지나네/ 해마다 구월이면 구월산을 지나니/ 구월산 빛이 긴 구월이러라" 이것을 한자로 고치면 "작년구월과구월(昨年九月過九月)/ 금년구월과구월(今年九月過九月)/ 년년구월과구월 (年年九月過九月)/ 구월산광장구월(九月山光長九月)"

8) 한국최고 '거지시' 1등. 역시 김삿갓의 '이십수하(二十樹下)' "스무나무 아래 서러운 손이요/ 망할 놈의 집 가운데 쉰밥이로다/ 인간에 어찌 이런 일이 있으랴/ 차라리 내 집에 돌아가 설은 밥 먹으리." 우째 그렇게 글 잘하는 문인이 각설이 거지 깡통들고 산천을 떠도는 구나. 김삿갓이 3관왕이네.

9) 한국최고의 '애절 사랑시' 1등. 작자 미상의 고려가요 '만전춘'. "얼음 위에 대나무 잎으로 잠자리를 마련하여 임과 나와 얼어죽을망정/ 얼음 위에 대나무 잎으로 잠자리를 마련하여 임과 나와 얼어죽을망정/ 정을 둔 오늘 밤이여 더디게 새어라.……" 얼음위에서 잠자리를 마련해서 밤을 새우고 싶다. 우리는 그렇게 못한다. 사랑도 살고 나서 사랑이지, 얼어 죽고 나서 무슨 사랑.

얼음위 사랑. 달라이 라마는 "격정적인 사랑은 얼음 위에 지은 집과 같아 얼음이 녹으면 집은 무너지고 말지."라면서 "사랑을 배우려면 다른 사람의 처지를 이해하고 그 사람 입장이 되어 생각하라."고 공자 같은 말씀을 하시네. 결국 얼음 위에 사랑은 좋지 않다는 말씀. 목동 아이스링크장에서 연애하는 분들 조심하세요.

10) 한국최고 '속터지는시' 1등. 성리학을 도입한 고려말 안향의 '유감'이란 시. "향불 밝힌 곳마다 부처에게 기원하고 노래 들리는 집마다 귀신께 제사하네. 다만 한 칸 집 공자님의 사당에만은 달에 풀만 덮이고 사람하나 안 오네." 조선 들어와서 성리학이 완전 평정했지만 그 직전에는 안향이 속이 터졌는 모양이에요. 그 심정 이해 가는구만. 그런데 안향 선생님, 성리학이 도입되었다고 해서 조선시대가 고려시대보다 꼭 더 나았다는 법은 어디 있나요. 대충 사시지.

나의 말

'격정적인 사랑은 얼음 위에 지은 집과 같아 얼음이 녹으면 집은 무너지고 말지'라는 구절이 가장 인상에 남네요. 사랑에 빠지는 것은 쉽지만 그것을 지켜는 것은 참 어려운 거 같아요. 여전히 사랑은 잘 모르겠지만 사랑에서는 '믿음'이 가장 중요한 게 아닐까요? 하여튼 아버지가 꼽은 분야 별 1등 시, 대단합니다. 그럼 저도 제가 생각하는 최고의 시를 하나 소개해볼게요. 터키의 시인 '나짐 히크메트(Nazim Hikmet)'의 '진정한 여행(A True travel)'입니다. '가장 훌륭한 시는 아직 쓰여지지 않았다.'로 시작하는 시인데 검색해보세요! 제가 그 시에서 하나 덧붙인다면, '위대한 책은 아직 만들어지지 않았다.' 그래서 제가 이 책을 만들고 있습니다.

동생의 말

목동 아이스링크장에서 연애하는 분들 조심하라니. 집중해서 읽던 시가 잊힐 정도로 웃음이 터졌어요. 아부지, 개그코드가 저한테라도 맞아서 다행입니다. 다행맞겠죠.

'시'라고 하면 지금은 윤동주 시인이나 기형도 시인 등 좋아하는 시인과 시집이 많지만 고등학생이었을 때는 이정하의 '낮은 곳으로'를 가장 좋아했어요. 얼마나 좋아했냐면 시 전체를 암기하고 있는 건 물론이고 혼자 시를 외다가 '나의 존재마저 너에게 흠뻑 주고 싶다는 뜻이다' 구절에서는 정말로 온 몸이 흠뻑 젖는 것 같았고 '잠겨 죽어도 좋으니 너는 물처럼 내게 밀려오라' 구절에서는 없던 물이 차올라 푹 잠겨 있는 것 같았어요. 말 그대로 완전히 빠져있었습니다. 어디 가서도 저런 얘기는 못 꺼냈지만요.

그래서 이런 일까지 있었어요. 19살, 학교에서 수학시험을 보는데 한 서술형 문제를 도저히 모르겠는 거예요. 그럴 때 또래 애들 중 선생님께 편지를 쓰는 아이도 더러 있었지만(대학교에 왔더니 답안지에 교수님께 F만은 면해달라며 편지쓰는 아이들이 그대로 더러 있더라고요) 저는 왠지 그러고 싶어서 '낮은 곳으로' 전문을 적었습니다. 시험이 끝난 다음 수학시간에 선생님께서 왜 시를 써놨냐며 진지하게 물으셨는데 끝내 대답하지 못했죠. 그냥 빈칸으로 내도 됐을 텐데 수능준비하느라 반쯤 미쳐있었던 걸까요. 차라리 국어시험이었다면 부분점수라도 얻었을까요. 이상한 학생이었지만 꽤 낭만적인 것 같기도 합니다. 친한 선생님도 아니었는데 혹시 선생님께서 이 애절한 사랑시를 여학생의 숨겨온 고백으로 오해하셨을 수도 있는 건가! 어쩜 제 생각이 짧았어요.

본분사

산행 중 도로변에 무궁화가 무리를 지어 펴있다. 무궁화를 보며 유영래 대장은 양기스님의 '시절 인연' 개념을 언급하면서 "백두대간을 종주하기 위해 힘들게 가다 보면 어떤 목표가 달성되어 희열과 기쁨도 느낄 수 있고, 이 과정에서 자기수양과 자기완성도 이룩할 수 있다"면서 "직장에서든 산행에서든 오로지 맡은 바 일을 충실히 해야 한다"고 당부하며 고귀한 말씀을 걸친다.

양기스님(서기 996-1049년)은 달마조사에서 시작한 선종 가운데 '임제종'만이 오랫동안 번성하였는데 그 한파인 '양기파'를 개산한 선승. 한국의 조계종도 이 문하. 양기종은 임제의 '입처개진(立處皆眞)' 선지를 계승, 실제 생활 가운데서의 성불을 요구했다. 마음과 정신이 안정되고 통일되면 시끄러운 시장바닥에 살더라도 심산유곡의 편안하고 고요함과 같다는 설법이다.

양기 스님의 유명한 선문답. 한 학인이 "어떤 것이 경계 중에 있는 사람(깨달은 사람)입니까?"라고 물었다. 이에 양기스님은 "가난한 집 아가씨가 나물 바구니를 들고 가고 있고, 목동이 초원으로 돌아가기를 바라며 피리를 불어대고 있다. 가난한 아가씨는 산에 가서 산나물과 산과일을 따고, 목동은 풀과 물이 풍성한 초원에서 방목을 하는 게 본분사(本分事)다."

양기스님은 가난한 아가씨와 목동이 자신의 본분에 충실한 평범한 일상을 빌어 인성 회귀를 촉구했죠. 불성이니, 자성이니 하는 철리는 바로 일상생활 가운데서 자신의 본분에 충실하는 인성에 다름아니다는 논리를 폈죠. 아, 그렇구나.

나의 말

아버지는 저에게 '공부 잘해라'라거나 '돈을 많이 벌어라'라는 얘기는 하지 않으셨어요. 항상 '성실하게 살아라'라고 말씀하셨죠. 이게 저희 집 가훈이기도 합니다. 그리고는 남이 몰라줘도 성실하게 살면 '하늘이 알고 땅이 알고 내가 안다'고 말씀하셨죠. 그런 얘기를 귀에 못이 박히도록 들어서인지 저도 제 갈 길 묵묵하게 걸어야겠다고... 다짐은 하는데 쉽지는 않네요. 한 걸음 한 걸음.

자연

랜턴 불을 켜고 대간 길을 밝히면서 이날 산행의 첫걸음을 내딛었다. 북서쪽으로 나아갔다. 산행 초입부터 완만한 둔덕에 오르는 편안 길이다. 늦가을 날씨 탓인지 공기는 차가우면서도 맑고 깨끗하다. 모처럼 들이마시는 청정 공기, 들숨과 날숨이 신이 났다. 이내 곧 이마에 땀이 송글 송글 맺히면서 얼굴과 목덜미를 타고 쫄쫄 흘러 내렸다. 옷도 셔츠 하나만 달랑 입었다. 산행에 좋은 날씨다.

어둠과 적막의 산 속. 산과 숲, 나무의 정경은 영락없는 겨울 풍광의 외양. 쭉쭉 뻗은 나무는 여름과 가을에 풍성하던 잎사귀를 다 땅에 떨군 채 앙상하게 남은 뼈대와 실핏줄뿐. 허욕을 비운 수도승처럼. 나무들의 '누드쇼'가 휑한 산을 더욱 을씨년스럽게 만들고 있었다. 길과 길섶에는 발바닥이 폭신폭신함을 느낄 정도로 두터운 '낙엽융단'을 만들고 있었다. 산 전체가 낙엽으로 겨울옷을 입은 것이다. 빈틈없이 두껍게 맨 땅, 고상하게, 대지를 덮은 것으로 봐서 옷이 아니라 이불이지 뭐.

대지가 나온 김에. 영국의 위대한 문학가 '윌리엄 셰익스피어'가 쓴 '로미오와 줄리엣'의 제2막 제3장에 나오는 로렌스 신부의 독백. 약초를 따면서 다음과 같이 읊조렸죠.

"자연의 어머니인 대지는 자연의 무덤이기도 하고 자연의 무덤인 그 대지는 또한 자연의 모태이기도 해/ 보아하니 그 모태에서 가지각색의 자식들이 태어나와 다정한 대지의 가슴에서 젖을 빨고 있더라/ 그 수많은 것들이 모두 뛰어난 효험을 지니고 있고 또한 어느 것 하나 빠짐없이 모두 가지각색이니/ 아, 그들 안에 있는 천부의 힘은 참 대단하기도 해라/ 나무, 풀, 돌 할 것 없이 그 본질에는 기이한 약효가 있어/ 이 세상에 사는 것은 그것이 아무리 흉한 것일지라도 무엇인가 특별하고 이로운 약효를 주지 않는 것이 없고/ 또한 아무리 좋은 것도 그 용도를 그르치면 본성에 어기어 악용의 해를 면치 못하는 법/....../ 가련한 이 꽃 봉우리 속에는 독도 들어 있거니와 약도 들어 있다" 대지를 사랑합시다. 나무와 풀과 돌도 사랑합시다. 사람 사랑이 가장 기초인 거 아시죠. 이웃 사랑은 하지 않고 자기 집안 개만 사랑하는 분들이 의외로 많더라구요.

사실 이 대사 앞부분이 하루가 시작되는 해 뜨는 묘사거든요. 셰익스피어답게 표현이 기똥차더라구요. 아까워서 잠시 소개. "회색 눈을 한 아침이 찌푸린 밤 위에서 배시시 웃고 동천 구름을 빛줄기로 갈라놓으며 얼룩진 어둠은 주정뱅이처럼 비틀거리면서 태양신의 수레바퀴로 난 태양의 길에서 흩어져 나가는 구나. 자아, 태양이 그 불타는 눈을 쳐들고 축축한 밤이슬을 말리기전에 독초며 귀한 약즙이 들어 있는 꽃잎을 이 바구니에 가득 담자구나." 아침과 태양에 눈을 달아놓았구만. 하여튼 문학가들이란, 시인들이란. 말 재주도 좋아.

능선을 타자마자 이내 동이 터 오더니 날이 훤히 밝아졌다. 능선 오른편 저 멀리 한 폭의 수묵화가 펼쳐졌다. 긴 잠에서 깨어나 막 기지개를 편 산들이 겹겹, 중첩되면서 하얀 안개까지 휘감으면서 신비스럽다. 먼 곳은 안개를 머금어 회색으로, 가까운 곳은 여명을 받아 검푸른색으로 어울려 조화를 이루고 있다. 사진을 한 장 멋지게 찰칵 찍었다. 사진이 아니라, 눈 속에 아니라 마음속에.

선종 가운데 하나인 법안종을 만든 법안선사가 어느 선비로부터 그림을 선물 받고 한 말. "이 그림은 당신의 손이 그린 것이요, 아니면 마음이 그린 것이오?" 그림은 마음으로 그려야 하며, 자연은 마음에 담아야 하는 법. 자연과 마음은 하나네.

시원찮은 백두대간 능선이라도 역시 눈을 사로잡는 구석이 있기는 있는 모양. 백두대간 주변의 산들은 '썩어도 준치'라고.

백두대간이란 산에 웬, 바다고기인 준치가 등장하나. "산꼭대기에 파도가 일렁이고 바다 속에 산불이 났구나." 전복(顚覆)의 미학을 통한 득도(得道) 아세요. 이헌태는 그것은 모릅니다. 전복과 전복죽을 좋아하는데. 바다에서 해녀들이 바로 따온 싱싱한 전복을 프라이팬에 참기름을 넣고 볶아 먹으면 그 맛이 일품이죠. 이헌태, 전복사고 날라.

조계종 종정을 지내신 효봉스님도 중국 선종의 특성인 격외(格外)의 자유가 대단했죠. 효봉스님의 오도송은 한국 선종 선사들의 오도송 가운데 가장 독창적이고 뛰어났다고 해요. "바다 밑 제비집에 사슴이 알을 품고/ 타는 불 속의 거미집에 고기가 차를 달이네/ 이 집안 소식을 뉘라서 알랴/ 흰구름 서로 달은 동으로 달린다" 캬, 도대체 무슨 말씀인지. 무슨 바다 밑에 사슴이 알을 품고 불 속에 고기가 차를 달여. 이헌태, 모를 때는 넘어가라. 무식한 놈이 따지기는 왜 따져. 네.

중국 선종은 주지하다시피, 극단적 부정을 통해서 삶의 자유와 실체를 획득하고 더 나아가 자기 생명의 근거에 도달하려고 했죠. 운문스님이 대표적 인물이죠. 하나, "스님, 부처가 뭡니까?"라고 묻자 스님은 "부처, 그건 말라비틀어진 똥막대기야."라고 답했죠. 중요한 것은 관념 속의 부처가 아니라 바로 자기 자신이니까, 부처 같은데 신경 쓰지 말고 네 현실이나 똑바로 보라는 것이죠.

하나 더, 그 분은 "내 앞에서 다시 부처님의 '천상천하 유아독존'을 선언한다면 몽둥이로 후려쳐서 주린 개에게 주겠노라." 부처를 부정하고 나서 철저히 자기를 확인하는 과정이죠. 이헌태가 입 만 떼만 하는 얘기가 '천상천하 유아독존'인데. 큰일났다.

성철스님 말씀도 추가. 첫째, "성현과 달사(達士)들이 나 잘났다고 서로 뽐내니 현미경 속의 티끌만한 그림자." 둘째, "대중이여, 석가 오심도 망상이요. 달마가 서쪽에서 오심도 망상이요. 천칠백 공안도 망상이니 절경(絶景)이 어떠한가." 셋째, "부처님 법문도 따지고 보면 모두 달을 가리키는 손가락에 지나지 않는다. 누구든지 달을 가리키는 손가락인 말과 문자를 쫓지 말고 저 달을 바라봐야 한다." 종정까지 지내신 대선사들이 부처 알기를 우섭게 아네. 그건 아니겠죠. 부정을 통한 극복. 전복의 미학.

장엄하면서 웅장하고 육중한 파노라마 산들을 유심히 지켜보다가,

돌연 저 산들 하나하나가 태고적 신들의 무덤이 아닐까하는 생각에 미쳤다. 신라고도 경주에서 본 왕릉보다는 훨씬 크기 때문이다. 무덤들이 헤아릴 수 없는 오랜 세월에 깎이고, 바람에 깎여서 천태만상의 산들이 되지 않았을까. 그럼, 백두대간 산행은 신들의 무덤 위를 지나가는 거네. 이헌태, 너무 머리 돌리지 마라. 네.

길을 다시 재촉했다. 참나무, 낙엽송, 소나무 삼총사가 숲을 지키고 있고 길섶에는 드문드문 아담한 노기재나무가 구색을 맞추고 있었다. 진녹색 잎을 가진 소나무와 노기재나무가 '산의 황색(黃色) 일당지배'를 온 몸으로 막고 있었다. 독야청청, 사시사철 푸른 소나무 만세.

숲의 변화. 초록색으로 빽빽하던 숲은 앙상한 나무들로 인해 누런 속살을 드러냈다. 세찬 된바람에도 끄떡없이 나뭇가지에 끝까지 결사적으로 붙어있는 나뭇잎은 뭐꼬. 우주의 섭리가 그렇게 싫고, 생명을 잉태하는 대지가 또 그렇게 싫은가. 빨리 투신해라. 빨리 투항해라. 이승에 그렇게 미련이 많은가. 나뭇잎보고 내가 뭐라카노. 너무 오바했네. 시를 많이 보다가 나도 머리가 이상해졌어요.

휑한 산과 작대기 비쩍 마른 나무 사이로 동지들의 행군 모습이 언뜻언뜻 보인다. 뾰족뾰족한 바늘이 심겨져 있고 인간이 걸려있다. 너무 엽기적인가. 안부에서 서서, 저 위 봉우리에서 내려오는 일행을 보니 '겨울 숲, 나무와 인간'이란 주제의 동양화다. 텅 빈 겨울 산과 성긴 나무가 그려진 자연에 인간이 넉넉하게 담겨져 있다. 겨울산은 서양화가 아니라 동양화가 더 어울리네. 인간도 자연의 한 부분이네.

'인간도 자연'이라. 선현의 시상(詩想)들이 절로 감흥을 돋군다.

고려 때 홍간의 '눈(雪)'이란 시. "저문 강 마을에 눈 덮인 봉우리들/ 하늘 하늘 눈 내려 한가로워라/ 백발진 낚시꾼 도롱 삿갓 쓰고서/ 제 몸이 화폭인 줄 모르고 있네"

또 조선 때 정도전의 '방김거사야거', 즉 '김거사 초야에 묻혀 사는 거처를 찾아서'란 시. "가을 구름 막막하고 온 산은 고요한데/ 소리없이 단풍져 땅을 붉게 물들였네/ 시냇가에 말 세워 돌아갈 길 묻나니/ 이 몸은 한 폭의 그림 속에 있어라"

삭발한 산과 앙상한 나무, 떨어진 낙엽을 보고 이헌태의 생각 하나. "낙엽이 우수수 떨어져 땅을 가득 채운다. 하늘은 가난하게 되고 땅은 부자가 된다. 이 혹독한 겨울이 지나면 그때는 땅이 가난하게 되고 하늘은 부자가 된다. 이것이 바로 천지의 이치이고 둘만의 영원한 우정이 아닐까."

산새들이 지저귄다. 흰 눈을 기다리는 소리다. 부엉 부엉 부엉, 부엉이 소리도 들린다. 산에서 귀청을 때리는 자연의 원음(原音)은 다 듣기 좋다. 마음으로 들리고 영혼을 두드리는 것 같다. 개소리든, 새소리든, 바람소리든, 물소리든, 나무 흔들리는 소리든, 심지어 개미 웃는 소리든. 이헌태 니가, 소머즈 귀냐. 개미 웃는 소리가 들리게. 천상천하 유아독존인 이헌태가 들린다는데 왜 시비야.

'자연'이 나왔으니. 중국 불교 운문종과 법안종이 특히 자연에서 도를 깨우치자고 주장했죠. 부처님을 따라야지 왜 자연을 따르는지. 혹시 자연이 좋아 산과 강을 찾아다니는 '위장 스님'들 아닌가.

운문종을 개산한 운문 선사(864-946). "자아란 누구입니까?"라는 질문에 "산에서는 자유로이 배회하고 강에서도 즐거움을 찾는 사람이다."라고 답했죠. 또 "달마가 중국에 와서 전파하고자 한 불법의 핵심이 무엇입니까?"라고 묻자 "봄이 오니 풀이 스스로 푸르다."라고 답했다고 하네요.

운문은 산수에 나타나 있는 '진여'(불법 진리)를 보라는 것. 선자들에게 자연은 '마음의 방'. 운문은 참선자라면 모름지기 자연의 신령스런 빛에 온몸을 노출시켜 일광욕을 하라고 권유한다. 자연이야말로 깨침의 문턱으로 들어가는 지름길이기 때문.

청량문익(885-985)이 개산한 법안종. 법안종 2세인 천태덕소 선사는 "산하대지가 진짜 선지식으로 늘 법문을 하고 있고 시시각각 사람을 제도한다."고 설파했죠. 본선 선사는 "깊은 산 속의 새 우는 소리, 계곡 물에서 뛰노는 물고기, 하늘을 흘러가는 조각구름, 폭포 떨어지는 소리가 네가 득도를 위해 들어가야 할 곳이 아니냐."고 일깨웠다고 해요. 혜달선사는 "어떤 것이 부처의 마음입니까?"라고 묻자 "산하대지."라고 답했고. 이들 종교는 '불교'가 아니고 '자연교'구만.

청산녹수가 펼쳐 보이는 산수의 진여를 귀히 여기라는 운문종과 법안종의 가르침이 후일 시인, 묵객들에게 큰 영향을 미쳤죠. 선경(禪境)과 시경(詩境)의 합일. 물아일여(物我一如)과 직관을 통해 산수를 관조하고 감오하는 대각(大覺). "청산은 붓을 들어 그린 그림이 아니어도 천추에 뛰어난 그림이요. 계곡을 흐르는 푸른 물소리는 줄이 없지만 만고에 빼어난 악기(거문고)다."(青山不墨千秋畵 碌水無弦萬古琴)

자연을 통해서도 도를 닦을 수 있구나. 자연이 이렇게 대단한데. 백두대간 종주가 바로 '구도(求道)'라는 것이 철학적, 종교적으로 증명이 되었구만. 열심히 다녀야지.

나의 말

'백발진 낚시꾼 도롱 삿갓 쓰고서/ 제 몸이 화폭인 줄 모르고 있네'라는 구절을 보니 교수님이 내주셨던 특이한 과제가 생각났어요. 교수님은 기말 레포트 과제를 미술관에서 인증사진으로 대체해 준다고 말씀하셨죠. '지적재산권법' 수업이라 그랬는지 모르지만, 수강생 모두 기쁨의 함성.

저는 집 근처 간송미술관에서 열린 소정 변관식 선생님의 한국화를 보고 왔죠. 신선이 나올듯한 동양화만의 산세와 그 속에 사는 사람의 고고한 멋을 느꼈어요. 특히 봄, 여름, 가을, 겨울 4계절을 잘 나타낸 4첩 병풍 속 모든 곳에 도롱 삿갓을 쓴 노인이 지팡이를 짚고 어딘가로 걸어가고 있었습니다.

이 신선의 산을 거니는 노인이 부럽기도 해서 유심히 쳐다보니 흡사, 제가 그 그림 속에 들어가 산을 걷는 기분이 들더라고요. 그렇게 동양화 아름다움에 처음으로 빠져보았던 시간이었습니다. 수많은 과제를 했을 텐데, 이 과제만큼은 생생히 기억에 남네요. 앞으로도 학생들이 이렇게 다양한 과제들을 체험할 수 있었으면 좋겠어요.

양반론

시 낭송회가 열렸다. 대장이 직접 시 낭독한 시, 감태준의 '흔들릴 때마다 한 잔'. "포장술집에는 두 꾼이, 멀리 뒷산에는 단풍 쓴 나무들이 가을비에 흔들린다 흔들려, 흔들릴 때마다 한잔씩, 도무지 취하지 않는 막걸리에서 막걸리로, 소주에서 소주로 한 얼굴을 더 쓰고 다시 소주로, 꾼 옆에는 반쯤 죽은 주모가 살아 있는 참새를 굽고 있다 한 놈은 너고 한 놈은 나다, 접시 위에 차례로 놓이는 날개를 씹으며, 꾼 옆에도 꾼이 판 없이 떠도는 마음에 또 한 잔, 젖은 담배에 몇 번이나 성냥불을 댕긴다 이제부터 시작이야, 포장 사이로 나간 길은 빗속에 흐늘흐늘 이리저리 풀리고, 풀린 꾼들은 빈 술병에도 얽히며 술집 밖으로 사라진다 가뭇한 연기처럼, 사라져야 별 수 없이, 다만 다같이 풀리는 기쁨, 멀리 뒷산에는 문득 나무들이 손 쳐들고 일어서서 단풍을 털고 있다”

이헌태의 논평, 이헌태는 포장마차에 술 마시러 가나 술을 떡이 되게 마신 후 취한 속 풀기 위해 국수 먹으러 가지. 이게 살찌는 지름길. 용도가 다르네. 포장마차는 원래 미국 서부시대의 향수를 느끼게 하는 것인데. 엄밀히 말해 한국의 경우는 포장마차가 아니라 포장리어카지. 이헌태의 주장, ‘포장마차’가 아니라 토속적인 ‘포장대포집’으로 바꿉시다.

철학자인 김용석 교수는 한국인의 술자리를 '유토피아적 순간'으로 표현했죠. 술자리야 최고로 기분 좋은 자리고 편하고 즐겁죠. 갑자기 취한 김에 의형제가 맺어지고 못 지킬 꿈과 약속이 난무하고. 김 교수 왈, “밥이 생존이라면 술은 실존. 즉 무한 경쟁에 사는 이 땅의 아들딸에게 밥은 생존의 얼굴이라면 술은 실존의 가면, 유토피아에 대한 동경은 현실도피가 아니라 현실의 완성을 위해 존재하는 것.” 밥과 술을 대조적으로 잘 비교했네요. 특히 술에 대한 의미부여가 대담합니다.

다른 이가 또 하나 시를 낭독했다. 누가 지었나, 대장이 지었나. 제목은 '달마산책'. "길에서 길을 찾고 집에서 집을 구하기 그 얼마였던가/ 나아가려 하면 할수록 길은 멀어지고/ 나와 함께 사람들의 심정은 쪼들어만 가니/ 그러한 까닭에 오늘 스스로 자화를 그려내/ 마음 등불을 밝힐까 하노라"

이헌태의 논평, 길은 지도책에서 찾고, 집은 복덕방에서 찾아야죠. 그런데 왜 부동산집을 복과 덕이 있는 복덕방으로 했을까. 그렇고 보니, 땅과 집 장사가 지금도 복과 덕의 원천이네.

유 대장이 왕양명의 양지(良知)론을 곁들이면서 양반론을 다시 꺼냈다. 아 지겨워. 아닙니다. 아니고요. 양명학을 창시한 왕양명은 "인간은 원래 양지라는 좋은 면을 갖고 태어났다."면서 "자기 고유의 덕성인 양지를 자각 실천하라."고 설파했죠. 이에 앞서 맹자 선생께서 '진심'편에서 "깊이 생각하지 않고도 알게 되는 것이 양지이다."라고 먼저 말씀을 했다고 하네요.

'양지'라는 개념이 나왔으니 당연히 '성선설'과 '성악설'이 나와야죠. 인간의 본성과 관련해서는 맹자의 '성선설'과 순자의 '성악설'이 대조를 이루고 있죠. 그런데 왜 싸워. 사람은 그냥 태어난 것인지. 좋은 환경아래에서 잘 자라면 좋은 성질을 가지는 것이고 좋은 환경아래서도 나쁘게 자라면 나쁜 성질을 가지는 것이죠. 또 나쁜 환경아래서도 잘 자라면 좋은 성질을 가지는 것이고 나쁜 환경아래서도 나쁘게 자라면 나쁜 성질을 가지는 것이지. 이헌태 니 말 맞다.

두 얘기를 기가 막히게 잘 종합정리한 사람이 나타났죠. '주희'라고 들어보셨죠. '성리학'을 일으켜 세우신 대학자 주자(주희)(서기 1130-1200)는 맹자와 순자의 한계를 지적했죠. 인간이 도덕적으로 선하도록 되어 있다는 근거를 제시한 '본연지성(本然之性)'과 환경의 영향으로 악할 수도 있는 이유를 설명한 '기질지성(氣質之性)'의 양대 논리를 함께 제기했죠. 맹자와 순자의 얘기를 모두 끌어안은 거죠. 똑똑한 학자는 틀림없지만 얌체 같은 학자네.

주희는 존재를 서열화하고 기질과의 상관관계를 설명했죠. 1) 성인(聖人)은 그 자체로 완전하기 때문에 기질변화가 필요 없다고 했죠. 2) 현자(賢者)는 기질을 변화시켜서 완전한 이가 될 수 있다고 했죠. 3) 범인(凡人)은 기질 변화가 어렵지만 불가능하지는 않다고 했죠. 4) 동물은 기질 변화가 거의 불가능하나 부분적으로 선하다고 했죠. 이헌태는 범인이지만 현자를 지향해야죠 뭐. 언제 어느 세월에. 누구야, 내년부터 몰아 쳐서 착한 일할지.

놀라지 마세요. 주희 선생께서 이 논리를 가지고 한국을 비롯해 동아시아 지성사를 무려, 무려 700년 동안 날렸더라구요. 웬만하게 잘 나간 왕조보다 더 영광이죠. 주희를 우섭게 보았더니 세계사적 인물이네. 한국은 이상한 나라에요. 자기 나라 사람도 아닌데 남의 나라, 중국사람 주희의 사상을 이조 5백년 내내 받들고 모셨으니.

여기서 주자와 왕양명의 대결이 시작됩니다. 주희는 양지는 태어날 때부터 지니는 지혜로서 '먼저 널리 배워 그 이치를 안 후에 실천한다'는 소위 '선지후행'의 논리를 폈어요. 이에 비해 왕양명은 양지에 의한 지행합일을 주장했죠. 왕양명은 '효란 인간이 태어날 때부터 마음속에 있는 것이지 그 이치를 모르면 실천 할 수 없는 것이 아니다'는 것이죠.

왕양명의 논리가 더 그럴듯해요. 성현의 가르침은 책을 읽고 연구할 수 있는 사대부의 독점이 아니라는 거죠. 여유 없는 서민들도 성인의 경지에 이를 수 있는 양지가 모두 갖추어져 있다는 겁니다. 또 천리를 보존하고 인욕을 제거할 경우 이 내재하는 양지야말로 바로 천리라고 주장했습니다. 주희가 '엘리트지식인파' 라면 왕양명은 '서민파'죠. 이 왕양명이 조선시대 때 이단으로 찍혔죠.

모두 다 100% 아는 것. 유 대장의 좌우명, '양반답게 살자'. 멋진 좌우명 하나 소개. 명나라 말기 학자인 '육상객'의 '육연(六然)'이 있어요. 1) 자기 집착에서 벗어나고 2) 타인에게는 언제나 부드럽게 대하고 3) 유사시에는 활기에 넘치고 4) 무사할 때는 마음을 맑게 가지고 5) 성공했을 때는 담담하고 6) 실의에 빠졌을 때는 태연하라. 현대 기업경영지침서 같구만. 고리타분한 옛날 사람 같지 않구만. 현대인에게는 주희보다 더 낫구만.

나의 말

양반론이라니! 저는 우리 집안은 안동 예안 이씨 집안으로 고려시대부터 양반이라는 소리를 듣고 자랐습니다. 조선이 망한 지가 언제 적인데 양반타령인지 싶지만, 왠지 그런 소리를 들으면 신기한 것도 사실입니다. 조상님 중에 가장 기억에 남는 분은 장영실을 조정에 천거하신 분이에요. 오늘날로 치면 유능한 헤드헌터라고 말할 수 있으려나? 제 조상님의 성함은 아무도 모르지만 장영실은 대한민국 사람이면 누구나 알고 있죠. 저도 그렇게 이름은 못 남겨도 세상에 도움이 되는 일을 하고 싶어요. 그러고 보니 제가 예전에 저희 집안에 대해 SNS에 쓴 글이 있는데 이 책에 옮겨볼게요.

안동 예안 이씨

문득 예전부터 내가 생각해오던 소설 소재가 떠올랐다.

그건 우리 안동 예안 이씨 일가 이야기이다. 고려시대 때부터 양반이었던 것까지 거슬러 올라가지 않더라도, 박경리의 토지처럼 대하소설까지는 아니더라도, 내가 봐도 스펙터클하고 재밌는, 우리나라의 근대 역사가 다 들어간 집안 이야기. 23년생 92세 할머니와의 대담 속에서 그 이야기를 담아내고 싶었다.

일제강점기 안동의 조상 땅을 팔아서 만주로 올라가 공장을 지으셨지만 망하신 증조할아버지, 어릴 때는 머슴과 함께 말을 타고 학교를 가셨지만 집안이 망한 이후로 찢어지게 가난한 시절을 버티며 교장선생님까지 하신 할아버지, 그 할아버지가 친구랑 같이 잘 산다는 북한에 돈 벌러 넘어가려다 가족이 보고 싶어 중간에 오줌 싼다고 숨었다가 집으로 다시 내려오신 얘기, 6.25 때 집 마당 앞에 폭탄이 떨어져 목숨을 구하고 피난 간 얘기, 대학교에 합격한 아버지가 민주화 운동한다고 경찰을 피해서 집 나간 얘기, 그러고는 간염이 걸려서 입원실에 누워있을 때 할머니가 매일 소의 간을 먹여서 나았다는 얘기, 그리고 못다 한 이야기들...

할머니는 일제강점기부터 광복, 4.19혁명, 5·18민주화운동, 88올림픽, 2002년 월드컵 그리고 지금까지 보셨다. 그 모든 것을 겪으신 할머니와 얘기하면서 지금을 살아가고 있는 나의 눈으로 우리 일가의 얘기를 한 권의 책으로 쓰고 싶었다.

항상 마음속으로 생각하고 있었는데, 갑자기 그 소재가 언제까지 있을 수 없겠구나, 라는 생각이 들었다. 내가 하고 있는 모든 일이 가족이 없으면 소용없겠구나, 라고 느끼며 시간 날 때마다 할머니를 찾아뵈며 한 글자 한 글자 써봐야겠다는 생각을 한다.

이 글을 올린 뒤 한 달 뒤에 SNS에 '할머님 이야기'를 올렸습니다.

할머님 이야기

어버이날을 맞아 집안 식구가 다 모이기에 대구로 내려왔습니다. 예전에 우리 집안 얘기를 듣고 너무 신기하고 재미있어서 할머니께 이 얘기를 책으로 쓰고 싶다고, 아니면 내 자식에게라도 들려주고 싶다고 하니 당신께서 자신의 일생을 노트에 쓰신 게 있다고 말씀하셨습니다. 안방으로 가시더니 장롱 위 박스를 가리키며 내려달라고 하셨지요. 그 상자 안에는 수많은 공책들이 있었는데 그 중에 한 권을 꺼내시며 보여주셨습니다.

왼쪽 소파에 할머님이 앉아계시고 꺼낸 공책을 제 왼쪽 다리에 올려놓아 같이 보면서 커피 테이블위에 있는 노트북으로 써내려간

글이 이 글입니다.

〈띄어쓰기와 마침표는 표시되어 있지 않아 제가 채워 넣었습니다. 나머지 맞춤법은 할머님이 쓰신 그대로 적었습니다. 그래야 할 것 같았습니다. 중간에 괄호는 궁금한 것을 할머님께 물어보아 쓴 설명입니다〉

80年 사라온 이야기

금년이 2006年 산천초목이 무성한 5月에 계절 어미 나이 83세 갑자생이다. 일제 36年동안 나라 빼았기고 자유도 없고 물자도 귀하고 80年 사라온 사연 대강 적으며 말도 잘안대고 귀도 약간 먹고 눈도 침:〈위 아래로 점이 찍혀 있길래 물어보니 침침하다에서 침이 두 번 나오니 약식으로 한 것이라고 합니다〉 정신도 흐리고 그르나 즐거웠든 일 슬펐든 일 고달푼 일 모두 겻거온 사연 대강 적어본다. 사랑하는 아들 딸들아 어미 능치 못한 글로 두어자 적으니 보아라.

10年이면 강산이 한번 변한다는대 여덜번이나 변했으니 사라온 인생 너무 허무하고 너이들 칠남매 키운 보람으로 세월을 보냈으니 나문겄은 병뿐이라 갈 곳은 한 곳 분인대 언제 갈지 기회가 없다. 어미 태여난 고향은 경북 봉화군 봉화면 유곡리(닭실마을) 백여대촌 명문대가 여의정을 지나신 권충제 할버님 후손이고 외가는 세계서 알아주는 이퇴계 선생님 후손이고 외증조부님는 영해골〈마을의 군수〉 지아신 원촌 영해〈동네이름〉 영감댁 어른이다. 친외가 모두 남이 알아주는 가문 원촌댁 맏딸로 태여난 이 몸 너무나 자랑스렵고 영광이다.

외할아버지께서 일본 한의학 공부하로 가시여 자격증 따서 봉화 시내 한약방를 차렸다. 그 당시 어미나이 8세라 여자도 배워야 한다 하시며 1931年 보통학교 입학하여 1937年 3月 15日 일제 강점기〈소화는 일본식 초등학교〉 졸업했다. 일학년 붙어 친한 친구가 있었다. 이름은 김룡해(해제댁)라 서로 의지하고 재미있게 지나다가 출가〈둘 다 시집 간 뒤에〉하여 10年동안 소식이 없어 궁:하든 중 大邱〈대구〉와서 또 맣ㄴ았다.

70年동안 서로 의지하고 반기면서 살다가 몹쓸병이 들어 10年을 고생하다 77세 세상를 떠났다. 너무 가엽고 섭:하다 닭실 동갑 중 나 혼자 학교 단였다. 외할머니께서 아들이 없어 딸만 셋을 두어 항상 걱정과 고민 하시다가 1962年 8月 18日 72세로 세상를 떠나셨다.

〈워낙 분량이 방대하여 여기까지. 나머지는 기회가 있을지 모르겠지만 열심히 써보려고요. 할머니와 이렇게 오랫동안 얘기해본 적이 있나 싶을 정도로 많은 대화를 하였고 할머니가 너무 좋아하셔서 저도 좋았습니다. 틈틈이 적어 봐야겠습니다!

잠에서 깨신 할머니가 나를 부르시고는 계속 쓰자고 하셔서 노트북을 켰다. 다 쓰고 할머니는 잠에 드셨다. 나는 잠에 들 수가 없었다. 가슴이 먹먹하다.〉

(중략)

우리 어머님은 청춘에 혼자 대시여 60年 사라오신 사연 대강 적어보자. 어머님 고향은 안동 서후면 금계촌 의성 김씨 김학봉 선생님 후손이고 선비가정 석개 어룬 맏 딴님으로 탄생하시여 가정교육 잘 밧고 부모님 사랑 맣ㄴ이 바다가시며 어나듯 16세라 결혼할 나이라 동서로 구혼하여 안동풍산 우릉골 선성이씨 백파 후손 훌륭하신 15세 남자가 계시니 부모님 주선으로 정혼하여 조흔날 바다 백년가약 맺고 계모년 12月 1日 화촉를 발키고 처부모님 사랑 맣ㄴ이 밧고 20日 계시다가 본댁으로 가셨다.

삼행올 때까지 잘 있으라 기약하시고 본댁에 가신지 몇일 안대여 병환이 나셨다. 어리신 마음 아연작별 못이저 병환이 나서 하로:: 더심하여 산신산 불사약을 못구혜 갑진년 1月 20日 결혼한지 한달 20日 맣ㄴ에 꽃다운 청춘 16세 드든 마듯 하늘나라 떠나셨다. 어머님은 17세라 부모님 슬전에 어리광를 부리는 나이 하늘이 무너지고 땅이 꺼지는 오류월 찬서리가 원말이요〈마음이 그렇다〉 너무나 가엽고 애통해 요양곳 부모님 어이 뵈오리요. 사람의 목숨은 마음대로 못하는 듯 몇번이고 굴머봐도 아니 죽고 약을 먹어도 아니 죽으니 하로 일틀 새월이 흘너 양곳 부모님 사랑과 의지로 20年 세월 보내시다 계해년(1923年) 11月 15日 족하 양자〈"니 할아비지야."〉 바다 금지옥엽 고이 길너 훌융하게 안동 농림학교까지 식혀 20세가 대니 결혼할 시기라 동서로 구혼하여 맞침 봉화유곡(닭실마을) 여의정를 지나신 권충제 할아버님 후손이고 원촌댁만딸이 있어 중매로 양곳 부모님 의사 선도 안보고 백년가약 맺고 결혼하니 어머님 사십년 사라 온 바람 너무 조화하셨지요. 결혼 3年 맣ㄴ에 첫 아이 가저 먹지 못 뼈만 나문 일도 있어 힘들게 사라왔다.

일본 대동아 전쟁 말년이라 먹을 겄은 대두박과 뜬 좁쌀 뿐이라
〈콩 누르면 기름이 나와서 기름은 일본에 바치고 기름 짜고 남은
껍두리〉 산에 소나무 껍질 벽겨 죽도 써먹고 식량에 보태였다. 전
쟁 도중 기름이 부족하여 산에 솔광이이 따서 나라에 밫이고 사는
계 너무 힘들었다〈"일본이 세계를 잡으려고 전쟁을 막 하는기
라."〉. 남자는 군에 다가고 여자는 청신대 붓들여갓다. 교사는 나
중에 군에 간다니 너 아버지 교원삼종시험 합격하여 1943年 안동
풍북학교 입사하여 군에 안가고 해방 대였다. 일본이 세계를 잡를
나하다가 미군이 원자폭탄 던저 일본천황이 1945年 8月 15日 항
복하였다. 꿈에도 못보든 태극기를 어른아이없이 대한독립만세 소
리 방:곳: 외치며 세상에 이른 일도 있을까 온 국민이 조화 엇절
줄 모르고 기뻐햇지요. 기뿜과 즐거움도 잠시라 난대 없는 좌익과
우익 서로 갈려 38선이 가로막아 북족은 소련서 정치하고 남쪽은
미군이 정치하니 우리나라도 언제 독립되여 자유댈고. 애들하고 원
통하다.

(중략)

1950年 6月 25日 세벽에 평화하든 우리나라를 인민군이 습격하
여 잠시예 서울이 불바다가 대여 삼일 맣ㄴ에 함낙하니 남쪽으로
피란가라는 영내리니 너 아버지 혼자 피란 남쪽으로 갔는대 잠시
있으니 너 아버지 도로 집에 오시여 죽어도 갗치 죽고 살아도 갗
치살자 하시며 검제형님 가족하고 우리 가족하고 저우리마을노〈하
회마을 옆〉 피란가서 서로 의지하고 사라오는 중 인민군이 정치하
니〈"석달 동안 정치했어."〉 집으로 가라. 집에 오니 동래가 텅비어
무서웠다. 이웃차씨댁 혼자 있어 반가왔다.

우리집은 산밑이라 낮으로 땅굴 파고 밤이면 집에자고 불도 못켜
고 암흑 생활하는대 어느날 아침 식사하는 중 폭탄터지는 소리 천
지가 진동하니 온식구 놀내 한참 있다가 문열여러보니 우리 앞집::
이 쏘가 되엿다. 우리집에 폭탄 터젔으면 우리 식구 다 죽얻지. 또
보따리 질머지고 만우이라는 마을노 피란갔다. 가다가 xx〈첫째고
모〉가(6세) 다리 앞아 못간다 애를 만히 머겼다. 가서보니 우리일
가 권두환씨 집이라 아리채를 빌너주는 마음 너무 고마왓다.

공산국이라 하로:: 조심:: 사라 오는 중 유앤군 도움으로 서울 도
로 차자 인민군이 북으로 도망가는 중 음력 8月 15日 추석날 오후
4시경 검제할바님과 내압 아자바님 두분이 오시여 우리 남쪽 피란
안갓으니 혹시 벌 바들지 모르니 20日만 있다가 오세〈“정부가 북
한이 막 내려오니까 남으로 피난으로 가라고 한 걸 너 할아버지는
도로 올라왔잖아.” “피난 안 갔다고 왜 벌을 받아요?” “그땐 그랬
어.”〉. 세분이 북으로 가시는 뒤모습 안 보일 때까지 섯다가 집에
와 저녁 준비하는대 너아버지가 오셨다〈“왜 북으로 간 거예요?”
“그때는 이북이 살기 좋아서 많이 갔다. 많이 갔어. 니 할아버지처
럼 가다가 온 사람은 혼자야. 두 사람은 갔고 니 할아버지도 갔더
라면 난 딸 둘 뿐이었어.”〉

한편으로는 반갑고 한편으로 놀나와 엇지할줄 몰낫다. 그 당시는
북으로 가면 조흔줄 알았다. 남쪽도 가족두고 못간는대 북으로 잠
시될지 도저히 못가 화장실에 간다하고 나락논에 숨어있다가 두분
이 가신뒤 집에 왓어요. 너 아버지 28세라 한창 천년렬기에 안가
고 도로 오시니 너무나 고맙고 감사하다. 만약 북으로 갔드라면 어

머님과 딸 둘 다리고 네식구가 50年 넘도록 눈물노 세월 보내지요.

〈아버지와 나랑 동생이 나온 이야기〉

1962年 7月17日 제헌절날 헌태 출산했다. 병원도 안가고 노산이라 힘이 맣ㄴ이 들었다〈이때 할머니 연세가 39세〉. 헌태 볼적 마다 미안한 마음이 든다. 유산하로 병원에 갔는대 의사가 안해주어 그양 집에 왔다. 만약 유산 했드라면 똑:한 헌태를 못 볼분했다〈"왜 지우려고 했어요?" "없이 사는데 아가 일곱이라 많잖아."〉. 생각 사록 미안하다 서울연대 졸업하고 1987年 매일신문사 기자로 입사하여 청화대 정치부 기자 몇년 하다가 지금은 공무원으로 잘 단이고 잇다. 1989年 28세 안동 삼산 류씨 문중에 출가하여 일남일녀두고 원교는 고등2학년 늘신한 천년이 되여〈쑥스럽습니다〉 마음이 든:하다. 성은이는 초등 5학년 공부도 잘하고 노래도 잘부른다. 귀엽고 재롱하다. 나문 인생 잘사아다오〈네, 잘살겠습니다〉.

1963年 5月 6日 아침 8시에 아이들은 학교가고 이 없어 보리밥으로 아침식사하는중 어머님이 머리가 앞우다 하시며 점: 정신를 못차려 이웃아저씨가 의사를 다리고 와 진찰 결과 할머니 병환은 뇌익혈이라 머리에 피가 터지는 병이 오니 세시간 후면 운명하시니 친적에게 열낙하세요. 하니 땅를치고 통곡할 지경 너 아버지는 포항 장학사로 계시니 전화도 없고 전보치고 둥:〈전보 치는 소리〉 하다보니 12시 반에 운명하셨다〈"할머니 혼자 계셨어요?" "그렇지. 이웃 사람도 아침인데 못 오지. 나중에 왔어."〉.

너 아버지는 1시 도착 운명하신 어머님를 부등껴안고 엄마 내가 왔어요. 인직이가 왔어오 눈 좀 떠바요. 30분만 기다렸으면 나를 보고 가시지요. 사랑하는 인직를 못이저 어이 가십났까 통곡하는 중 어머님 친당〈친정〉 종손자 김성호씨가 우리 넉:지 못 사는 걸 아시고 쌀 한가마를 가주 오시니 어머님 도라가신 통곡 속에 쌀가마를 안고 어머님 쌀이 왔어요〈"그때 많이 울었다. 쌀이 없어 보리밥 먹었어. 반찬이 뭐 있나? 못살았는데." "교사했는데요?" "교사했어도 월급이 얼마 안됐어. 그때는 선생이 월급 얼마 안 돼."〉.

어머님 쌀이 왔어요 쌀밥 좀 자시고 가세요. 하도 통곡하니 문상오신 분들이 닭실댁 통곡 속에 안 우신 분이 없지요. 교직 생활 넉:지 못한 살림 아이들 칠남매 어머님 손으로 다 키우시고 영화나 보시고 가셨으면 여한이 없지요. 애통하고 가엽서요〈"시어머니 어땠어요?" "좋지. 너 할아버지 양자로 하고 우리 자식 칠남매 다 키웠지. 시어머니가 너무 좋은 사람이야. 아한테도 나한테도 잘하고. 그래도? 무서운 사람이야. 무조건 복종했잖아. 며느리가 뭐 할 수가 있나? 하라면 하는 대로 했고." "하는 대로 안했으면 혼냈어요?" "동네사람들은 무서웠다는데 우리는 글코 안 무서웠어."〉.

세월이 흘어 1965年 왜간 장학사 전근대여 살림 안가고 주말노 집에 오니 서로가 고생이 맣ㄴ앗음 1969年 울능도는〈"18년을 떨어져있었어. 헌태 낳아가지고 포항장학사 갔는데 헌태 18살 먹고 왔어. 월급 조금 주는 거가지고 고생많았다." "보고 싶지 않았나요?" "나로서는 최고 남편이야!" "왜죠?" "둘 다 서로를 사랑했어." "다시 태어나면 다시 결혼할 마음 있으세요?" "나는 다음에 태어나도 또 결혼하겠어." "다른 여자한테는 관심이 없었나요?" "없었

어.”〉

(중략)

조금한 봉급으로 아이들 칠남매 교육 싷히는대 너무 힘들어 생각다 할 줄 아는 유과와 약가 전문으로 만들어 집에 도움이 되였다〈“집에서 만들지. 너 아빠랑 xx(큰아버지)랑 유과 많이 만들었어.” “어떻게 팔았어요?” “집으로 사람이 많이 사러와.” “어디서 배운 거예요?” “친정에서 배웠지.”〉. 헌태 xx(큰아버지) 유과 뭋치는대 맣ㄴ이 도와주었다.

(중략)

1984年 大邱 서부학교로 전근되니 사택이 없어 산격동으로 조금한 집를 사서 사는 도중 xx(큰아버지)를 1984年도 함밤 부림 홍씨 문중에 출가하여 처음 며느리를 보니 귀한댁 딸를 대루와 좋키도 하고 고생이나 안될지 걱정도 된다〈할머니 마음이 참 따뜻하다고 느꼈다.〉. 1989年 2月 24日 교직생활 44年 맣ㄴ에 무사히 정영퇴직하니 감사하고 대견스럽다.

1992年 서울 외종반이 동남아여행 가자고 열낙오니 너 아버지 서둘너서 우리 삼형제하고 정제 외조모님 형제분 모두 갖치가서 오박 육일 5개국 나라 재미있게 잘하고 왓다. 너 아버지 성품과 엄식이 조금 까다라와 힘은 들었으나 속마음은 다정다감한 분이라 남편으로는 과분한 분이였다〈이때 할머니 얼굴을 봤는데 눈물 한 방울이 흘러내리고 있었다 “틀림없는 6시에 들어왔어. 술 먹는 것도 못 봤고 밥 먹고서 내가 항상 사과나 커피를 내주지. 밥 먹고

가면 습관이 됐어." "해달라고 하셨어요?" "해달라는 말은 안 했어도 내가 해주잖아."〉.

1994年 산격동 집팔고 칠곡 태전동 중앙 한신 204동 5xx호 11月 30日 이사했다. 집은 작으나 앞산이 있어 공기가 좋타. 아버지 연금으로 퇴직하여 아이들께 손 안벌리고 나문 인생 즐겁게 백년회로하고 살자 했든니 2000年에 손발이 저려 大학병원갓든니 뇌경색증이라 약먹그면 나는 병이니 걱정마라하나 서울 경희대 병원가니 역시 뇌경색증이라 大邱 도로와 대학병원 15개월 치료 밧고 약은 안옥 약국 타먹고 하로:: 지나오나 차도가 없어 2002年 1月 붙어 엄식이 많이 없고 짜증만 자주내니 나도 따라서 힘이 많이 들었다〈할아버지가 치매에 걸리셨다.〉.

매일 갖치 외출하시든니 4月붙어 외출도 못하고 카토릭 병원 대학병원 두곳 입원했지만 차도가 없어 담단 의사가 할아버지 병환은 중풍과 치매오니 집에가서 구로 잘하세요〈잘 받들라는 뜻〉. 조흔 엄식과 조흔약을 써도 점:더 심하여 가슴이 답:한 듯 한손으로 입은 옷을 기니 바라보는 내 심정 억장이 무너지는 듯 산신산 불사약도 못 구하고〈"앞에도 나왔었는데 산신양 불사약이 뭐예요?" "옛날 얘기야. 산에 약이 있어." "그게 진짜 있어요? 누구한테 사는 거예요?"(바보 같은 질문) "그냥 얘기야, 얘기."〉 아내예 정성이 부족한지 회생를 못하시고 2002年 11月 7日 음력 10月 3日 아침 10시 40분에 조용하게 눈을 감고 하늘나라 가섯다.

아이들 칠남매 몸부림치고 통곡하는 광격 차마 못 보겟어요. 항상 못이저하든 동생과 아들 딸에게 부탁할 말도 있고 의론 할 이야기 도 있을 터인대 말한마듸 못하고 가셨나요. 우리 결혼 60年 동거 동낙하다가 갗치가자고 약속했는대 그 약속허사되고 당신 먼저 떠 나시니 허전하고 외로우나 아이들 면: 전화 자주오니 마음 흐뭇하 고 든:함니다. 당신 낙골당 시작 못보고 가셨지만 2004年 윤달에 조상님 다 모셨어요〈가족납골당〉. xx(큰아버지)가 다 끝냈습니다.

당신 하늘 나라에서 大小家가 아모 탈없이 잘사도록 도와주십시 요. 당신 주고 간 연금 잘쓰고 아이들 용돈 잘줍니다. 당신 너무 고마운 분이예요. 북으로 가다가 도로와서 우리 가정 행복하게 잘 지내도록 해주시니 너무 고맙고 감사함니다. 할말른 맣ㄴ으나 눈도 어둡고 말도 잘안되고 보시그든 말맨 드러 보세요. 칠곡 이사와서 무실할마님 함창댁 함밤댁 친구로 몇년 동거동낙하고 서로 위로해 가며 나문 인생 즐겁게 사라갑시다.

갈 곴은 한 곳 뿐인대 언제 갈지 기회가 없다. 여보 우리 언제 만날까 보고접구나. 2002年 당신 떠나고 외롭고 조용하여 어린시 절 배와왔든 바늘 꼬지 생각나서 2003年 3月붙어 3年동안 1,400 개 만들어 닭실댁 아는 분은 다 주었다. 200개 만들어 나 죽은 후 문상오신 분 드리라고 남겨두었다. 80年 사라온 이야기 2006年 5 月 중순에 끝냈음 보시고 웃지 마세요. 닭실댁 지음.

서기 2006年 6月 5日 25日 기록

〈내가 이때껏 한 일중 가장 잘한 일 같다. 다 쓰고 나니 한글 10 페이지 정도 되는 것 같다. 다 큰 나도 힘이 살짝 들었는데, 열정을 가지고 예전 일을 떠올리시면서 손주에게 한마디 한마디 해주셨다. 장롱 위 상자가 바늘 꼬지 200개가 들어있었다는 것도 오늘 알았다. 할머니가, 아버지가 이렇게 사신 줄 정말 몰랐다. 오늘이 아니었으면 정말 몰랐을 것이다. 다 쓰고 서로 기분이 너무 좋아 '하이파이브'하면서 끝을 냈다. 뿌듯하다.〉

다시, 나의 말

'안동 예안 이씨' 이야기는 2014년 4월에 SNS 올렸고 그로부터 한 달 뒤인 5월에 집에 가서 할머니를 만나 뵙고 쓴 게 '할머님 이야기'입니다. 저도 써놓고 잊고 있었는데 집안 얘기가 나온 김에 검색해서 다시 옮길 수 있었습니다. 마냥 SNS가 인생의 낭비는 아닌 것 같네요. 다시 할머님 이야기를 보는데 가슴이 먹먹하네요. 어제도 볼뽀뽀와 함께 서울 올라가는 손자에게 잘 가라고 말하셨는데... 당신은 제 할머니가 쓰신 글에서 어떤 감정을 느꼈나요?
(이 글을 처음 완성했을 때가 작년 가을이었습니다. 지금 다시 읽어보니 할머니의 온화한 얼굴이 생생하게 떠오르네요. 지금은 좋은 곳에서 우리를 항상 지켜보고 계실 거라 믿습니다.)

동생의 말

'80年 사라온 이야기'는 할머니와 함께 살던 5년 전쯤 읽은 기억이 있어요. 읽은 뒤로 한 공간에 같이 지내는 할머니가 걸어 다니는 역사로 보이기 시작했었죠. 한국사를 배우고 온 어느 날은 그 사실이 막 벅차올라서 그때를 공유하고 싶다는 생각에 "할머니, 할머니. 할머니는 그럼 광복된 날을 기억하세요?"라고 물어본 적이 있습니다. 할머니께서는 "그럼. 당연히 기억하지. 갑자기 젊은 아들이('애들'의 사투리) 골목을 뛰당기며 광복! 광복이다! 라고 소리치고 그랬어. 마당에서 스봉을(바지를) 널고 있었는데."라고 대답해 주셨어요. 할머니께는 그저 똑같은 하루였는데 동시에 역사적인 날이었다니 어쩐지 뭉클하고 신기했습니다.

아버지의 탄생이야기로 제 이름이 나왔네요. 제 이름은 '승은'인데 경상사투리로는 보통 '성은'이라 불렸어요. 경상사투리를 쓰시는 할머니께서 그렇게 불러주셨기 때문에 경기도에서 보낸 학창시절 '성은'이라 부르는 선생님이 있으면 할머니가 떠올라 내심 웃곤 했습니다.

이제 보니 가끔 글을 쓰는 오빠나 저나 이미 책을 몇 권 내신 아버지와의 '글로 표현해야 하는 욕구'는 할머니께 온 게 아닐까 싶어요. 이것도 핏줄로 흐르는 집안 내력일까요?

그리고 '삼대잡설'을 편집 중에 할머니께서 하늘나라로 가셨습니다. 고우신 성정으로 많은 사람들에게 사랑받으신 우리 할머니. 장례를 치르면서 적은 기록이 있어 일부분을 가져왔어요. 제 일기나 다름없는 거라서 다소 두서없음을 양해바랍니다.

내내 눈발이 천천히 예쁘게 날렸다. 성당 문을 따라 들어가는 나는 십자가가 수놓인 천을 덮은 관을 봤다. 관 속에 할머니의 육신이 고이 누워 있다는 걸 계속 되새겼는데도 와닿지 않았다. 눈에 보이지 않아서 눈을 감고 할머니를 보았다.

(중략)

화장 대기실에 다른 고인의 사진이 들어왔는데 아주 젊어 보였다. 이십대 후반에서 삼십대 중반 같았다. 그 분의 언니가 오열하며 몸을 가누지 못했고 이렇게 갈 줄 몰랐다고 소리를 지르며 사진을 쓰다듬으셨다. 순식간에 대기실의 집중을 끌었다가 금세 몇 분은 따라 우셨다. 슬픔은 전염되기 쉽다. 걸려있는 웃는 사진 속 사랑하는 사람을 떠올렸을 것이다. 옆에 있는 젊은 가족들의 만약을 생각했을 것이다.

(중략)

화장을 하기 직전 유족들에게 마지막 인사를 하라고 했다. 사촌언니가 관 위에 두 손을 올려놓자 모두가 두 손을 올려놓았다. 작은할아버지가 “잘 가시오, 형수님!”이라고 외쳤다. 외침이 끝남과 동시에 누군가 울음을 터뜨렸다. 짜 맞춘 것처럼 다들 넘기지 못했던 숨을 뱉어냈다. 나는 숨을 뱉지 못해 목이 찢어질 듯 아팠다. 갑자기 엄청난 슬픔이 몰려오니 마음대로 울 수가 없었다. 내 몸이 내 것이 아니었다. 나는 늘 할머니께서 해주셨던 대로, 이번엔 내가, 할머니께 손키스를 해드렸다. 일정한 속도로 숨을 쉬면서 내 몸을 다시 내 것으로 가져오려고 노력했다. 내 눈물을 흘리게 하였고 그대로 잠시 두었다.

(중략)

듣고 있는 노래 가사처럼 할머니가 별이 되어 내 품에 떨어진다면 좋을 텐데 놓치지 않고 꽉 안아줄 텐데 생각했다. 정말 정말 사랑했다. 사랑하고 있다.

끝

이번 백두대간 산행의 결론은 '없음'. 없을 때도 있어야지. 없다고 하니 또 생각나네. 효봉스님의 화두와 마지막 임종게도 '무(無)'였다고 하네요. 큰 선승들이 돌아가실 때는 "이제 내가 갈 때가 되었구나."하시면서 담담하게 속세와 육신의 옷을 벗고 입적하신다고 하죠. 임종게를 남기면서. 선승이 아니시더라도 죽기 마지막에 감동적인 한마디를 던지는 사람들이 있었더라구요. 영어로 잇츠 오버. 게임 끝.

'임무 종료 선언'의 대표선수는 원나라에 의해 망한 남송의 충신 문천상. 원나라 세조 쿠빌라이가 벼슬을 간절히 권하였으나 끝내 거절, 사형당했죠. 이민족에 굴복하지 않았으니 한족 후대에 어떤 평가를 받았는지는 뻔할 뻔자. 중국 역사상 걸출한 민족영웅이 되었죠.

문천상은 사형될 때 형리를 돌아보면서 이런 말을 남겼다고 하네요. "나의 일은 끝났다."(吾事畢矣) 캬, 멋있는 말이다. 만고의 충신이 만고의 명언을 남겼구나. 옥중시 '정기가(正氣歌)'가 유명하죠.

"천지에는 정기가 있으니 이러 저리 흘러서 모양을 이룬다. 아래로는 강과 산이 되고 위로는 해와 달이 된다. 사람에게는 호연지기가 되고 널리 퍼져서는 대양에 넘친다." 그 이후 "나의 일은 끝났다."는 말이 유명해졌다고 하네요. 이헌태도 나의 일은 끝났다. 뭐. 그냥 멋져 해봤어요. 이헌태 니는 한 일이 하나도 없어서 지금부터 죽을 때까지 뻬 빠지게 좋은 일을 해야 죽고 나서도 심판을 받을 때 겨우 참작되지 않을까.

'죽음이 시작'이라면서 마음을 편하게 가지는 사람도 있고 '죽으면 끝'이라면서 아쉬워하는 사람도 있고 '죽음이 두려워' 공포에 질리는 사람도 있고 아무런 생각 없이 그냥 죽음을 맞는 사람도 있고. 어떤 선배는 주위의 분이 돌아가시면 '고통스럽고 낮은 수준의 지구에서 떠나서 잘 되었다'고 천연덕스럽게 생각하시는 분도 계시더라구요.

동서양에서 유명한 분들은 어떻게 임종을 맞았을까. 진짜로 그런 말씀을 남겼는지는 알 수가 없으니 책에는 이런 내용들이 적혀 있더라구요. 지어낸 얘기도 있을 것으로 짐작되지만.

간디는 힌두근본주의자로부터 총탄을 받고 "오- 신이시여!"라는 말 한마디를 남기고 숨졌다고 해요. 왜 그랬을까. 베토벤은 "친구들이여 박수를 쳐다오. 이제 희극은 끝났네."라고 말씀하셨다고 해요. 박수받는 음악인이라서 그랬나.

그리고 로마의 초대황제 아우구스투스는 임종 직전 포도주가 도착하자 "원통하구나, 너무 늦었다."고 했다나. 그건 맞아. 괴테는 세상을 떠나면서 마지막으로 "빛을, 좀 더 빛을."이라고 했다나요. 독일의 철학자 칸트는 1804년 2월 12일 죽기 직전에 "좋다."는 말을 남겼다고 하네요. 산 게 좋다는 거요, 죽는 게 좋다는 거요. 나 원 참. 우찌 되었든, 세계적 철학자답네.

카이사르의 양아들 옥타비우스, 로마제국의 문을 열고 평화와 번영의 시대를 구가한 아우구스투스 황제가 마지막 남긴 말은 "내가 코미디 한편을 잘 연기했더냐, 내 삶의 연극이 그대들을 즐겁게 해주었다면 박수를 치거라." 베토벤이 배웠나.

모친을 죽이고 이복형제들을 모두 죽인 패륜아 네로 황제는 혐오스런 외모가 콤플렉스였지만 시, 배우, 성악, 작곡 등 예술적 재능이 탁월했죠. 막판에 가자 자결하지 못하고 시종에게 죽일 것을 명하고 "나같이 위대한 예술가가 이렇게 가다니." 또라이네.

톨스토이도 1910년 11월 5일 "그래, 이제 끝이구나. 별 것도 아니구만."이라고 했다가 의식을 되찾은 후 "아, 귀찮아. 날 내버려두지. 아무도 날 알아보지 못하는 곳으로 가니."라고 말해 주변을 놀라게 했다고 하네요. 뭐야. 그래도 여유롭게 돌아가셨구만. 마호메트는 632년 "신의 말씀을 모두 전하고 제 사명을 끝냈습니다."라고 했네요. 역시 이슬람교의 창시자 마호메트네. 지금 13억 인구가 이슬람교를 믿고 있죠. 단일종교는 세계 최대종교죠. 그만하면 진짜로 성공했구만.

2차 세계대전을 일으켰다가 패색이 짙어지면서 끝내 자살을 택한 히틀러는 자살 직전 "이제 모든 것이 끝났어. 죽음이 내게 휴식이 될 거야. 나는 배반을 당했어." 곧잘, 죽어도 잘했다구만. 왜 지는 전쟁을 일으키고 자살하고, 온 세상을 걱정 끼쳤어. 레닌도 1924년 사망 직전에 "이제 내일은 끝냈으니 평화롭게 떠날 수 있다."고 말했네요. 나중에 소련연방이 무너지고 공산주의가 무너졌다는 소식을 들으면 환장할긴데.

보너스. 헤르만 헤세는 '내 젊은 날의 슬픈 비망록'에서 "죽음은 커다란 행복이다. 첫사랑의 성취와 같은 만큼 큰 행복이라고 나는 생각한다.……나는 죽음에 대항할 필요를 느끼지 않는다. 왜냐하면 죽음이란 존재하지 않기 때문이다. 그러나 분명히 존재하는 것은 죽음에 대한 두려움이다. 하지만 이 두려움은 우리가 치유할 수 있는 것 중의 하나다." 거창하게 시작했다가 빙빙 돌린 후에 싱겁게 끝나네. 결론이 뭔가요. 참 이상한 분이시네. 하기사 그 분은 '종말'을 시를 통해 "이제는 죽어야할 시간이 다가오고 있다/ 잘 있거라, 흥겨운 상형세계여/ 가면 무도회여, 너무나 사랑스런 계집들이여" 계집들은 또 뭐야.

소크라테스가 청소년의 사상을 어지럽힌 죄로 사형선고를 받는 재판에서 마지막 인사말을 통해 "시간이 다 되어 떠날 때가 되었습니다. 저는 죽기위해 여러분은 살기위해. 그러나 우리 가운데 어느 쪽이 더 좋은 곳으로 가는지 신 말고는 아무도 모릅니다." 사형선고 내리는 놈들 가슴 뜨끔 하겠다.

그래도 동양 쪽이 더 멋있네. 한국이 낳은 위대한 사상가 퇴계 이황은 죽기 전에 마지막으로 한 말이 "저 매화나무에 물을 주거라."였다고 하네요.

제자인 이덕홍이 쓴 기록에 따르면 "12월 3일 설사를 하셨다. 마침 매화 화분이 곁에 있었다. 다른 곳으로 옮기라고 명하시며 이렇게 말씀하셨다. '매형에게 불결하니 마음이 절로 미안하구나' 12월 8일 아침에 매화화분에 물을 주라고 하셨다. 이날은 날씨가 맑았다. 오후 다섯시쯤 갑자기 흰 구름이 집 위로 몰려들더니 눈이 한 치 남짓 내렸다. 조금 뒤 선생님께서는 누운 자리를 정돈하라고 하셨다. 부축하여 일으키자 앉으신 채 숨을 거두셨다. 그러자 구름은 흩어지고 눈이 걷혔다."

마지막 코멘트의 압권. 동학농민전쟁 때 전봉준 녹두장군은 체포된 뒤 정치구상을 밝힌다. "일본병을 물러나게 하고 약간의 관리를 축출해서 임금 곁을 깨끗이 한 후에는 몇 사람의 주석(柱石)의 관리를 내세워서 정치를 하게하고 우리들은 곧장 농촌에 들어가 상직인 농업에 종사할 생각이었다."

농촌으로 돌아가리라. 이헌태 생각하고 우찌 그리 똑같소. 나도 나라를 평정하고 갈려고 했는데 힘과 능력이 없어서. 그 차이구만. 그냥 도시에서 버티다가 50살 안팎에서 농촌으로 갈 계획입니다. 녹두장군, 전봉준은 사형 순간에도 의연했다고 하네요. 녹두전 먹고 싶다. 이헌태는 죽기 전에 무슨 말을 할까. "잘 있거라. 나 간다. 그 동안 고맙다. 볼 수 있으면 또 보자. 안녕." 진짜 안녕.

나의 말

나는 죽을 때 어떤 한마디를 남길까? 막상 그때가 되지 않으니 뭐라고 단언하지 못하겠네요. 그래서 살아있을 때 하고 싶은 말을 다 해야겠다고 생각합니다. 그래도 언제 죽을지 모른다는 생각은 항상 하고 있어서 내가 죽으면 남의 눈을 띄우게 해줄 각막기증에 서명했고 법률 형식을 갖춘 자필 유언서를 중요한 곳에 보관해두었습니다. 왜 썼냐고? 그냥.

요즘은 서점에서 내가 죽은 뒤 주위 사람에게 하고 싶은 말을 남기고 재산 분배에 대한 내용을 정리하며 의식이 또렷할 때 미리 회복할 가망이 없다면 불필요한 치료를 하지 말라고 작성하는 '연명치료의향서'가 포함된 '엔딩노트'라는 책을 살 수 있습니다. 대개 우리는 죽음에 대해 말하기를 꺼리는 경향이 있는데 저는 죽음을 생각하면서 삶을 살아간다면 지금 이 순간이 더 소중해진다고 믿습니다.

혹시 아마존의 CEO인 제프 베조스의 '후회 최소화 프레임 워크'에 대해서 들어보셨나요? 그는 자신이 80살이 되었을 때 무언가를 시도했던 순간들을 후회할 리 없다고 생각하고, 80세가 된 자신을 상상하며 현재의 결정을 내린다고 하네요. 그 얘기를 듣고 제가 내린 결론. 남에게 피해를 끼치지 않는 범위 내에서 최대한 인생을 재밌게 도전하며 살자!

동생의 말

나는 마지막의 마지막에 어떤 말을 할까? 머리를 열심히 굴려봤지만 역시 별다른 말은 안 떠올라요. 아직 내공이 부족한 걸까요? 내공이 무슨 상관인가 싶기도 하네요.

보통 '죽음'이라하면 무섭고 신비로운 이미지가 큽니다. 누구도 확신할 수 없어서겠죠. 저는 남들보다 어린 나이에 가까운 사람을 잃어본 적이 있기 때문인지 죽음이 무섭거나 놀랍지 않더라고요. 오히려 생(生)과 가장 가까이에, 항상 함께하는 느낌이에요. 그렇게 생각하면 오빠가 말했듯 오늘 하루가 더 소중해지기도 합니다.

모든 철학에서는 '죽음'에 대한 이야기가 빠지질 않는데, 온갖 철학을 처음 접했을 때 니체의 '영원회귀'는 정말로 충격이었어요. '영원회귀'는 지금 살고 있는 인생을 완전히 동일하게 반복한다는 개념이죠. 쉽게 말해서 내가 죽으면 똑같은 삶이 되풀이된다는 겁니다. 같은 나로 태어나서, 같은 가족과 지내고, 같은 공부를 하고, 같은 사람을 만나 같은 연애를 하고, 죽었던 날에 죽는다는 거예요. 우스갯소리로 "그러려면 나는 다시 태어나야 돼!" 이런 말을 하는 제게 당연히 충격이 아닐 수 없었어요. 그렇기에 니체가 강조한 것은, 언젠가 또 돌아올 그래서 한없이 영원할 이 '순간'을 위해 살라는 거잖아요. 알고는 괜히 한시름 놓았었죠. '영원회귀'는 저에게 영감은 주어도 조금 지나치게 느껴지는데 마음에 아주 와 닿는 분도 계실 것 같아요. 그러면 니체가 했던 말로 마무리하겠습니다.

"지금의 삶을 다시 한 번 완전히 똑같이 살아도 좋다는 마음으로 살아라."

"이것이 삶이던가, 그렇다면 다시 한 번!"

망년회

2003년 12월 28일(토), 백두대간 종주를 향한 19번째 산행에 나섰다. 이날따라 2003년을 착 붙인 이유가 있다. 다 아시죠. 곧 해가 바뀌면서 2004년이 되기 때문이다. 올해 백두대간 '마지막 산행'인데다 기미년 한 해를 기념하는 '망년 산행'인 것이다. 2004년 내년은 갑신년이니 '기미년 3.1독립만세운동'에서 '갑신정변'으로 넘어가네.

'망년회'. 뚜벅 뚜벅 걸어온 지난 한 해의 슬프고 괴롭고 안타까운 일을 말끔히 잊자는 행사. 한국의 망년회, 이거 문제 많죠. 한국의 망년회는 딱 깨놓고 거의 날마다 흥청망청 술 마시는 '술년회'죠. 우째 이 지경까지 왔는지. 12월 한 달 내내 망년회에 참석하다 가는 몸 버리고 돈 깨지고. 망년회의 '망'자가 망하다, 노망하다, 망령되다는 뜻이 되겠구만. 심하면 술로 사망할 수도 있고요. 이제는 말할 때가 되었다가 아니고 이제는 행동할 때가 되었다. '망년회폐지 범국민추진운동본부'. 한국 사회에서는 불가능하니 다른 나라에 알아보든지 아니면 한국을 떠나는 게 좋다고요. 그건 안 되지. 끝까지 한국에 남아 용케도 살아야지. 한국인으로서 삶을 끌고 가면서, '끝까지', '용케도'가 던지는 의미가 자못 크네.

12월 연말이 되면 개인 캘린더에 일정이 빼곡하게 적혀 있잖아요. 초등학교, 중학교, 고등학교, 대학교, 대학원까지 학교동창회는 우째 그리도 많은지. 게다가 회사, 사회 친구 등등. 한 해를 잊는 달이 아니고 한 해의 일들이 12월에 몰아쳐 있는 달 같아요. '한국의 망년회는 지연, 학연(혈연까지는 아니고) 공화국을 기념하고 경축하는 날'이죠. 그러면 한국사회의 발전을 더디게 만드는 지연, 학연, 혈연사회를 붕괴시키려면 망년회를 폐지하면 되겠네. 연말에 망년회하면 징역1년. 만약 그런 법이 제정되면 한국 사람들이 11월로 망년회를 바꿀걸. 이헌태, 너 뭐야.

참고로 혈연, 지연, 학연 보다 더 확실한 게 직접 만나서 사귄 '직연'이라고 해요. 또 그보다 더 나은 게 운명의 끈에 의한 '인연'이죠. 인연은 아무데나 갖다 붙이면 되죠. 혈연, 지연, 학연, 직연, 모두 다. 뭐야.

이헌태의 영웅, 다산 정약용 선생에게서 한 수 배웁시다. 그분이 모임의 이름과 규약을 기록한 '죽란시서첩'을 보면 풍류와 낭만이 풍겨 나죠.

"살구꽃이 처음 피면 한번 모이고 복숭아꽃이 처음 피면 한 번 모이고 한여름 참외가 익으면 한번 모이고 서늘한 초가을 연꽃이 구경할 만하면 한번 모이고 국화꽃이 피면 한번 모이고 겨울이 되어 큰 눈이 내리는 날 한 번 모이고 세모에 화분의 매화가 꽃을 피우면 한번 모이기로 한다. 모일 때마다 술과 안주, 붓과 벼루를 준비해서 술을 마셔가며 시가를 읊조릴 수 있도록 해야 한다. 나이 어린 사람부터 먼저 모임을 주선토록 하여 차례대로 나이 많은 사람까지 한 바퀴 돌고 나면 다시 시작하여 반복하게 한다."

하기사 정약용 선생님이 사시는 때만 해도 지금과 같은 '시테크', 더 나아가 '초테크'라는 개념이 없었죠. 수백리 멀리 떨어진 친구 집에 가서도 일주일이든 한 달이든 푹 눌러 앉아서 술도 마시고 시도 짓는 풍류의 시절이었으니까. 쉽게 얘기해서 '세월이 뭐 먹나'하며 쭉 늘어졌던 팔자 좋은 시절이었지. '월테크', '년테크' 더 노골적으로 '무테크'개념이었지 뭐.

12월

참고로 인디언들은 12월을 다음과 같이 부른다고 하네요. 새겨들을 말한 대목이 있더라구요. 다른 세상의 달(체로키족), 침묵하는 달(크리크족), 나뭇가지가 뚝뚝 부러지는 달(수우족), 무소유의 달(퐁카족), 큰 곰의 달(위네바고족), 늑대가 달리는 달(샤이엔 족). 인디언들을 모두 대한민국 '명예 철학박사'로 임명합니다.

12월을 잘 정리해서 노래한 국내시인. 둥둥, 천지만물을 감성안테나로 칼날같이 분석하신 오세영의 '12월'.

"불꽃처럼 남김없이 사라져 간다는 것은/ 얼마나 아름다운 일인가./ 스스로 선택한 어둠을 위해서/ 마지막 그 빛이 꺼질 때,// 유성처럼 소리 없이 이 지상에 깊이 잠든다는 것은/ 얼마나 아름다운 일인가./ 허무를 위해서 꿈이/ 찬란하게 무너져 내릴 때,// 젊은 날을 쓸쓸히 돌이키는 눈이여,/ 안쓰러 마라./ 생애의 가장 어두운 날 저녁에/ 사랑은 성숙하는 것.// 화안히 밝아 오는 어둠 속으로/ 시간의 마지막 심지가 연소할 때,/ 눈 떠라,/ 절망의 그 빛나는 눈." 아, 12월 잘 가거라. 12월은 내년에도 또 찾아오겠지만 지난 한 해와 지난 12월은 영원 속으로 사라지겠지.

관계가 있나 모르겠지만 이런 말이 있더라구요. "인간은 같은 시냇물에 두 번 발을 담글 수 없다." 뭐야. 한해 마무리하는 순간에 '발꼬랑내'나게. 니는 뭐야. 좋은 말이 있으면 새겨들어야지. 그럼 12월을 뜻하는 '고품격 글'이 있죠. '생자필멸', '회자정리'. 뭐야. 기분 좋은 12월에 죽는다는 얘기는 왜 하는 거여. 이헌태의 화두는 스님들의 '뭐꼬'보다 지랄이 하나 더 실리고 무식이 하나 더 보탠 '뭐야'.

나의 말

2003년의 12월을 맞이하는 아버지의 말씀. 이제 2017년 12월도 지나가고 2018년 설날이 다가오고 있네요. 벌써 10년이 훨씬 넘었지만 저는 글을 통해서 과거의 아버지와 만날 수 있습니다. 시간을 아무리 잡고 싶어도 잡을 수 없는 것처럼 떠나가는 사람도 잡을 수 없겠죠. 그러다가 또 어느새 우연히 잡힐까요? 만약 그렇다면 그것이 인연이 아닐까 싶어요. 지금도 어디선가 제 인연은 잘 지내고 있겠죠? 어디 있니, 빨리 나타나라!

낙엽

겨울 산행이라고 하면 으레, 백설이 쌓여 있고 빙판 길이어서 완전무장한 채 무척 조심스런 행군을 해야 한다는 게 상식이다. 이런 점에 비춰보면 이번 산행 길은 겨울 산행 길보다는 늦가을 산행 길로 볼 수 있었다. 대지는 눈도 쌓이지 않았고 더구나 꽁꽁 얼어 있지도 않았다.

푸른 소나무를 제외하고는 누런 나무들이 누런 잎들을 모두 떨군 채 '겨울 동안거'에 들어갈 준비를 한창 하고 있는 듯했다. 산은 온통 누런 낙엽들로 덮여있다. '누런 나무와 나뭇잎들의 겨울잔치'다. 낙엽의 낙은 떨어질 落이 아니고 즐거울 樂이다. 즉 落葉(낙엽)이 아니라 樂葉이다. 내 마음이 즐거우니 樂葉이 되었네. '내 마음은 낙엽이오 잠깐 그대의 뜰에 머무르게 하오'. 그래서 나온 시가 바로 김동명 시인의 '내 마음은'.

"내 마음은 호수요,/ 그대 저어 오오./ 나는 그대의 흰 그림자를 안고, 옥같이/ 그대의 뱃전에 부서지리다.// 내 마음은 촛불이요,/ 그대 저 문을 닫아 주오./ 나는 그대의 비단 옷자락에 떨며, 고요히/ 최후의 한 방울도 남김없이 타오리다.// 내 마음은 나그네요,/ 그대 피리를 불어 주오./ 나는 달 아래 귀를 기울이며, 호젓이/ 나의 밤을 새오리다.// 내 마음은 낙엽이요,/ 잠깐 그대의 뜰에 머무르게 하오./ 이제 바람이 일면 나는 또 나그네같이, 외로이/ 그대를 떠나오리다." 나그네같이 외로이 그대를 떠나간다.

오세영 시인 '낙엽'을 다음과 같이 노래했더라구요. "쓸어 무엇하리오/ 사미야/ 비를 거두어라/ 달은 원래 그들의 침실……"

추일 서정(秋日抒情)의 김광균 시인 아시죠. 낙엽이 '폴란드 망명 정부의 지폐'라고 해요. 참 상상력도 좋네.

"낙엽(落葉)은 폴란드 망명 정부의 지폐(紙幣)./ 포화(砲火)에 이지러/ 도룬 시(市)의 가을 하늘을 생각게 한다./ 길은 한 줄기 구겨진 넥타이처럼 풀어져/ 일광(日光)의 폭포(瀑布) 속으로 사라지고,/ 조그만 담배 연기를 내뿜으며/ 새로 두 시의 급행 열차가 들을 달린다./ 포플라 나무의 근골(筋骨) 사이로/ 공장의 지붕은 흰 이빨을 드러낸 채,/ 한 가닥 구부러진 철책(鐵柵)이 바람에 나부끼고,/ 그 위에 셀로판지로 만든 구름이 하나/ 자욱한 풀벌레 소리 발길로 차며/ 호을로 황량(荒凉)한 생각 버릴 곳 없어/ 허공에 띄우는 돌팔매 하나/ 기울어진 풍경의 장막(帳幕) 저쪽에/ 고독한 반원(半圓)을 긋고 잠기어 간다."

또 구르몽의 '낙엽'이란 시가 생각난다. "시몬!/ 나무 잎새 저버린 숲으로 가자./ 낙엽은 이끼와 돌과 조롱길을 덮고 있다.// 시몬!/ 너는 좋으냐/ 낙엽 밟는 발자욱 소리가/ 낙엽의 빛깔은 정답고 쓸쓸하다./ 낙엽은 덧없이 버림을 받아 땅위에 있다.// 시몬!/ 너는 좋으냐/ 낙엽 밟는 소리가/ 석양의 낙엽 모습은 쓸쓸하다./ 바람에 부리울 적마다 낙엽은 상냥스러이 외친다.// 시몬!/ 너는 좋으냐/ 낙엽 밟는 발자욱 소리가./ 가까이 오라./ 우리도 언젠가 가련한 낙엽이리라./ 가까이 오라./ 벌써 밤이 되었다./ 바람에 몸이 스민다.// 시몬!/ 너는 좋으냐/ 낙엽 밟는 소리가."

'뻥'쳤다고 하면 한국에서는 그래도 이헌태죠. 이 작디 작은 낙엽 밟는 소리가 무한 적막의 우주를 뒤흔드는구나. 이 순간에 오로지 낙엽 밟히는 소리 밖에 없다는 강조의 뜻이죠. 극미와 극대의 대조법 아세요. 어떤 분이 "보잘 것 없는 자그마한 양보가 우주를 들어올린다."고 했다고 하네요. 작은 양보가 그만큼 어려운 결단이고 또 그것이 모이고 모이면 큰 세상을 바꾼다는 의미겠죠. 제가 누구입니까. 이빨꾼 아닙니까. 이런 얘기 누군가 또 했겠지 뭐.

1) 하나의 작은 선행이 이 우주를 감동시키고 하나의 작은 악행이 이 우주를 슬프게 한다. 2) 이름 없는 작은 미물 하나에도 우주의 진리가 스며있다. 3) 이헌태, 나의 가치 크기는 우주의 가치 크기이다. 당연하죠. 내가 죽으면 이 우주도 필요 없으니까, 내 입장에서는 나의 존재가 우주만큼 중요하죠. 전에 그랬죠. 포수가 한 마리의 새를 총으로 쐈을 뿐이지만 그 새는 전 우주를 잃어버리게 되었다고요. 4) 우주만한 지식과 철학과 깨달음이 사막에서 목마른 나에게는 한 방울의 물도 되지 않는구나. 필요할 때 필요 없으면 우주도 다 필요 없어. 뭐야. 하여튼 필요가 세 번 들어갔네.

그럼 이헌태의 18번 노래, '꼬마인형'과 '시골구경'은 우주를 울리는 노래이고 이헌태가 쓰는 글은 우주를 시끄럽게 하는 잡글이겠네요. 하모하모. '천상천하 유아독존'이라는 말은 우주적 사고에서 나온 개념인 것 같네. 하모하모. 이헌태는 '천상천하 유아독존'이 아니라 '천상천하 유아독종'. 뭐야.

이제, 생물이든 미생물이든 무생물이든 우주에 존재하는 만물은 모두 우주적 가치를 지니고 있다고 결론을 내립시다. 이헌태의 논리로 따지면 우주를 들어 올리고 우주를 감동시키는 일은 아주 아주 아주 쉬운 일이구만. 하모하모.

갑자기 '카오스이론'이 생각나네요. "북경에서 나비가 펄럭이면 뉴욕에 폭풍이 칠 수 있다."는 나비효과는 카오스의 본질을 정확히 꿰뚫고 있다고 하네요. 작은 변화에도 큰 영향을 받을 수 있다는 것. 미국 MIT '에드워드 로렌츠'가 날씨 예측을 위해 컴퓨터를 작동하면서 카오스의 특성을 처음 발견했다고 하는데, 결국 장기 날씨예측이 불가능했다고 해요.

여기도 뻥치는 사람 있네. 북경에서 나비가 펄럭이면 뉴욕에 폭풍이 칠 수도 있다고. 둘이 무슨 관계가 있는데. 나 원 참. 뻥도 이제 학자들의 이론이 되는 거창하고 황당한 세상이네.

솔직히 그 같은 논리를 발견한 분들이 그전에도 수두룩해요. 한 분만 소개하면. 기미년 독립선언문 불교계 33인 가운데 한 분이셨던 용성 진종스님은 "합죽선 큰 부채를 한 번 흔드니 동정호 맑은 바람이 예까지 불어온다." 선승들은 그 같은 표현을 한 번씩은 다 사용했죠. 그럼 나도. '이헌태가 지리산 천왕봉에 올라 나라 사랑을 다짐하니 온 나라가 그 향기로 가득하더라'. 뭐야.

스케일을 줄여서. 달려오는 지하철에서 생명을 구하고 죽거나 다친 '살신성인' 분들의 모습이 언론보도를 통해 전 국민들에게 감동을 주죠. 이것이 바로 한 사람의 행동이 5천만 명의 마음을 움직이는 거죠. 저 광활한 우주에 비하면 스케일이 작지만 이헌태, 니는 죽었다 깨어나도 못할 일이다. 맞습니다. 뭐가 맞아. 반성할 줄 알아야지. 네.

생명사랑, 생명사랑하는데 이 정도는 되어야죠. 중국 성리학자인 정명도. 서재 마당에 우거진 풀을 뽑으려 했을 때 정선생 왈, "풀은 천하의 큰 기운을 받고 생겨난 것이므로 인간과 같이 살려는 의지를 가졌다는 생각에서 정원의 풀을 베어 버리지 않는다." 야, 죽인다. 그렇게 까지. 정명도 사상을 한마디로 정리하면 '인자는 천지만물을 자신과 일체로 여긴다'. 또 현대 우리나라에도 땅 위에 기어가는 벌레가 죽을 까봐 발뒤꿈치를 들고 다니시는 스님이 있다고 하더라구요.

조선후기 실학자 홍대용은 '의산문답'이란 책에서 "인간 금수 초목등 세 가지 생명체는 지, 각, 혜가 있고 없음이 서로 달라서일 뿐이지 어느 것이 더 귀하다고는 말할 수 없다."고 하였네요. '자연사랑'이 동서고금을 막론하고 올바른 지식인들의 마음속 구석구석 자리를 잡고 있었구만.

용성 진종스님이 나왔으니 하나 더. 그 스님이 어릴 때 고기를 잡으면 '살려 달라'고 애원하는 것 같아서 놓아 주었고 고사리를 꺾자 '아이고 아파라'라고 하는 것 같아 울었다고 하네요. 고기 수십만마리 마구 낚는 원양어선 어부들도 그 소리를 못 들었다고 하던데.

하나 더. 진종스님의 임종게가, 제가 준비한 임종게, 이헌태 니가 무슨 임종게. 니는 영덕대게 좋아하더니 니도 게냐. 웃긴다, 웃겨. 니 같은 사람은 '숨 끊어지기 직전에 한마디'라고 해. 하여튼 비슷해요. "물어볼 게 있으면 물어라."라고 하면서 침묵이 흐르자 이내 곧 "그동안 수고했다. 더욱 정진하거라. 나는 간다." 그리고 좌탈입망했다고 하네요. 나는 "그동안 고마웠다. 잘 있거라. 나도 잘 지냈다. 인연이 닿으면 또 만나자."인데.

이 스님은 법문을 대할 때는 사자와 같고, 제자를 대할 때는 염

라대왕과 같고, 참선을 할 때는 돌부처와 같고, 사람을 대할 때는 관음보살과 같고, 선방수좌를 접할 때는 날카로운 칼날같이 했다고 하네요. 와, 변화무쌍하구만. 손오공이가.

이헌태의 결론, 생명존중사상이 바로 환경운동이고 이것이 곧 나의 생명보존법이다. 결국 오래 살겠다는 것이구만. 꼭 그렇게 삐딱하게.

이처럼 하나하나의 생물이 우주에서 가장 존귀하다는 '극 존중의 사고'도 있지만 반대로, 우주에 인간 하나쯤이야 하는 '극 무시, 극 허무의 사고'도 있을 수 있죠. 이런 생각은 아주 좋지 않습니다. 우주도 술이냐. 주만 보이면 다 술로 보이냐. 술은 다 좋죠. 입술도 좋고 윤동주도 좋고 우주도 좋고. 술이라 카면 환장을 하는구만.

술

이헌태의 잡글은 술만 나오면 바로 흥분하죠. 정철도 술꾼이었더라구요. 하여튼 조상들 중에 쬐금 똑똑하고 글 쬐금 쓴다고 하면 모두 다 술꾼들이니. 나, 원 참. 역시 술이 들어가야 글이 나오고 풍류가 나오는 가봐.

송강이 대사헌에 임명되었을 때 동인들이 술을 너무 마시는 것을 트집잡아 계속 탄핵을 했다고 해요. '성격이 편협하고 감정에 치우쳐 매사를 그르치는 인물'이라고. 선조가 오히려 두둔했죠. "정철이

술 좋아하는 것은 나도 잘 알고 있지만 술 마시는 것까지 시비로 삼아서는 안 된다. 정철은 바르고 곧은 사람이다. 단지 바른말 잘해서 미움을 살 뿐이다." 선조 만세.

정철의 장진주사도 있죠. 술꾼들이 18번이 없어서야. "한잔 먹세 그려 또 한잔 먹세 그려/ 꽃 꺾어 算놓고(셈하면서) 무진무진 먹세 그려/ 이 몸 죽어지면 지게 위에 거적덮어/ 졸라매어 지고 가나/ 화려한 꽃상여에 만 사람이 울며 가나/ 억새, 속새, 떡갈나무, 백양속에 가기만 하면 누른 해, 흰 달, 가는 비, 굵은 눈, 쌀쌀한 바람 불 때/ 누가 한잔 먹자 할꼬/ 하물며 무덤 위에 원숭이 휘파람 불 때 뉘우친 들 무엇하리"

송강 정철의 효에 대해 나왔으니 '효'를 잠깐 정리하고 넘어가죠. 조선 성리학의 대가인 퇴계 이황도 "아버지가 계시거든 찬찬히 삼가야 하니 안팎 나들이에 언제라도 늙었다는 말을 하지 말라. 이런 까닭에 노래자는 그 나이 70이 넘어서도 때때옷 입고 어린아이와 어울려 놀아 그 어버이를 기쁘게 하였느리라."

둥둥. 중국의 '효자 4인방'. 강청, 요문원, 왕홍교, 장춘교. 첫 번째, 왕상. 아픈 어머니가 겨울에 잉어를 먹고 싶다고 하자 옷을 벗고 강의 얼음을 깨고 들어가려하니 두 마리 잉어가 뛰어나왔다고 하네요. 두 번째, 맹종. 삼국시대 오나라 사람으로 아픈 어머니가 겨울에 죽순을 먹고 싶다고 해서 대숲에서 슬피 울며 탄식하니 죽순이 겨울에도 스스로 솟아 나왔다고 하네요. 세 번째, 초나라 현인인 노래자. 칠순의 나이에도 때때옷을 입고 재롱을 피우며 부모님을 즐겁게 했죠. 네 번째, 증자. 공자의 수제자로 효성의 대가죠.

아니 효자는 효자라서 그렇지만 그 부모들은 겨울에 구하기 어려운 것을 왜 찾아. 당신들이 부모고 인간이여. 효자 만들기 위해 꾸며낸 얘기라구요. 그러면 그렇지. 사실 요새는 겨울에도 여름 산물을 쉽게 구하잖아요. 이헌태는 효도를 하고 싶어도 할 수 없는 시대에 태어났구만. 뭐야.

조선 중기 시인, 임진왜란 후 관직을 사임한 뒤 가난 속에서도 안빈낙도의 삶을 살았던 박인로가 4명의 효자를 패키지로 모아 시조를 읊었죠. "왕상의 잉어 잡고 맹종의 죽순 꺽어/ 검던 머리 희도록 노래자의 옷을 입고/ 일행에 양지성효(어버이를 잘 봉양하여 그 뜻을 기리는 정성스러운 효성)를 증자같이 하리라"

나온 김에 유명한 박인로의 '누항사'(더럽고 누추한 길에서 지내는 글) 가운데 일부. "어리석고 세상 물정에 어둡기로는 이 나보다 다한 사람이 없다/ 모든 운수를 하늘에다 맡겨 두고/ 누추한 깊은 곳에 초가를 지어 놓고/ 고르지 못한 날씨에 썩은 짚이 땔감이 되어/ 세 홉 밥에 다서 홉 죽(초라한 음식) 을 만드는 데 연기가 많기도 하구나/ 덜 데운 숭늉을 고픈 배를 속일 뿐이로다/ 살림살이가 이렇게 구차하다고 한들 대장부의 뜻을 바꿀 것인가/ 안빈낙도하겠다는 한 가지 생각을 적을 망정 품고 있어서/ 옳은 일을 좇아 살려 하니 날이 갈수록 뜻대로 되지 않는다/ 가을이 부족한데 봄이라고 여유가 있겠으며/ 주머니가 비었는데 술병에 술이 담겨 있으랴/ 가난한 인생이 천지간에 나뿐이로다" 아, 슬프다. 꼭 이헌태 얘기 하는 것 같구나. 이헌태가 아니고 이인로구나.

동생

쉬어가는 코너. 저희 집 딸을 소개합니다. 딸이 말을 듣지 않으면 제가 그러죠. “이제 아버지라고 하지도 말아라.” 말이 떨어지기 무섭게 이 따식은 표정하나 안 바꾸고 “외삼촌, 외삼촌.” 이거 때리지도 못하고. 아버지가 헛소리 잘하니 딸도 배우나 봐요.

또 하나. “니 그래도 되는 거야?”라고 하면 “응, 그래도 돼.” 요즘 아이들, 누가 좀 말려주세요. 딸, 니 아부지한테 반항하는 거야.

나온 김에 ‘개인적 반항’도 있지만 ‘학문적 반항’, 더 나아가 ‘역사적 반항’도 있었더라구요. 저 유명한, 바로 ‘문화대혁명’이죠. 문화대혁명은 1966년 5월, 대약진운동의 실패로 권력투쟁에서 밀리던 모택동의 사주로 시작되어 6년 반 동안 중국대륙에 광풍을 일으켰죠.

흔히 반항이나 반란은 나쁜 이미지잖아요. 그래서 반란 세력들도 거창한 명분을 달고 나오는데, 문화대혁명은 노골적으로 반항이고 반란이고 했더라구요.

“반항도 이치가 있다. 천하대란은 천하대치에 이를 수 있다.” 참, 멋있는 말이네. ‘문화대혁명’이 아니고 ‘문화대반란’이구만. 반란은 창조의 시발점인가. 말 번지르르한 거치고 결과 좋은 게 없다고. 권위주의 파괴라는 소기의 성과도 있었지만 그래도 문화대혁명은 깊고도 큰 고통과 상처를 남겼죠.

또 나온 김에. 문화대혁명으로 인해 장남 등박방이 반신불수가 되고 동생인 등촉평이 자살을 강요당해서 아주 한이 맺혔을 법도 한데, 등소평은 문화대혁명을 펼친 모택동을 향해 “모택동에게도 과오는 있다. 하지만 그의 일생을 통해 볼 때 공로가 훨씬 더 크다.

그의 과오가 3이라면 공로는 7이다. 특히 모택동 말년의 과오는 주변 사람들의 책임이 더 크다."고 넘어갔다고 하네요.
한걸음 더 나아가 등소평은 한 미국 방송과의 인터뷰에서 "나는 이때 중국의 현실을 알고 중국이 앞으로 나가야 할 방향을 사색할 수 있었소."라고 말했죠. 덩치는 자그마한데 생각은 중국대륙만큼 넓구만.

각설하고. 딸이 어린 초등학생인데도 아부지인 저와 친구처럼 지내니 과거의 '부녀지간'하고는 천양지차죠. 마누라 왈, "딸은 어른인데 당신은 아이 같다."고 놀린다. 우째 이런 일이. 이거, 집에 군기 한번 잡아봐. 가정의 평화를 위해 참고 지내는 거지 뭐. 딸이 너무 너무 귀엽다는 것을 자랑하려고 하는 건지 눈치 채셨죠. 딸은 제가 낳았거든요. 남자도 놓을 수 있어요.
증거 하나. 조선 때 관동별곡, 사미인곡, 성산별곡 등 국문학사에 불멸의 금자탑을 쌓은 송강 정철 아시죠. 양친상 이후 산소 옆에 여막을 짓고 3년간 조석으로 슬피 운 효자중의 효자죠.
이분의 시조 가운데 "아바님 날 나흐시고 어마님 날 기르시니/ 두 분 곳 아니시면 이 몸이 사라실까/ 하날 같안 은덕을 어데다혀 갑사오리" 보세요. 정철도 아부지가 낳았다니까요. 이헌태, 니 또라이가.
추가 하나. 정철은 '훈민가'에서 "어버이 살아실 제 섬기기란 다 하여라/ 지나간 후면 애닯다 어이하리/ 평생에 고쳐 못 할 일은 이뿐인가 하노라"라고 노래했죠. 평생에 고쳐 못 할 일은 이뿐이라고 했네요. 이헌태의 이빨도 이번 생에서는 고치기 힘들 것 같아요.

동생자랑

딸 자랑 좀 하겠습니다. 이씨 성은 분명하고. 그녀의 글과 생각만. 미모며 성질이며 나머지는 천천히.

어느 날 "나는 어떤 사람일까. 나는 왜 여기 태어났을까. 왜 사람으로 태어났을까."라는 고뇌에 찬 말을 해서 아부지, 오마니를 깜짝 놀라게 했죠. 여기서 아부지는 바로 나.

1) 그녀의 뻔뻔함. 매주 한차례 받던 학교미술과외를 종료한 뒤 어느 날 방과 후. 학교미술과외시간에 천연덕스럽게 나타나서 교사에게 "선생님, 저 이번 달에 신청 안했는데 그냥 배우러 와도 돼요?"라며 자리에 그냥 앉아 공짜로 수업을 받기 시작. 결국 부모에게 연락 와서 과외비 주었다. 니, 얼굴에 철판을 깔아서 어디가도 굶어죽지는 않겠다. 아버지와 정반대네.

2) 그녀의 마음 넓음. 좋아하는 남자에게 초콜릿을 주는 날인 '빼빼로데이' 날에 아파트 입구 경비아저씨에게 "빼빼로데이 날이에요."라면서 빼빼로를 건네주었다. 아저씨 왈, "빼빼 무슨 날?"이라면서 입이 쫙 찢어졌다고 한다.

3) 그녀의 한수 위. 엄마가 "숙제 잘 한다~!"고 하니 "엄마, 나 잘 하는데 너무 자꾸 잘한다고 하지마. 역겨워." 잉.

4) 그녀의 착함. 엄마가 피곤해 하자 "엄마, 나 오늘 못 도와 드려서 죄송합니다."

5) 그녀의 무서운 효성. 어느 날 울먹이며 "엄마가 지옥에 가면

내가 그 곳에 가서라도 꼭 구해줄게. 그러나 내가 지옥에 가면 엄마는 오지마." 그 효성, 그 희생. "아 강낭콩 꽃보다 더 푸른 그 물결 위에 양귀비꽃보다도 더 붉은 그 마음 흘러라"

6) 그녀의 섬뜩함. 크리스마스 날이 다가오자 '착한 어린이에게 선물을 주는 산타 할아버지가 없다'고 해요. 루돌프 사슴이 무슨 하늘을 날아 다니냐고 하면서. 억지로라도 초등학교 5학년까지는 믿어야지. 딸에 따르면 자기 반에 산타 할아버지 믿는 사람 아무도 없다고 하네요. 이건 저의 딸의 문제가 아니라 이 시대 어린이들의 문제죠. 따뜻한 동심은 사라지고, 차가운 이성만 번뜩이네. 딸 왈, "산타 할아버지는 안 믿지만 크리스마스 선물은 5학년까지 주세요." 뭐야. 믿지도 않으면서.

최근 한 달간 일기장을 훔쳐보고 난 뒤 재미난 내용을 소개. 딸이 이 같은 이헌태의 천인공로할 역사적 반인륜적 범죄행위를 알면 크게 노할 것. 그러나 할 수 없지 뭐. 일기장이 거의 코미디더라구요.

〈시험〉 "선생님께서 시험을 친다고 하였다.……나는 시험을 잘 보기 위해 노력할 것이다. 95점을 맞으면 얼마나 좋을까? 나도 좋고 가족도 좋고. 그러려면 잘 해야지." 나도 좋고 가족도 좋고, 일석이조. 그 생각 좋다.

〈곰국〉 "우리 엄마는 곰국을 매일 먹게 한다. 어제 저녁도 곰국, 오늘 저녁도 곰국. 월 화 수 모두 곰국 먹었다. 오늘 또 먹으니 지

루했다. 선생님께 드리려고 했지만 엄마께서 안 된다고 했다. 나는 아직 많은데 왜 안 되냐고 물었다. 엄마는 선생님께서 안 좋아할 거라고 말하였다. 나는 기분이 속상했다. 너무 많은데 언제 다 먹지." 야, 바보야, 도시학교에서 누가 선생님에게 곰국을 갖다 주냐. 정신 차려라. 아닌가. 내가 나쁜가.

〈학교 도서관 책〉 "화요일에 책을 빌렸었다.……연체료가 올지도 모르니 월요일에 얼른 줘야겠다. 더 보고 싶지만 걱정이 되어서 안 된다.……" 니가 왜 연체료 걱정하냐.

〈아픈 일〉 "어젯밤에 토를 계속하더니 학교까지 못 가게 생겼다. 엄마께서 학교에 가서 말하고 온다고 나가셨다. 엄마가 통닭을 사오셔서 오빠한테 주었다. 나는 침이 꼴깍 삼켜 오빠한테 한 개만 달라고 해 먹었더니 토는 안하고 맛있기만 해 한 개 더 먹었다. 나는 다 나았구나 생각하면서 일단 쉬고 자고 귤4개를 먹고 영어를 했다. 선생님께 말하였더니 다 나아 다행이라고 하셨다. 그런데 좀 웃긴다. 통닭 먹고 다 나았다니!?" 나도 웃긴다. 통닭 먹고 감기가 낫게. 통닭이 무슨 약이냐. 통닭집이 약국이냐. 다 나을 때쯤 되어서 나은 것이지. 다만 그런 의문은 잘 한 것이다.

〈장기자랑〉 "오늘 장기자랑을 했다. 거의 망친 것 같지만 재미있었다. 우리는 3번이나 했다.……나는 너무 잘했다고 생각한다. 실망은 했지만 말이다. 주연이는 부끄럽다고 그런다. 용기는 있어야지." 맞아 용기가 있어야지. 니는 부끄러움이 없어 큰 사고 치겠구만.

나의 말

이 글을 편집할 때 카페 구석에서 앉아 있었습니다. 거기서 혼자 미친놈처럼 어찌나 웃었는지 모릅니다. 꺼이꺼이. 아무래도 제 동생이라서 더 웃긴 가 봅니다. 아버지가 동생의 일기를 몰래 훔쳐본 것은 충격적이지만 동생도 초등학교 때의 자신의 글을 보더니 재밌어하더라고요. 그래서 이 글을 싣는 데 흔쾌히 동의했습니다.

초등학생 동생의 일기를 통해 순수한 아이의 동심을 보는 거 같아 한편으로는 뿌듯하기도 했습니다. 혹시 아이가 있다면 어릴 때부터 일기를 쓰게 하는 것도 좋을 거 같아요. 나중에 보면 다 좋은 추억이 될 테니까요. 동생의 일기는 언제 읽어도 재밌네요. 선물은 5학년까지 달라는 저 당당함. 연체료 걱정은 왜 하는지. 하하하.

동생의 말

어려서부터 고뇌에 찬 아이였나 봅니다. 끌끌. “나는 어떤 사람일까. 나는 왜 여기 태어났을까.” 십 년이 넘게 지났음에도 여전히 궁금한 질문이거든요.

지금보다 더 어렸을 때 저런 생각을 갖고서 ‘삶의 의미’를 열심히 찾고, ‘행복’에 대한 성공과 야망이 넘쳤던 적이 있어요. 그런데 넘치던 저에게 행복이란 느껴지는 바가 매번 달라 뭐랄까 어려운 것이었기 때문에 ‘행복’에 점점 집착하고야 말았죠. 과해지던 집착은 중독이 되었고 듣도 보도 못한 행복 중독은 저와 제 일상을 괴롭게 했었어요. 그러다 인문학 도서 ‘어떻게 살 것인가’에 최인철 교수님께서 쓰신 글을 보고 해소됐었는데, 행복을 특별한 것이라고 여기고 부담갖는 순간 더 멀어진다고, 일상을 무시한 채 행복해지기 위해 무언가를 한다는 건 실패할 가능성이 크다는 그런 내용이었습니다. 행복하고자 하는 이유가 하루하루를 잘 살기 위해서라는 당연한 걸 그제야 진심으로 알았어요. 그러고 나서 또, 인터넷에서 염세주의자는 '삶의 의미'를 찾으면서부터 생겨났다는 글을 봤습니다. 의미없는 삶은 삶이 아닌 것처럼 부정당하곤 한다고, 삶에 의미를 부여하며 특별해지기를 강요한다는 내용이었어요. 어느 정도는 맞는 말이더라고요.

어쨌건 간에 저는 앞으로도 궁금해 할 거예요. 해가 지날수록 '나는 어떤 사람일까'보다는 '나는 어떤 사람까지 될 수 있을까'로 변하는 것 같지만요. 보태서 말하자면, 뜬금없는 답이 나올지 모르니 저에게 절대 편견을 갖지 않으려는 노력도 합니다. '편견'이 나와서 말인데 여러분들도 스스로에게 편견을 갖지 않으셨으면 좋겠어요. '나는 이런 사람이야' 혹은 '나는 저런 사람이 아니야'같은 편견들이요. 아무튼, 다행히 이제는 답을 찾으려고 무리하거나 집착하지 않습니다. 그래서 답이 없다 해도 재밌을 거 같아요.

'역겹다'는 말은 제가 칭찬을 받고 부끄러워 어쩔 줄 몰라 격하게 나갔나본데 그때는 아직 "그렇게 말해주어서 고마워."라고 말하는 것을 몰랐던 모양입니다. 지금은 뿐만 아니라 "내가 그렇지?"라고 한 술 더 떠요. '과유불급'이란 말이 이래서 있나 봅니다, 참.

'동생' 부분부터 '동생자랑' 부분까지 몸집만 커진 같은 저이지만 아버지께서 적어주신 어린 시절의 제 이야기는 두고두고 읽어도 웃음을 터뜨리게 하네요. 그리고 괜스레 얼굴이 붉어집니다. 제가 만천하에 알려져서 그런지, 아버지의 사랑이 무척이나 느껴져서 그런지 모르겠지만요. 대체 내 일기는 언제 저렇게 본 거야, 아무래도 제 일기가 공개돼서 그런가 봐요.

그렇다면, 그렇다면 저도 소소하게 아버지자랑을 해볼까 해요.

사춘기가 지나 고등학생이 되면서 다른 아이들처럼 아버지와 많은 대화를 하지는 않게 되었고, 성인이 되어서는 제가 타고난 술꾼이라는 걸 알게 되었습니다. 아부지, 이런 것까지 물려주시면 어떡합니까. 아차, 아버지자랑하려고 꺼낸 말이었지요. 그래서 무슨 상관이 있냐하면 부녀끼리 술잔을 기울이다 여러 이야기를 나누며 다시 아주 가까워졌습니다. 어쩐지 술이 없으면 좀처럼 친해지기 힘든 요즘 어른들을 보는 것 같지만요. 다른 얘기지만, 숙취에 헤어 나오지 못하는 딸을 위해 매운탕도 맛있게 끓여주십니다. 이것도 자랑이 아니구나, 제가 얼큰하게 끓여드렸어야 하는 건데, 아직 철없는 딸이라 죄송해요. 하여튼, 가까워진 뒤로 같이 드라이브를 하다가 커피를 마시다가 들은 인상에 남는 말들이 있습니다.

하나. 졸업을 앞두고 제 진로와 삶의 방향에 대해 고민하고 있었어요. 나이가 찰수록 포기하는 법을 배워간다는데 저는 더 어떤 것도 포기하고 싶지 않았어요. 함께 반주를 하다가 아버지께 "아빠, 나는 작은 두 손에 쥐고 싶은 게 너무 많아. 욕심이 너무 많아."라고 말했습니다. 의외로 아버지께선 "그거 참 좋은 소식이다. 너는 아버지보다 대단한 사람이야."라고 말해주셨어요. 저는 혈연을 떠나 인간 대 인간으로서 놀라운 대소사를 해내시는 걸 보고 항상 존경심이 들었거든요. 몇 번이나 저에게 너는 나보다 큰 사람이라고 말해주셨는데 그 말을 하시는 아버지의 눈이 아직도 기억납니다.

또. 저는 일찍이 자취를 시작했고 홀로 해외여행도 다녔고 혼자 해외생활도 할 예정입니다. 아버지께서 걱정은 하셨지만 단 한 번도 "안 돼."라는 말을 하신 적이 없어요. 주위에는 '여자아이'이기 때문에 집에 꽁꽁 묶인 친구들도 많았거든요. 그러다 "나 이렇게 막 하고 싶은 거 다하고 살아도 돼?"라고 물은 적이 있습니다. 그랬더니 "한 번 뿐인 인생. 마음대로 즐겁게 살아. 대신 마음대로 '잘' 살아야 돼."라고 하셨어요. 아, 날 전적으로 믿으시는 구나, 내 선택대로 살기를 바라시는 구나 생각했습니다. 뭐, 나중에 저 문구를 보긴 했지만 저는 아부지한테 처음 들었으니 아버지께서 하신 말이죠.

더. 생일이 되면 "내 딸이 되어주어 감사합니다."라고, 타지에서 저의 불찰로 아파하면 "미안해. 잘 돌보지 못해서."라고 연락이 옵니다. 제가 좋아하는 책에서 나온 어느 문장이 '낯이 간지러운 말을 항상 곁에 둘 것'이라고 하더라고요. '고맙다, 미안하다', 흔하지만 간지러운 말을 받는 저도 얼마나 뭉클한지 느끼게 해주십니다. 그리고 처음이 언제인지 기억도 안날만큼 오래 하신 말이 있어요. "슬픈 일이든 기쁜 일이든 어떤 일이 일어나든 인생을 즐겨라!" 정말 아버지답지 않나요. 인생이 솔직히 즐겁지만은 않잖아요. 슬픈 일, 어떤 일이 일어나더라도 네가 잘 지냈으면 좋겠다는 말이겠죠. 확대해석이라고요! 아마도 평생 보아온 제가 느끼는 게 맞지 않을까요?

저도 아버지처럼 아버지자랑을 늘어놓아봤습니다. 아버지만의 말로 격려해주시고 응원해주시는 게 참 좋아요. 아버지 곁에 있으면 아버지를 닮아갈 수밖에 없게 되는 것 같습니다. 그래서 마음을 담아, 아버지 식대로 마무리를 짓자면, 부녀가 자알 놀고 있다. 뭐야. 모처럼 훈훈했는데.

세대차이

딸자랑은 딸자랑이고. 어린 학생들의 사고도 격세지감이더라구요. 세상이 바뀌어도 크게 바뀌었죠.

좀 다른 얘기지만. 호랑이 담배 피우던, 아참 담배가 나온 지 얼마 되지 않았지. 하여튼 오래 오래 오래 전에도 달라진 세태를 걱정하는 말들이 많았더라구요. 요즘으로 보면 웃기는 거죠. 한 번 모아 보았습니다.

지금부터 3500년 전 중국 서주 초기 '書'(공문서)에 보면. '無逸'(게으르지 마라)는 글 한 편이 있는데 초반부만 잠깐.

"주공 왈, 아 공무원(고위관료)은 맡은 직무에 절대로 게으르지 말라. 무엇보다도 먼저 파종과 수확, 즉 농사가 얼마나 힘든가 동정하고 이로써 여가를 즐긴다면 민중의 고통을 이해하리라. 민중을 살펴보면 그들의 부모들은 뼈빠지게 힘들여 씨 뿌리고 거두어들이지만 그들의 자식들은 농사가 얼마나 힘든지 도무지 이해하지도 못한다. 그들은 펑펑 놀고 지내거나 이 재미 저 재미를 찾아다닌다. 속이기도 하고 그렇지 않으면 자신의 부모들을 무시하면서 '늙은이들이란 도무지 아는 게 없어'라는 말을 해댄다." 3500년 전 자식들도 엉망이었구만. 지금으로 따지면 이기에 찬 문명에서 떨어져서 흙에서 자란 '순수인간' 그 자체였을 것 같은데.

공자님도 열 받았더라구요. 공자가 노나라를 보고 탄식하니 제자 자유가 그 이유를 묻자 다음과 같이 말했죠.

“대도(요, 순의 5제)가 행해지던 시절과 3대(하, 상, 주)의 영명한 군주 시절을 내가 미처 보지는 못했지만 그러나 문자로 기록한 서적이 있다. 대도가 행해지던 시절에는 천하를 모든 사람의 것으로 여기고 어진 사람을 뽑고 유능한 사람을 천거하고 신의를 중시하고 화목을 도모했다. 그래서 사람들은 오직 자기 부모만을 부모로 섬기지 않고 오직 자기 자식만을 자식으로 여기지 않았다. 노인들이 마지막 여생을 편히 지낼 수 있고 장년들이 열심히 일할 수 있고 어린 아이들이 건전하게 자랄 수 있고 홀아비, 과부, 고아, 늙어 자식 없는 부모, 불구자들이 보살핌을 받을 수 있게 했다. 남자들은 각자의 직분을 가지고 있었고 여자들은 각자의 가정을 가지고 있었다.

물건이 길거리에 버려지는 것을 싫어했지만 반드시 자기의 것으로 거두지는 않았다. 힘이 자신으로부터 나오지 않는 것을 싫어했지만 반드시 자신만을 위하지는 않았다. 그래서 음모가 사라져 일어나지 않고 강도나 도둑이나 불량배들이 나쁜 짓을 하지 않았으며 그래서 바깥문을 잠그지 않았다. 이것을 이르러 대동이라 한다.

오늘날의 대도가 이미 사라지고 천하를 자기 집의 것으로 여겼다. 각자 자기의 부모만 부모로 여기고 각자 자기의 자식만 자식으로 여겼다. 재물과 힘은 모두 자기만을 위하고(천자제후등) 통치자들은 지위를 대대로 세습하는 것을 제도로 삼았으며 성곽을 쌓고 성의 못을 파서 자신의 지위를 공고히 하는 수단으로 삼았다.”

공자님이시여. 요즘 우리나라에서도 자기 새끼, 자기 배우자, 자기 가족밖에 모르는 사람이 너무 많아요. 갈수록 그런 방향으로 더 나아가더라구요. 2천 5백년 전에도 그랬구나. 인간들이 원래 그렇고 그렇구만요. 고치기 힘들다는 것인가. 나도 모르겠다.

뱀 다리. 공자는 요, 순의 5제의 정치를 '대동' 그리고 하, 상, 주의 3대의 정치를 '소강'으로 삼았죠. 대동은 '천하가 태평하다'는 뜻이고 소강은 '나라가 평안'하다는 뜻. 메이저급과 마이너급이라는 뜻이구만. 대한민국은 메이저급이든 마이너급이든 평안한 세월이 언제 오려나.

순자도 머리 뚜껑이 열렸더라구요. "옛날의 학자들은 스스로를 늘 훌륭하게 하기위해 공부하였지만 오늘날의 학자는 남에게 보여 영달이나 하기 위해 공부한다. 군자는 학문으로 자기 몸과 마음을 아름답게 가꾼다. 소인은 학문으로 남의 눈과 귀를 즐겁게 해준다."

삼국지에 나오는 위대한 시인이자 영웅인 '조조' 아시죠. 그 아들 조비가 중국 현존 최초의 문학비평논문인 '典論, 논문'을 썼죠. 아버지와 어깨를 견줄만한 '걸물'이죠. '조씨 부자 만세'.

나중에 송나라 소동파의 소씨 일가도 대단했죠. 소동파(소식)의 동생 소철, 그리고 아버지 소순 3명이 '송팔대가'에 한꺼번에 속했으니. 인류사에 드문 일이죠. '똘똘한 집안'이죠. 이외에도 당의 한유, 유종권, 송의 구양수, 증공, 왕안석이 포함되어 있죠. 다들 기라성 같은 인물이죠.

그에 앞서 동진의 서예가, 소위 서성(書聖) '왕희지'. 그 아들인 왕헌지와 함께 두 부자가 서예로서 날렸죠. 형제는 용감했다. 부자는 용감했다.

한국도 대통령과 그 아들, 재벌회장과 그 아들, 연예인과 그 아들 등등. 용감무식한 부자들과 형제들이 적잖아서 말이죠. 실명은 거론하지 않겠지만. 이헌태와 이원교, 저희 집 기대해주세요. 아버지 닮아서 헛소리 잘하는 부자 나올지. 싹수가 있는 것 같아요, 딸과 아들 모두. 저희 집은 '부전자전'이 아니고 '부전여전'일 가능성이 현재로서는 좀 더 높은 것 같아요.

조비에 따르면 "옛사람들은 크고 진귀한 옥을 천하게 여기고 짧은 시간을 귀중하게 여겼으며 시간이 헛되이 지나가는 것을 두려워했다. 그러나 오늘날의 사람들은 대부분이 힘써 노력하지 않고 빈천해지면 굶주리고 추위에 시달리는 것을 두려워하고 부귀해지면 향락에 빠져 마침내 눈앞의 일을 꾀할 뿐 천추의 공업을 포기한다. 세월은 하늘에서 사라지고 신체의 모습은 땅에서 노쇠해지다가 갑자기 만물과 더불어 변화하니 이것이 바로 뜻 있는 사람들이 마음 아파하는 것이다."

한나라 사마천 이후 가장 뛰어난 문장가이며 공자, 맹자의 계승자를 자부했던 당나라 한유(768-824). 그는 "3대와 양한(兩漢)의 글이 아니면 감히 보지도 않았고 성인의 뜻이 아니면 감히 마음에 두지도 않았다."고 했다고 하네요. 뭐 그럴 필요가.

그도 '사설(師說)'에서 한마디. "옛날의 성인들은 보통 사람보다 월등하게 뛰어나지만 그래도 스승을 좇아 가르침을 청했다. 오늘날의 보통사람들은 성인보다 역시 훨씬 뒤떨어지지만 그러나 스승에게 배우기를 부끄러워한다. 그래서 성인은 더욱 성스러워지고 어리석은 사람은 더욱 어리석어진다."

중국최대의 편년체통사인 '자치통감'을 지어내고 재상까지 지낸 북송의 대학자이며 정치가인 사마광이 아들에게 한 훈시 글에서 당시 세태를 통탄했더라구요.

"옛날 사람들은 검소한 것을 미덕으로 삼았는데 오늘날의 사람들은 오히려 검소한 것을 서로 결점이라고 비웃으니 아, 참 괴이하다. 요즈음 몇 년 동안의 풍속은 더욱 사치해져서 하인이 선비처럼 복장을 하고 농부가 비단 신발을 신고 다닌다. 나의 기억으로 천성 연간에 선친이 군목판관을 지낼 때 손님이 찾아오면 술상을 차리지 않은 적이 없으나 혹은 3잔 아니면 5잔을 권하고 많아야 7잔을 넘지 않았다.

술은 시장에서 사오고 과일은 배 밤 대추 감과 같은 종류에 그치고 술 안주로는 말린 고기 절인 고기 채소국에 그쳤으며 그릇은 자기와 칠기를 사용했다. 당시 사대부의 집은 모두 그러했으나 사람들은 서로 비난하지 않았다. 모임도 자주 있고 예의도 정성스러웠으며 차린 음식은 보잘 것 없어도 인정은 두터웠다.

근래 사대부의 집은 만일 술이 관의 것이 아니고 과일과 안주가면 지방에서 가져온 진귀한 것이 아니고 음식이 여러 종류가 아니고 그릇이 식탁에 가득 차지 않으면 감히 손님을 초대하지 못한다. 그래서 왕왕 몇 달 동안 모임을 위해 준비를 하고 그런 다음에 감히 초대장을 보낸다. 만약 어떤 사람이 그렇게 하지 않으면 사람들이 다투어 그를 비난하고 매우 인색하다고 여긴다. 그래서 세속의 사치풍조를 따르지 않는 사람은 대체로 드물다. 아 풍속이 이와 같이 퇴폐하였으니 높은 관직에 있는 사람들이 비록 금지는 할 수 없다 해도 차마 그것을 조장할 수 가 있는가.

(중략)

참지정사 노종도가 간관을 지낼 때 진종이 사람을 보내 급히 그를 소환했는데 술집에서 찾아냈다. 입궁한 후 그가 어디서 왔는가를 묻자 사실대로 대답했다. 인종 임금이 물어 말했다. '경은 청렴하고 신망을 받는 관리인데 어찌 술집에서 술을 마시는가'라고 하자 이에 노종도는 '저는 집이 가난하여 손님이 찾아오면 그릇 요리 안주 과일이 없기 때문에 그래서 술집에 가서 그들에게 술을 대접합니다'라고 대답했다. 임금은 숨김이 없으므로 인해 더욱 그를 존중했다."

아들 훈시 가운데 러시아 대문호, 톨스토이의 훈계도 눈길을 끌만 합니다. 톨스토이는 16살 아들에게 "어떻게 실현할 지도 모르면서 막연하게 꿈만 꾸는 것, 예를 들어 사랑하는 사람과 결혼해 평생을 행복하게 살겠다고 생각하는 것은 백만분의 일의 가능성도 없는 거다. 결혼은 완전히 성숙한 남자와 여자가 만나 사랑할 때만 합당해질 수 있다."

이헌태 아들, 이원교에게 '딱'인 교훈이네. 이놈은 '예쁜 여자'만 찾고 있으니. 아버지와 달리. 아버지 닮았다고요. 생사람잡네(난리치고 흥분하면서). 이헌태 니가 와 더 흥분하는데. 하여튼 이원교, 꿈 깨고, 좋은 사람 만나 서로 노력하면서 열심히 사는 게 인생이란다.

이야기가 옆길로 새었는데. 하여튼 옛날에도 한심한 세태들이 많았는가 봐요. 성현들이 입장에서는 답답해서 속이 터졌는가 봐요. 과거에 인간들이 흉악하게 산 때도 있는 것 같고 또 사람들이 착하게 산 때도 있는 것 같기도 하고. 희망을 갖고 살아야죠. 이제 조만간 '물질적 풍요'를 완성하고 '정신적 풍요'를 누리는 완전정복의 시대로 나아가야죠.

지능과 지식, 사고, 사상 면에서는 어떤가 모르겠네. 지금 21세기 인류가 현생인류의 시작인 네안데르탈인에서 나아진 게 없다는 얘기도 있어요. 수천년 전의 예수님, 석가, 공자보다 뛰어난 사람이 아직 나타나지 않은 것 같고. 오래 오래 오래 전의 주역과 음양오행설도 탁월한 인간발명품이죠. 지금 '벤처 시대'라고 하지만 신석기 시대 끝자락에 청동기문화가 또 청동기 시대 끝자락에 철기문화가 나온 것도 지금과 비교하면 혁명적인 기술 진보인 셈이죠. 또 18세기 보다 이성과 합리가 더 활개를 친 19세기가 더 잔인했고 20세기에도 대규모 전쟁이 벌어져 피의 살육이 진행되었고 하네요.

어떤 분은 '인류의 역사는 두개의 수레바퀴인 성(생식)과 노동의 해방을 위한 노력'이라면서 그런 의미에서는 점점 완성되어 간다고 했더라구요. 또 민주주의와 자유, 인권은 불과 수백 년까지와 비교도 할 수 없을 정도로 획기적인 신장이 있었다고 하네요. 그 이전에는 왕이 사람 죽이는 것은 지 멋대로였죠.

그렇다면 이제 여명이 비치고 있는데 불과하지만 대망의 21세기는 어떻게 될지. 이헌태의 희망찬 결론, "폭력은 줄어들 것이며 결국 우리 인간이 지니고 있는 자비로운 본성의 승리를 확신한다." 누군가 저런 말을 했더라구요.

나의 말

'좋은 사람 만나 서로 노력하면서 열심히 사는 게 인생'이라는 아버지의 말씀 새겨듣겠습니다. 하지만 제가 '예쁜 여자'만 찾는다는 것은 정말로 오해십니다. 아무리 얼굴이 예뻐도 대화가 안 통하면 참 답답하더라고요. 처음 만나도 마치 오래 본 것처럼 말이 잘 통하는 그런 사람을 만날게요.

세대 차이에 대한 글을 보면서 '개구리가 올챙이 적 생각 못 한다'는 말이 생각났습니다. 최근 SNS에서 꼰대와 멘토의 차이를 봤는데요. 꼰대는 도움을 요청하지 않았는데도 조언을 하는 것이고, 멘토는 도움을 요청할 때 조언을 해주는 것이라고 하네요. 저도 꼰대라고 불리지 않고, 경청하는 선배가 되려고 노력해야겠네요.

동생의 말

아빠, 생사람잡는다고요? 오빠, 정말로 오해라고? 예쁜 여자를 만나고 싶은 게 어때서. 우리집 부자는 좀 솔직해질 필요가 있는 것 같아요. (놀리기 재밌네요)

저는 위와 조금 다른, 제가 느끼는 세대 차이를 얘기하려 합니다. 우리 부모님세대가 보수적이고 가부장적인 세대였잖아요. 시대가 흘러 부모님들도 많이 바뀌셨지만 그대로인 쪽도 아직 많아 보입니다. 멀리 갈 것도 없이 제 여자인 친구 여러 명이 힘들어하고 있어요. 무조건 여자는 조신해야 한다, 밥은 딸이 해야 한다, 딸은 남자형제에게 잘 해줘야 한다 이런 강압 때문이죠. 그래서 며느리의 고충을 담은 '며느라기'와 가부장제로 딸의 차별을 그린 '단지' 웹툰에 공감하는 사람이 많아 인기를 끌기도 했어요. '며느라기'에 나오는 명절에 모녀들이 요리하고 밥을 늦게 먹고 뒤처리까지 다 하는 장면은 사실 지금도 여전하고요.

친구들과 이야기를 나눠보면 대부분은 체념해버렸어요. 집에서 나와 이미 독립했거나 앞으로 독립할 생각들이었죠. 그래도 친구와 "부모님과 '말이 안 통한다'고 하는데 그 말을 거슬러 올라가면 부모님은 그렇게밖에 얘기할 수 없었던 것"이라고 대화했습니다. 다시 말해, 부모님을 이해하려 해보면, 그런 교육을 받고 평생을 그렇게 살아왔으니 그렇게밖에 가르칠 수 없다고요. 더 직설적으로 예를 들면 아들만 예뻐하는 어느 어머니도 그 세대의 피해자라고요. 물론 그렇다고 제 친구들에게 했던 행위가 정당화되지는 않지만 말입니다. 사랑하는 친구들의 속에 쌓고 쌓다가 토해냈던 감정들이 잊히질 않아서 슬퍼요. 덧붙여 제가 딸이라서 딸 위주로만 말했지만 아들도 '아들다운 아들'에 얼마나 진저리가 나있을까요. 제 세대가 과도기인 것 같은데 점점 나아지겠지요. 저도 그러지 않도록 조심할거예요. 이해가 안 된다고 무조건 반항을 하는 것도 옳지 않지만 부모님들도 젊은 자식들의 말을 더 귀기울여주셨으면 좋겠습니다.

산

산이 나오면, 중국 불멸의 역사서 '사기'의 저자 사마천의 좌우명도 기억할 만합니다. "높은 산이 있어 우러러보네. 큰 길이 있어

따라 걸어가네.” 캬, 좋다.

좌우명하면 그래도 마르크스가 ‘자본론’ 서문에 쓴 내용이 눈길을 끌었죠. “나는 과학적 비판에 근거한 의견이라면 무엇이든지 받아들인다. 그러나 내가 한 번도 양보한 일이 없는 여론이라는 편견에 대해서는 저 위대한 단테의 다음과 같은 말이 항상 나의 변함없는 좌우명이다. ‘제 갈 길을 가거라. 남이야 뭐라든!’” 하여튼 대단한 분이시네.

그런데 당시 마르크스도 여론 때문에 골치가 아팠나봐요. 요즘도 여론이 과연 옳으나 마느냐를 놓고 논쟁이 심하더라구요. 이번에는 극우보수쪽 분들이 여론에 대해 못마땅하게 생각하고 있으니. 좌파노선이었던 마르크스가 보면 어떻게 생각할까.

사실 산하면 ‘곤륜산’과 ‘수미산’이죠. 중국 사마천의 사기, ‘우본기’에 보면. “황하는 곤륜산에서 시작한다. 곤륜산은 높이 2천 5백여리로 일월이 서로 피하고 숨어서 각자의 광명을 내뿜으며 주야를 가르는 산이다. 그 정상에서는 예천과 요지가 있다.”고 쓰고 있다. 해와 달이 서로 피하며 주야를 가른다. 참 멋진 말이지만 뻥이 세구만. 이헌태의 판단, 해는 아부지이고 달은 오마니같아요. 뚱딴지같이.

불교에서 넓은 바다, 세계 중심이 바로 수미산. 조계종 종정을 지내신 성철 스님이 입적하실 때도 수미산이 등장하죠. “일생동안 남녀의 무리를 속여/ 하늘을 넘치는 죄업은 수미산을 지난다/ 산채로 무간지옥에 떨어지니 그 한이 만 갈래나 되는도다/ 둥근 수레바퀴 붉은 해를 토하며 푸른 산에 걸렸다”

제가 불교에 대해서 잘 모르지만 성철 스님 어록 가운데는 기가 막힌 게 많더라구요. 1986년 새해법어. "노장과 공자가 손을 잡고 석가와 예수가 발을 맞추어 뒷동산과 앞뜰에서 태평가를 합창하니 성인 악마가 사라지고 천당 지옥 흔적조차 없습니다. 장엄한 법당에는 아멘소리 진동하고 화려한 교회에는 염불소리 요란하니 검다 희다 시비싸움이 꿈속입니다."

또 한 때, 사월초파일 부처님 오신 날 봉축법어를 통해, "교도소에서 살아가는 거룩한 부처님들, 오늘은 당신네들의 생신이니 축하합니다. 술집에서 웃음 파는 엄숙한 부처님들, 오늘은 당신네의 생신이니 축하합니다." 만물이 부처라는 생각, 좋습니다.

보너스. "성현과 달사(達士)들이 나 잘났다고 서로 뽐내니 현미경 속의 티끌만한 그림자.", "대중이여 석가 오심도 망상이요, 달마가 서쪽에서 오심도 망상이요, 천칠백 공안도 망상이니 절경(絶景)이 어떠한가.", "부처님 법문도 따지고 보면 모두 달을 가리키는 손가락에 지나지 않는다. 누구든지 달을 가리키는 손가락인 말과 문자를 쫓지 말고 저 달을 바라봐야 한다." 참 맞습니다.

실크로드

병풍처럼 펼쳐진 저 장엄한 산악과 기상, 나는 눈을 지그시 감는다. 대자연과 내가 함께 뒤섞이는 '무아지경', '몰아일체'의 경이에 빠져 스스로 탐닉해 본다. '참자아'가 아닌 것들이 사라지고 나면 '참자아'만 남는다. 방을 꽉 채우고 있는 물건들만 치우면 빈 공간은 저절로 드러난다.

한 폭의 수묵화. 하얗고 파란 하늘 아래 연한 황갈색 산이 주색, 여기에 봉우리에 언뜻 언뜻 하얀 잔설과 화강암 바위, 푸른 소나무가 보조색이 조화롭게 잘 어울린다. 그림 전체는 갈색의 톤이다. 이게 바로 겨울산의 색깔인 것이다.

아, 이게 바로 백두대간이야. 나도 에레베스트 정상에 올라선 사람처럼 우뚝 선 형제 바위 위에 올라서서 두 손을 번쩍 들고 만세를 불렀다. 이헌태 만세. 형언하기 힘든 이 비경. 이 행복.

속리산의 전경을 보려면 속리산 속에서가 아니라 여기 바로 앞에 놓여 있는 형제봉에 와야 한다고 한다. 숲속에 있으면 나무만 보이고 숲을 못 보듯이.

나는 복(福) 가운데 최고가 '안복(眼福)'이라고 생각한다. 어떤 사람은 돈복, 권력복, 명예복, 자식복도 있지만. 역시 좋은 경치를 보는 게 제일 좋다. 조상들도 "산수는 정서를 순화하고 감정을 화창케 한다고 했다." 왜 과거 선인들이 심심산골로 꾸역꾸역 들어가고 산천을 유람했겠는가. 답은 뻔하다. 자연이, 그래도 도 닦기 좋고 머물기 좋으니까 그 곳에 갔을 것 아니겠는가.

내가 재력이 없어서 그런지, 부유층에 부러운 게 딱 하나 있다. 바로 여행이다. 돈만 있으면 해외여행이든 국내여행이든 언제 어디라도 달려가 아름다운 자연을 찾아 볼 수 있다.

어떻게 보면, 현대 사람들은 과거사람 보다 비교할 수 없을 정도로 훨씬 더 행복하다. 마음대로 이동할 수 있기 때문. 21세기의 최고 발명품이 자동차라고 하지 않았나. 연장선상 속에 비행기도 마찬가지. 신라 최치원이나 노자가 신선이 되었다고 하지만 현대인은 사실상 그들이 바라고 바랐던 신선노름을 하고 있다.

비행기 타고 서울서 제주도까지 한시간만에 날라 간다. 이것이 축

지법이 아니고 무엇인가. 또 미국에 있는 사람과도 통화하고 이제는 화면을 통해 얼굴 보면서 대화한다. 시간적, 공간적 한계를 넘어선 것이다. 다만 마음을 읽고 운명을 내다보는 능력은 아직 도달하지 못했다.

혹시 누가 아나, 이것도 몇백년 후에 해결될지. 하여튼 현대인은 신선에 가까운 존재가 되어버렸다. '이헌태 신선'. 왜 그러십니까. 노자나 최치원선생이 타임머신 타고 다시 현대에 온다면 기절초풍하실 것이다. '도 닦아도 헛일'이라고 자괴감에 빠질지 모른다. 현대인은 도 닦지 않아도 신라 때 일등도인보다 더 신선같이 사니까. 개인이 도 닦는 게 아니고 인류가 한 덩어리로 도 닦고 있구만. 묻혀서 도인되는 거지 뭐.

산과 자연 얘기가 나온 김에. 인디언들도 자식에게 산, 즉 자연을 상속으로 물려주나 봐요. 이렇게 말한다고 하네요. "너한테 남겨줄 것조차 없다. 하지만 아마 산만은 언제나 변함이 없을 거다. 너는 누구보다 산을 좋아하니 다행이다."

이헌태도 아들 이원교에게 "물려줄 게 하나도 없다. 다만 한국의 아름다운 산, 다 니 해라. 돈으로 따지면 수천조가 넘는다. 그리고 자주 올라가서 구경하고 즐기라."고 하면 뭐라고 할까. '또라이 아버지'라고 하겠지. 인디언하고 우리하고 같은 핏줄인데 우째 이리 다르노.

추가 하나 더. 하늘 얘기. 배우 김하늘 얘기가 아니고 우주공간의 하늘. 공자의 유학도 쉽게 풀면 하늘이 지켜보고 있다는 것, 하늘의 이치에 따르자는 것. 공자는 "하늘에 죄를 지으면 용서를 빌 곳이 없다."고 했다. 또 "하늘의 이치를 따르는 자는 살고 하늘의 이치를 거역하는 자는 망한다."고 했다.

하늘을 가지고 성현이나 영웅이 될 싹수가 있는 지 테스트할 수 있습니다. 사례 세 가지. 성리학을 발전시켜 동양을 오랜 기간 주름잡았던 주자. 그 주자가 어린 시절, 사색광이었죠. 그 화두가 "저 하늘 끝에는 무엇이 있을까?"였다고 하네요. 병까지 생길 정도로. 주자의 핵심철학은 '수기치인', 즉 자기를 완성시키고 다른 사람을 다스리도록 하라는 것이죠. 하늘만 쳐다보면 주자처럼 되나 모르겠네. 하늘만 맹탕 쳐다보면 멍해지지 뭐.

또 하나. 현재의 중국의 영토를 오늘날 국경개념을 만들었던 중국 한무제가 성에 안 찼던지 어느 날 "저 은하수 끝에는 무엇이 있을까?"라면서 장건이라는 사람을 서역까지 보냈다고 하네요. 역사상 '실크로드' 개척의 첫 시도였죠. 장건은 하급관리에서 일약 제후로, 외무장관까지 지낸 불굴의 용기의 대명사. 세계를 널리 관찰하고 이에 통달했다는 의미의 '박명후'로 임명되었죠.

사가 사마천은 장건이 이룬 업적을 '착공(鑿空)'이라고 표현했죠. 아무 것도 없는 곳에 구멍을 뚫는 것처럼 미지의 공간에 발을 내딛어 정복하였다는 말씀. 한국에도 이런 분이 많이 나오면 GDP 3만불시대는 성큼 다가올 텐데. 이헌태의 어록, "새 분야를 개척해야 돈이 크게 된다." 뭐야.

장건은 포도와 포두주등 다양한 물품을 중국에 가지고 왔고 반대로 로마에 비단을 가져다주었다고 하네요. 이 비단이 로마를 망하게 한 큰 요인이 된 것 아세요. 그 당시에는 비단옷이 '섹시옷'이었나 봐요. 요새로 치면 몸이 다 드러나는 망사의 란제리 수준이라고나 할까.

로마 세네카의 '행복론'을 보면. "비단옷은 신체를 보호할 수도 없으며 부끄러움마저 가릴 수 없는 옷이다. 그 옷을 한번이라도 입어본 여성이라면 마치 자신이 벌거벗고 있는 게 아닌가 하는 느낌을 받는다. 바로 이점이 침실에서조차 남편에게 자신의 몸을 보여주기를 꺼려하는 부인네들이 공공연하게 자신의 몸매를 드러내기 위해 막대한 돈을 들여가며 상인을 부추겨 먼 미지의 나라에서 가져온 것이다."

로마 원로원에서는 돈이 너무 빠져나가자 비단수입을 금지하기도 했다고 하네요. 로마시대 사람들이 보면 현대 사람들은 홀렁 벗고 다니는 것이지 뭐.

주자가 밤하늘에 반짝이는 별을 보면서 걷다가 시궁창에 빠졌다고 하네요. 여자 노예가 "당신은 하늘에 뭐가 있는지는 알고 싶어 하면서도 자기 발밑에 있는 것은 보지 못하는 군요."라고 비꼬았다고 해요. 하여튼 철학자가 되기 위해서는 별을 쳐다봐야 해.

헤르만 헤세는 "내가 별이 되고 달이 되면 어떨까. 세상을 비추고."라고. 별이 나왔으니 괴테는 "하늘에는 별이 있어 아름답고 땅에는 꽃이 피어 아름답지만 사람에겐 사랑이 있어 아름답다." 두 사람 다 센티하기는.

또 한국에서는 군의 장성, 즉 별단 분들이 별가지고 장난치다가, 즉 진급 때 돈 먹고, 감옥에 가서 별을 또 다는 경우가 있어요. 감옥의 죄수들이 '무전유죄, 유전무죄'라고 공공연히 떠들고 있으니 한국을 '별의 별 나라', '별꼴 나라', 하여튼 '별공화국'으로 임명합니다.

나의 말

아버지가 쓴 글이 10년 전 글인데도 불구하고 요즘도 뉴스에서 국방비리에 대한 소식을 듣곤 합니다. 그럴 때면 참 마음이 아픕니다. 지금 이 순간에도 잠 못 자가며 나라를 지키고 있는 수많은 국군장병들을 생각하면 더 그렇습니다. 제가 군 생활을 하면서 정말 나라를 위해 열심히 일하는 참된 군인들을 많이 보았습니다. 우리나라도 군인이라는 직업이 더욱 존경받는 날이 오기를 바랍니다. 대한민국을 지켜주셔서 감사합니다.

동생의 말

아버지가 생각하는 최고의 복(福)은 안복(眼福). 저도 멋진 경치를 보는 게 좋아서 여행을 아주 아주 좋아해요. 언제든 배낭을 메고 떠나고 싶지만 매일을 그럴 순 없으니 기행도서와 여행영상을 보며 마음을 달래곤 합니다. 그렇다면 최근 재밌게 읽은 여행 에세이 두 권을 소개해드릴게요. 한 곳은 아프리카고 한 곳은 핀란드입니다. 소개하는 온도가 섞여서 적절하지 않나요. 둘 다 적절치 못하다고요.

하나는 조은수 작가님의 '스물셋, 죽기로 결심하다'라는 책이에요. 제목에서 스포일러하다시피, 작가님이 스물셋일 때 어떤 일을 계기로 더는 살고 싶지 않아서 아프리카로 편도티켓을 끊고 떠나버립니다. 도착한 아프리카에서 선생님이 되고 양을 몰고 말도 안 되는 일들을 겪어요. 결말은 행복한데 현실적이라서 이상하게 슬펐습니다. 읽어보시면 무슨 말인지 알게 되실 거예요.

다른 하나는 김소은 작가님의 '첫, 헬싱키'라는 책입니다. 저는 '사우나'의 유래가 핀란드에서 왔다는 걸 처음 알았는데 정말로 흥미롭더라고요. 아파트에 공동 사우나가 있어서 별도의 요금을 내고 사용하다가 요즘에는 원룸식 작은 아파트 집 안에도 사우나가 있다고 해요. 사우나를 이용하다 몸이 화끈해져서 못 견디겠으면 옥상으로 올라가 열을 식히는데 건너편 옥상 사람들과 마주친다고 합니다. 아니면 그대로 밖으로 달려 나가서 호수에 뛰어드는 놀이도 있다하니, 참 신기하죠. 저도 언젠가 핀란드식 사우나를 즐기러 가야겠습니다. 우다다다 뛰어가야지요. 그러고 보니 아버지가 바라던 '자연인' 그 자체 아닌가요, 이상한 사람 취급하시려나요.

고기

이조시대만 해도 고기는 귀한 음식이죠. 그때만 해도 '육식자(肉食者)'란 '귀족이나 고급관료들'을 지칭했다고 해요. 채식자(菜食者) 반대가 아니고요. 중세에는 고기가 귀한 음식이어서 고기를 먹을 정도면 지배계급이니까. 오죽 했으면 소를 도살하면 가뭄이 난다는 미신이 통했을까요. 지금 시대에야 고기가 너무 흔해 빠진데다 건강에 좋지 않다며 오히려 고기를 자제하는 분위기죠. 참 격세지감이네.

옛날에는 들이고 산이고 다 식용동물들로 흔했을 것 같은데. 조선후기 박제가의 '북학의'란 책을 보면 당시 날마다 소 5백마리가 도살되었다고 하네요. 야외에서 고기를 구워먹는 '야연', 이것을 벙거짓골이라고 하는데 18세기부터 유행을 했다고 해요. 이상하네, 삼국시대나 고려시대 때는 고기를 구워먹지 않았나.

이조시대 때만해도 소는 '천하지대본'인 농사의 기본요소. 그래서 인도사람처럼 소를 귀중하게 여겼는가 봐요. 숙종실록에 따르면 송시열은 가뭄을 걱정하면서 정자(程子)의 말을 인용하면서 소의 밀도살을 엄금할 것을 주장했다고 해요.

정자 왈, "농사가 흉년이 드는 것은 소를 잡는 데에서 이루어진다." 소의 힘으로 농사짓는 사람들이 고마움은커녕 죽여서 잡아먹기까지 하는 것은 너무 잔인하다는 생각을 했죠. 게다가 도살하면 소의 원한이 천지의 화기를 손상시키고 이것이 자연의 운행질서를 깨뜨려 비가 내리지 않는다는 것이죠. 중국 역사에서 똑똑하기로 유명한 정자도 요즘 이헌태가 보면 황당무계.

대학자인 율곡 이이도 이런 이유로 평생 쇠고기를 먹지 않았고 율곡 집안에서도 율곡의 제사에는 쇠고기를 쓰지 않는다고 해요. 그 깊은 마음이 하늘에 닿았겠구만.

심심풀이 땅콩. 인도에서는 왜 소를 숭상하고 쇠고기를 먹지 않는 줄 아세요. 10억이 넘는 거대한 인구가 쇠고기를 먹기 시작하면 소가 어떻게 되겠어요. 이내 곧 끝장나겠죠. 소고기보다는 영양이 풍부한 우유를 마시는 게 오히려 낫죠. '최적먹이찾기 이론'에 입각한 것이라고 하네요. 현명한 방법이네. 맞나.

고기 가운데 가장 귀한 고기가 뭔 줄 아세요. '삼장법사'의 몸이죠. 그래서 당나라 장안에서 천축, 즉 인도로 가는 도중 요괴들이 잡아먹으려고 난리가 아니에요. 왜냐하면 삼장법사가 '열 세상을 돌며 수행한 맑고 깨끗한 몸, 즉 원신(元身)'이라서 그의 살을 한 점만 먹어도 불로장생한다는 소문 때문에 식(食)하려고 혈안이 된

거죠.

이보다 못하지만 그래도 현상금이 꽤 큰 몸이 있었죠. 사나이 중의 사나이인가. 초한지의 서초패왕 항우. 해하의 전투에서 패한 뒤 도망갈 수 있었는데도 사나이 대장부로서의 치욕을 참지 못하고 스스로 장렬하게 전사했죠.

'항우본기'에 따르면 "항왕이 말하기를, '내가 들으니 나의 머리에 천금과 만호의 읍(邑)을 걸었다고 하니 내 그대들을 위해 은혜를 베풀어주리라'하고는 스스로 목을 찔러 죽었다. 왕예가 항왕의 머리를 차지하고 다른 기병들이 서로 짓밟으며 항우의 몸을 쟁탈하려다가 죽은 자가 수십명이나 되었다." 치사한 놈들, 뭐야. 이헌태도 그 자리에 있었다면 쟁탈꾼 중의 한 명이 되었을 거라구요.

공자는 인육을 좋아했다고 중국의 여러 책에서 나온다고 하는데 공자를 공격하기위해 지어낸 얘기인지 알 도리가 있어야죠. 내용인즉, "제자인 자로의 시체가 잘려 저민고기로 만들어져 나왔고 이게 공자의 식탁에 오르게 되었는데 이를 안 공자가 기겁을 했고 이 이후로 다시 인육을 먹지 않았다고 해요. 완전 거짓말 같아요.

나중에 기회가 있을 때 정리하겠지만 장자 어른과 그 후대추종자들이 말이죠, 심할 정도로 공자를 공격했더라구요. '공자가 죽어야 나라가 산다'가 아니라 '공자가 죽어야 노자 장자가 산다'는 논리였더라구요. 유가나 도가가 서로 다 장점이 있는데 '원수학문'으로 되었더라구요. 장자는 태평성대로 알려진 요순임금이나 공자 같은 사람이 천하를 어지럽히게 했다나 어쩌나.

장자 같은 분들은 진짜로 자연상태로 마음을 비운 것인지, 진짜로 공자맹자에 대해 열받은 것인지. 우리 같은 무식한 사람들이 어찌 알겠습니까.

고기, 육식이 나온 김에. 육식이 좋지는 않죠. 근래 이런 생각이 크게 늘어났죠. 환경운동과 함께 더욱더 확신되고 있죠.

미국의 환경철학자 헨리 데이빗 소로우는 '월든'이란 책에서 "육식을 그만둔 결과로 체력의 감퇴가 초래된다 할지라도 그 때문에 낙심할 필요가 없다. 왜냐하면 이것은 더 높은 원칙에 부합된 삶을 사는 것이니까. 만약 우리의 낮과 밤이 기쁨으로 맞이할 수 있는 그런 것이라면 우리의 인생이 꽃이나 방향초처럼 향기가 난다면 또 우리의 인생이 좀 더 탄력적이 되면 좀 더 별처럼 빛나고 좀 더 불멸에 가까운 것이 된다면 우리는 크게 성공한 것이다. 그때 자연 전체가 우리를 축하할 것이며 우리는 스스로를 시시각각으로 축복할 이유를 갖는다."고 적고 있죠.

철학자 무소뉴스는 "땅에서 나는 곡류 채소 과일은 자연적인 식품이지만 육식은 사상과 지혜를 흐리게 한다."고 말했죠. 이에 비해 미국 목축협회는 "육식은 사람을 질병에 걸릴 만큼 장수할 수 있게 해준다."고 반박했죠.

우리의 몸을 석탄 난로에 비교했을 때 석탄(쌀)이 가장 좋다는 것. 석탄 난로에 석유(고기)나 가스(빵)를 넣었을 때 연소가 안 되는 것은 불문가지. 밥 세끼 규칙적으로 먹는 게 최고의 식단이라고 한다는데, 사람마다 주장이 달라서 나 원 참. 그냥 조상대대로 예전대로 먹고 살면 되지 뭐. 결론 "밥상이 약상"

마르쿠스 아우렐리우스 안토니우스 로마황제(121-180년)의 명상록 가운데.

“당신 앞에 놓인 고기나 맛좋은 음식을 보고 이렇게 생각해보라. 이것은 어떤 물고기의 시체이고 이것은 어떤 새나 돼지의 시체다. 팔레르노 포도주도 결국에는 포도송이에서 짜낸 즙에 불과하며 자줏빛 의복도 조개에서 얻은 피로 양의 털을 물들인 것이다. 이와 같은 생각은 사물을 바라봄에 있어서 그 본성을 꿰뚫게 한다. 당신은 바로 이런 사고방식을 당신의 인생전체에 적용시켜야한다. 왜냐하면 겉으로 나타나는 모습이야말로 이성을 뒤집어 놓는 가장 위험한 것이며 가장 신비하다고 확신하는 대상이야말로 가장 기만적인 이기 때문이다.” 무슨 뜻으로 하신 말씀인지 알겠는데요. 너무 심한 것 같아요. 고기를 시체라고 하니 고기집은 시체요리집인가.

동서양의 차이. 소동파의 '대장방평간용병서'에 나오는 전쟁에 대한 화상(畵像). 같은 고기라도 늘 백성을 아끼는 따뜻한 마음이 담겨있죠.

“싸워 이긴 뒤에 폐하께서 알 수 있는 것은 개선하여 승리를 보고 하는 것과 표(表)를 올려 경하하는 따위로서 빛나는 이목의 구경거리뿐입니다. 먼 지방의 백성이 흰 칼날에 간과 뇌가 묻어나고 군사들을 먹이느라 근육과 뼈가 끊어지며 파산하여 유리걸식하며 아들과 딸을 팔아먹고 눈이 빠지고 어깨가 으스러지고 스스로 목을 매어 죽는 상황에 대해서는 폐하가 볼 수 없을 것입니다. 그리고 자부(慈夫) 효자 고신(孤臣) 과부들의 통곡하는 소리도 반드시 들을 수 없을 것입니다.

이는 마치 소와 양을 도살하고 물고기와 자라를 회쳐서 음식을 만들어놓았을 때 먹는 자는 매우 아름답지만 죽는 자는 매우 고통스러운 것과 같습니다. 만약 폐하께서 몽둥이와 칼날 아래서 부르짖고 도마와 칼 사이에서 꿈틀대는 모양을 보신다면 비록 팔진미의 아름다운 음식일지라도 반드시 젓가락을 던지며 차마 들지 못하실 것입니다. 그런데 하물며 사람의 목숨을 이용하여 이목의 구경거리를 삼는데 그것이 되겠습니까."

환경문제를 생각합시다. 가축의 비극. '책으로 만든 잘 먹고 잘 사는 법' 박정훈 씨에 따르면. 2001년 미국 항생제 생산량 가운데 70%가 가축에게 투여되고 있다는 충격적인 사실. 이것이 인간에게 투여되는 항생제 양의 8배에 해당된다고. 주로 사료에 포함되어 동물의 몸으로 들어간다고 해요. 1파운드의 소고기를 생산하기위해서는 60파운드의 곡물이 소모되는데 육류생산은 더 많은 생태계를 파괴하고 오염시키고 있다는 것. 한사람이 평생 6마리의 소를 먹는다는데 진짜인가. 이헌태는 과연 몇 마리.

환경운동가 제레미 리프킨은 '소고기를 넘어'라는 책에서 육식문화를 비판했다고 해요. 공장식 농장 즉 팩토리팜의 문제점을 지적하며 한 문화를 평가하는 척도는 그 사회 내에 가장 무력한 자들을 어떻게 대하는지를 보면 알 수 있다고. 특히 가축을 잔혹하게 학대한다고 하네요. 우리 사회의 약자들 -신체와 정신이 자유롭지 못한 사람들, 가진 것이 남보다 적은 사람들, 배움이 남보다 모자라는 사람들, 자가용을 타고 다닐 수 없어 걷거나 버스 지하철을 타고 다니는 사람들, 자신에게 손해가 되는 정책에 대해서 항의 한번 못해보는 사람들- 에 대한 인간으로서의 공조시스템을 우리사회는 얼마나 제대로 작동시키고 있는가.

고기를 덜 먹자. 가축에게도 필요한 자유가 있다고 하네요. 공포와 스트레스로부터의 자유, 고통과 부상질병, 배고픔과 갈증, 생활의 불편함, 정상적인 행동을 표현할 자유.

그리고 고기와 동물의 젖을 먹으면 호전적으로 된다고 해요. 그래서 몽골인들이 잔인했나. 못 먹고 못 살던 시절보다 고기를 잔뜩 먹고 자란 요즘 아이들이 그래서 더 거칠고 공격적인가.

생뚱맞지만, 햄버거의 기원이 몽고인이라고 하네요. 이동하면서 질긴 말고기를 요리하는 법이 필요했다나요. 말고기 생고기 잘게 다져 스테이크를 만들었다고 해요. 이른바 '타타르스테이크'. 러시아에서는 몽골을 타타르라고 부른다고 해요. 이 스테이크는 200년간 지배한 러시아를 통해 독일로 전해져 독일의 가난한 농민들이 질긴 소고기를 다져 항국도시 함부르크에서 유행시켰다고 해요. 1850년 독일 이민자들이 미국으로 갖고 가서 햄버크. 햄버거. 그렇구만. 햄버거는 미국이 원조가 아니고 몽고구만. 지금은 뚱보음식으로 바뀌었는데. 뭐가 뭔지. 하여튼 고향이 몽고네. 문명의 교류를 실감하네.

고기 관련, 진짜 마지막. 장자에 나오는 얘기. 인간의 잣대가 무조건 옳은 게 아니라는 장자님의 말씀.

장자의 제물론. "사람이 습한 곳에서 자면 허리가 아프거나 반신불수가 될 수도 있다. 그러나 지렁이도 그런가. 사람이 높은 나무에 오르면 불안해서 벌벌 떤다. 그러나 원숭이도 그러한가. 어느 거처가 표준인가./ 사람들은 쇠고기 양고기 돼지고기를 즐겨 먹는다. 사슴은 부드러운 풀을 즐겨 먹는다. 지네는 뱀을 즐겨 먹는다. 솔개나 까마귀는 쥐를 즐겨 먹는다. 누구의 입맛이 정답인가./ 서시는 미인이다. 그런 미인도 물고기가 보면 깊이 숨고 새가 보면 높이 날고 사슴이 보면 도망친다. 누구의 미인관이 정답인가./ 도덕이니 시비판단이니 하는 것들도 내가 보건데 각기 자기 입맛대로 떠는 것인 즉, 뭐가 뭔 질 알 수가 있을까." 참 맞네. '미인도 제 눈에 안경, 음식도 제 입에 혀'. 입맛대로 삽시다.

고기에 대한 얘기가 중구난방이구만. 그러나 이헌태의 장점은 결론을 잘 낸다는 것. 고기 좋아하는 사람 맛있게 먹고 다만 매사를 친환경적인 인식과 행동이 중요.

일행은 상주방향으로 나가다 한 식당에 들러 촌 막걸리도 쭉 걸치고 맛난 촌 삼겹살을 구워 먹었다. 청국장에 밥, 고소한 배춧잎으로 배를 잔뜩 채웠다. 아, 행복해. 다시 말해 아, 배불러.
서양의 철학자 칸트 왈, "인간에게 가장 복스런 일이란 마음에 맞는 사람과 음식을 같이 먹는 것."이라고 했다. 백두대간 산행 후 식사는 두 가지 다 갖추었네.

동생의 말

요새는 고기 먹기가 정말로 쉽죠. 한창 유행하던 돼지고기 무한리필 고깃집도 흔해졌고 이젠 소고기 무한리필까지 나왔으니까요. '무한리필'하니, 어느 기사에서 봤는데 무한리필이 소비자입장에서는 이득보기가 아주 어렵다는 거예요. 내용인 즉, 적당히 맛있게 먹지 못하고 무리하게 된다는 겁니다. 이미 낸 비용 때문에 배불러도 먹고 맛없어도 먹는다는 식으로요. 뭐든지 '적당'이 최고인데 말이죠. 제가 너무 당연한 소리를 하고 있나요?

SNS에 고기를 굽는 영상이 자주 올라오는데 지글지글 소리가 들리고 흐르는 육즙을 보고 있자면 저절로 침이 고입니다. 그럼 '고굽척'이라는 신세대용어를 아시나요? '고기 굽는 척'의 줄임말인데, 어떤 말이나 상황을 일부러 회피하거나 무시할 때 쓰는 말이에요. 고기굽는데 열중하면 주변 얘기가 안 들릴 때가 있잖아요. 그렇듯 '고기를 굽는 척' 한다는 거죠. 누가 생각했는지 참 귀엽고 공감갑니다. 그런데 집중할 수 있는 거라면 뭐든 많은데 왜 하필 고기일까 의문이 들긴 하네요. 역시 널린 게 고깃집이라서 그런 걸까요.

쓰다 보니 저도 고기에 대한 별 얘기를 다 했는데 어디서 본 고기 어록으로 끝내겠습니다. "힘들 때 우는 건 삼류다. 힘들 때 참는 건 이류다. 힘들 때 먹는 건 육류다."

김치

잠시 휴식. 촌 김치는 항상 맛있다. 좋은 물과 좋은 배추이기 때문. 나온 김에 김치. 동북아시아를 강타한 '사스 광풍'에도 한국만 끄떡없었던 원인의 하나로 회자된 김치. 한민족의 대표음식으로 세계에 알려진 김치. 그 무시무시한, 그 어머어마한 김치를 찬양한 시들도 있더라구요. 한번 모았습니다.

이헌태, 니 참 할 일 없다. 民族의 음식, 나아가 民族이 부르면 언제라도 이헌태는 그 앞에 있겠습니다. 말이 나왔으니 김치를 갖고 시를 쓴 시인이 한심하나, 이를 모은 이헌태가 한심하나.

제일 먼저. 김지하 시인의 '김치통일론'. "통일하는데 있어서/ 김치가 필요하다는 이론을 제기한 사람은 없다/ 김치야말로/ 통일의 지름길이다/ 짜건 싱겁건/ 동치미든 젓김치든/ 김치의 맛은 기본적으로 동일하다/ 이렇든 저렇든 참삶은 마찬가지이듯/ 김치를 주의해라/ 김치를 통해서/ 김치의 맛을 통해서/ 김치의 맛의 일치성을 통해서/ 통일을 생각하는 자는 믿어도 좋다/ 기타는 기타는 기타는/ 사기꾼이다." 설득력이 있습니다. 무식한 제가 알겠습니다. 넘어가고.

오세영 시인의 '김치'도 있다. "겉절이라는 말도 있지만/ 김치는/ 적당히 익혀야 제격이다./ 흰 배추 속처럼/ 마음만 고와서는 안 된다./ 매운 고춧가루와/ 짠 소금,/ 거기다가 젓갈까지 버물린 전라도 김치,/ 김치는/ 맵고 짠 세월 속에서/ 적당히 썩어야만/ 제 맛이 든다./ 누이야,/ 올해의 김치 독은/ 별도로 하나 더 묻어 두어라./ 흰 눈이 소록소록 쌓이고/ 별들이 내려와 창문을 두드리는 어느 겨울 밤,/ 사슴의 발자국을 좇아/ 전설처럼 그이가 북에서 눈길을 찾아오면/ 그때/ 새 독을 헐어도 좋지 않겠니?/ 평양냉면에/ 전라도 동치미를 곁들인다면/ 우리들의 가난한 식탁은 또 얼마나/ 풍성하겠니?" 하기사 얼마 전까지만 해도 김장김치만 담으면 부자라고 했죠. 북풍한설의 겨울을 지낼 걱정이 없으니까요. 요즘 부자들 기준하고 완전 다르죠. 강남에 일단 5억짜리 집은 기본이고.

오세영 시인이 김치를 좋아하나 봐요. '햄버거를 먹으며'라는 시에도 일부 거론되었죠. "김치와 두부와 멸치와 장조림과…/ 한 상 가득 차려놓고/ 이것 저것 골라 자신이 만들어 먹는 음식,/ 그러나 나는 지금/ 햄과 치즈와 토막난 토마토와 빵과 방부제가 일률적으로 배합된/ 아메리카의 사료를 먹고 있다." 한식과 햄버거를 비교 했더라구요.

천상병시인의 '친구3-김치' "매일같이 먹는 김치에는 음식이 섞여 든다/ 생선도 고기도 적량껏 들어가 있으니/ 음식의 백화점이 따로이 없다// 아무리 먹어도 만복도 안된다/ 대륙을 통체로 자셔도 이렇게는/ 자양분이 적량이 되지 않겠다// 식물도 풀과 이파리니 전체나 마찬가지다/ 맛도 미미천만(美味千萬)이니 딴 것과 바꾸지 못한다/ 우리 백의 民族이 시꼴뜨기가 아니라는 증일이다" 김치를 좋아하는 한민족은 시골뜨기가 아니랍니다. 김치가 궁중음식인가. 하여튼 시인들은 말도 잘 만들고 격찬도 잘 해.

이렇게 좋은 김치는 세계 모든 백성들이 빠짐없이 다 먹어야 합니다. "인류 모두가 이 김치를 다 먹는 날 까지."

나의 말

강남의 집값이 5억이 기본인 시절이 있었군요. '호갱노노'라는 사이트에서 강남 집값을 찾아보니 10억은 기본이던데. 정부가 공공 데이터를 개방했기에 그 데이터를 활용한 참신한 사이트가 나올 수 있었대요. 하지만 아직도 데이터에 관한 법률이 너무 엄격해서 회사가 데이터를 가지고 새로운 서비스를 내기가 어렵다고 하네요.

금융법 시간에 교수님은 금융법을 되는 것만 일일이 명시하는 Positive 방식보다는 안 되는 핵심만 명시하고 나머지는 되게 하여, 우선 도전하는 환경을 만드는 Negative 방식으로 개선을 하고 혁신의 속도를 늦추는 사전규제보다는 문제가 생길 경우 제대로 된 처벌을 내리는 사후감독 쪽으로 변화하는 게 선진 금융으로 나아가는 길이라고 말씀하셨습니다.

마찬가지로 저장된 수많은 데이터를 가지고 기업이 AI(인공지능)와 같은 4차 산업혁명을 위한 신기술을 개발해야하는데 데이터관련 법이 그 데이터부터 제대로 모을 수 없고 활용 또한 힘들어 개선이 필요합니다. 그래도 정부가 공공데이터를 개방하는 이런 시도가 더 나은 미래를 만드는 것 같아 기쁩니다.

1월

2004년 1월 6일은 소한(小寒), 21일은 대한(大寒), 2월 4일은 입춘(入春). 대한에 가까운 1월 18일, '백두대간 한걸음 이어가기' 팀의 새해 첫 대간 산행이 장엄하게 시작되었다.

1월은 한해 새 출발의 달. 마음을 새롭게 다져본다. 송구영신(送舊迎新). 천지에 가득한 새 기운이 이 몸에도 가득하기를 기원하면서. 새해 복 많이 받으십시오. 이헌태 엎드림. 저도 열심히 살겠으니 여러분도 행운과 만복이 한껏 깃드시기를 바랍니다.

참, 아메리칸 인디언들은 1월을 어떻게 부르는지 아세요. 어쩌면 우리나라 기후와 사정에 딱 맞는지. '마음 깊은 곳에 머무는 달'(아리카라 족), '추워서 견딜 수 없는 달'(수우 족), '눈이 천막 안으로 휘몰아치는 달'(오마하 족), '나뭇가지가 눈송이에 뚝뚝 부러지는 달'(쥬니 족), '얼음 얼어 반짝이는 달'(테와 푸에블록 족), '바람 부는 달'(체로키 족).

이번 산행에는 드디어 종마인 이헌태, 거창하게 얘기할 것 없이 내 아들을 데리고 갔다. 아버지를 너무 너무 잘 만나(본인은 아부지 잘못 만나 산에 끌려 다니며 고생했다고 일방적으로 아직 철없이 주장함) 초등학교 5학년 때 이미 설악산 대청봉, 지리산 청왕봉을 한국의 아름다운 명산의 정상을 다 밟았던 자칭, '백두산 다람쥐'다. 5학년이 지나면서 친구 만나는데 시간이 뺏기고 컴퓨터를 더 가까이 하면서 바쁜 척, 쭉 등산을 등한시했는데 이번에 방학이고 몸도 풀 겸 한번 따라 나서겠단다.

아부지인 나보다 산을 훨씬 더 잘 타서 아부지의 이미지를 늘 구기게 했지만 그래도 혹시 그 동안 체력이 떨어지지 않았나 걱정은 되었다. 나중에 이는 기우에 그쳤고 아부지인 내가 그 이전과 똑같이 다시 한 번 아들의 철저한 보호를 받았습니다. 아, 쪽팔려.

늘재에서 주변을 둘러보니, 흰 눈이 속리산 자락을 은백색으로 수놓고 있었지만 하늘에는 별 한 점이 보이지 않고 칠흑같이 깜깜한 밤이었다. 정적과 정막과 고요만이 한겨울 밤의 어둠을 지키고 있었다. 바람도 불지 않고 선선한 '청정냉풍'(清淨冷風)의 기운이 감돌았다. 겨울등산에는 그만인 상쾌한 날씨였다.

청정냉풍. "새와 흐르는 물처럼/ 허공을 오가는 구름처럼 막힘도 걸림도 없고/ 청산같이 말없고 명월처럼 밝게/ 청풍처럼 시원하게"

공자, 맹자도 필요 없고 책과 지식도 다 필요 없어. 오직 새와 물, 구름과 청산, 명월과 청풍이 나의 스승입니다. 자연이 바로 이헌태의 스승이며 삶의 철학입니다. 아, 그러세요.

나의 말

저도 초등학생 시절 아버지를 따라서 등산을 갔던 것이 아직도 기억이 나네요. 특히 지리산 천왕봉 꼭대기가 어찌나 춥던지… 그래서 아버지께서 자신이 입고 있던 점퍼를 벗어서 제게 입혀주셨죠. 그 사진이 액자 안에 들어가 집 한구석에 놓여 있습니다. 사진 속에는 조끼를 입은 아버지와 아버지 옷을 입은 아주 작은 제가 있죠. 사진이 있어서 참 다행이에요. 그때 생각을 할 수 있으니까요. 여러분도 부모님과 등산을 가는 건 어떤가요? 정상에서 사진도 찍고요. 그 사진을 다시 보면 분명 느끼는 게 있을 거예요.

눈

산은 낙목공산(落木空山), 낙목한천(落木寒天). 산도 침묵 수행 중, 모든 생물도 침묵 수행중이다. 고요하고 적막하다. 산야를 오로지 눈만이 살포시 뒤덮고 있다. 이번 산행은 '눈 산행'이 되겠구만. '겨울 산행'의 백미는 역시 '눈 산행'이죠. 아, 너무 좋아라.

눈에 대한 말씀 세 가지 소개. 1) 캘리포니아 공과대학의 물리학과 교수인 케네스 리브레히트는 "하늘에서 내려오는 신성한 문자." 라고 표현했죠. 2) 프랑스 철학자 데카르트는 현미경이 없던 시절에도 어찌나 이를 뚫어져라 분석했는지 "6개의 이빨이 달린 자그마한 장미가 떨어진다."면서 "그것들은 투명하고 아주 납작했으며 인간이 상상할 수 있는 가장 완벽한 좌우대칭을 이루고 있었다."고 말했다고 하네요. 3) 그러나 물리학자 리처드 파인만은 “별이나 눈송이에 대해 조금 안다고 해서 그 신비가 훼손당하지는 않는다.”고 목청을 높였죠. 데카르트의 분석을 바로 맞받아쳤구만. 맞습니다. 진실은 예술이나 과학의 상상 너머에 있는 거죠.

비와 눈의 합작품이 뭔 줄 아세요. 진눈깨비에요. 진눈깨비의 끝자가 비니까 결국 비의 일종이라고 생각하실지 모르겠지만 눈의 일종이 아닐까요. 일반 눈송이는 대기를 떠도는 수증기가 곧장 얼음으로 변할 때 생기는 것인데 비해 진눈깨비는 빗방울이 얼어붙어서 생긴 것 이라고 하네요. 그렇구나.

결론이 중요. 똑같은 눈송이는 없다고 하네요. 똑같은 인간이 없고 똑같은 나무가 없듯이. 이 우주 안에 똑같은 것은 하나도 없구만. 똑똑하다, 이헌태. 그래서 우주 안의 만물은 존귀하다는 것이지.

나온 김에 눈에 대한 시 몇 편을 엮었습니다. 근시, 원시, 약시 그런 시가 아니고요. ‘눈 시 백화점’이라고나 할까. 이 기회에 눈과 눈에 대한 시는 완전 마스터하세요. 무슨 대학입시학원같구만.

한국의 시인들은 눈이 안 내렸으면 우짤 뻔 했노. 시인이라면 빠짐없이 다 눈가지고 장난쳤더라구요. 뭐야. 찜했더라구요. 뭐야. 그만큼 눈이 감동적이라는 것이겠죠. 이헌태 생각대로 하면 눈 안 내리는 아프리카에는 시인도 없겠구만. 하여튼 눈에 대한 시를 눈 튀어나오게 많이 모았습니다. 눈 튀어나오게도 눈이네.

윤동주의 '눈'. "지난밤에/ 눈이 소오복이 왔네// 지붕이랑/ 길이랑 밭이랑/ 추워 한다고/ 덮어주는 이불인가봐// 그러기에/ 추운 겨울에만 나리지" 나 원 참, 눈이 이불이라구. 이 시를 지은 사람이 윤동주 맞습니까. 저는 유치원생이 쓴 동시인줄 알았거든요. 너무 유치찬란한 것 같아서요. 동심이 잔뜩 묻어나서 좋다구요. 죄송했습니다.

김소월의 '눈'. "새하얀 흰눈, 가비엽게 밟을 눈,/ 재가 타서 날릴 듯 꺼질 듯한 눈,/ 바람엔 흩어져도 불길에야 녹을 눈./ 계집의 마음. 님의 마음."

다음은 김수영의 '눈1'. "눈이 온 뒤에도 또 내린다/ 생각하고 난 뒤에도 또 내린다/ 응아 하고 운 뒤에도 또 내릴까/ 한꺼번에 생각하고 또 내린다/ 한줄 건너 두줄 건너 또 내릴까/ 廢墟에 廢墟에 눈이 내릴까" 누가 그랬나, 눈은 다 내리고 쓸어야 한다고. 그 전에 하면 헛고생이라고.
박용래의 '눈'. "하늘과 언덕과 나무를 지우랴/ 눈이 뿌린다/ 푸른 젊음과 고요한 흥분이 묻혀있는 하루 하루 낡어가는 것 위에/ 눈이 뿌린다/ 스쳐가는 한점 바람도 없이/ 송이눈 찬란히 퍼붓는 날은/ 정말 하늘과 언덕과 나무의 限界는 없다/ 다만 가난한 마음도 없이 이루워지는/ 하얀 斷層" 이헌태의 희망 한마디, "눈이 이 세상의 탐욕과 이기도 지워서 선과 악의 경계마저도 없애기를 바랍니다."

그래서 나온 시가 바로 강만의 '눈 숲'. "나지막한 숲에 눈이 내리고 있었습니다. 눈은 내려와 숲 속의 것들을 하나씩 지워내기 시작했습니다. 지상의 빛깔들을 모두 지워낸 후에야 눈은 그치고 낮은 소리로 흐르던 물도 멈추었습니다. 마지막 남아 있던 새 몇 마리 날아가 버리자 숲은 텅 비었습니다. 어떤 분의 옷깃으로 쓸어낸, 빛깔로 소리도 없는 성지였습니다. 그제야 하늘에서 영롱한 말씀들이 창세기의 언어로 숲 속에 쏟아져 내렸습니다. 숲이 눈부셨습니다. 현란한 욕망의 색채들을 지워버리면 우리도 저렇게 아름다울 수 있을까. 나는 벌판을 가로질러 신비한 말씀들을 듣기 위해 육신을 벗어버리고 숲으로 갔습니다."

섬뜩한 시도 있더라구요. 백색의 눈 위에 선연한 붉은 피 한 방울. 김달진의 '눈'이죠. "하이얗게 쌓인 눈 우에/ 빨간 피 한 방울 떨어뜨려보고 싶다/……속속드리 스미어 드는 마음이 보고 싶다"

보너스 하나, 박남수의 '눈'이죠. "눈은, 나의 視界를 온전히 흰빛으로 채운다./ 하얀 부정, 초원도 삼림도 그 푸름을 잃고,/ 지금은 평등하게 만상은 눈 속에 있다./ 삶도 죽음도 꼭같이 부정된 이 아침이/ 왜 이렇게 상쾌하냐.// 저 하얀 처녀지에 발을 딛고 싶지 않다./ 차라리 누군가가 걸어와 주었으면./ 천사같이 가부야운 사람이 걸어와 주었으면.// (아내여 땅속에도, 지금 눈이 내리는가. 눈이 내리어 온 저승이 하얗게 덮이었는가.)// 물어도 소용없는 세상에도 눈이 내렸으면.// 감은 누이 視界에도 하얀 부정./ 흙도 지하수도 그 빛깔을 잃고, 모두 평등하게 만상이 눈 속에 있었으면./ 삶도 죽음도 꼭같이 긍정되는 아침에 아내도 가슴 가득 상쾌했으면."

소동파의 '눈'도 역시 가슴에 와닿는다. "추운 밤 얼어붙은 거북이처럼 목을 움츠리고 잠을 청하다가 배안으로 날아들어온 눈발은 솜털처럼 가볍다. 자세히 보면 꽃을 조각해 놓은 듯한 눈이 옷에 묻어있는데/ 하늘이 눈꽃송이 하나하나를 이렇게 조각해 만든걸까./ 순식간에 온 천지가 눈으로 뒤덮여 버렸는데/ 아, 이런 놀라운 능력은 누구의 손에 있는 것일까./ 춤추며 사방으로 마구 날아 떨어지는 눈송이 실컷 맞으며/ 재빨리 붓들어 이 광경 시로 읊네." 눈은 신이 인간에게 주는 축복이라는 말씀.

결론이 늘 중요. 국민 여러분, 흰 눈을 보면서 눈의 순수와 순결의 의미를 배웁시다. 세속의 티끌조차도 깨끗이 정화시킵시다.

겨울 산

아름다운 눈 벌판, 착한 동심의 세계로 돌아가게 하는 눈, 이 눈을 보니 불현듯 떠오르는 생각이 있더라구요. 1) 가난해서 그런지 저 눈이 다 소금이나 설탕이었으면 했죠. '돈'으로 보이더라구요. 2) 겨울의 기백과 기상, 푸른 소나무마저 흰 옷으로 강제로 입혀 버리는 저 '폭군', 절대순백의 이미지. 3) 눈이 내리면 길이 완전 감추어져 길을 새로 누가 내야하지 않겠나 하는 '개척의 길'이 떠올랐죠. 4) 도시적인 사고인데, 눈이 왕창 내리면 길거리가 또 더러워지겠구나. 즉 '오물'로 생각했죠. 눈도 이렇게 다양하게 느껴질 수 있죠. 5) 신선. 하얗게 센 긴 머리카락과 기다랗게 늘어뜨린 하얀 긴 수염을 한 채 하얀 두루마기를 옷을 걸치고 있죠. 즉 흰색은 신선색이죠. 눈도 흰색인 것으로 보아서 신령스럽고 서기가 서려있는 것 같지 않습니까.

겨울 산을 배경으로 한 시 하나 소개. 임영조 시인의 '겨울 산행' 부분. “눈 오다 그친 일요일/ 흰 방석 깔고 좌선하는 산/ 아무리 불러도 내려오지 않으니/ 몸소 찾아 갈 수밖에 딴 도리 없다/ 가까이 오를수록 산은/ 그곳에 없다, 다만/ 소요하는 은자의 처소로 남아/ 오랜 침묵으로 품을 세울 뿐/....../ 잡목들이 받쳐든 푸른 하늘에/ 간간 수묵을 치는 구름/ 눈짐 진 노송이 문득/ 잘 마른 화두 하나 던지듯/ 옛다!/ 솔방울을 떨군다/ 덤불 속 멧새들이 화들짝 놀라/ 재잘재잘 산경(山經)을 읽는 소리/ 은유인지 풍자인지 아니면 해학인지/ 들어도 모를 난해시 같다”

참조. ‘시골눈’하고 ‘도시눈’하고 크게 다르다고 하네요. 시골눈은 찰떡처럼 찰지다고 하네요. 도시눈은 공해에 찌들려 그런지 빨리 쉽게 녹아 물로 변하는데 반해 산속눈이나 시골눈은 잘 뭉쳐진다고 해요. 밟아도 뽀드득 소리를 내면서. 무릎까지 눈에 빠지는 상황에서도 등산화와 발이 젖지 않은 것은 산속 눈 때문이 아닌가 싶네요. 산속 눈 만세!

하얀 설산(雪山)을 나아가면서 발견한 새로운 사실. 온천지가 아닌 산천지가 눈으로 뒤덮이면서 산에는 생물이라고는 나무만 독야청청(獨也靑靑)하더라구요. 동물은커녕 미물도 흔적도 없고, 풀과 꽃들도 자취를 감춰버렸다. 개구리는 지옥 같은 음산한 땅속에서 지내고 있겠지. 오히려 더 편한가. 곧 보자. 냇가 잠자는 개구리는 영양도 풍부해서 몸보신용으로 마구잡이로 잡히는 가 봐요. 자다가 날벼락이지 뭐.

엄동설한(嚴冬雪寒), 북풍한설(北風寒雪)의 겨울에는 식물이 장군(將軍)이구나. '설중군자(雪中君子)'는 나무구나.

갖가지 다양한 나무들의 가지에는 하늘에서 눈이 살짝 살짝 내려 아름다운 눈꽃이 만발했다. 봄부터 가을까지는 나무가 스스로 제 힘에 의해 화려한 천자만홍의 나무꽃을 피우지만 날이 추워서 식물꽃이 지면 대자연도 못내 섭섭해서 나무에게 하늘의 눈꽃을 피우게 하는 거구나. 니 말이 맞다. 멋진 말이다. 봄, 여름, 가을은 나무 스스로 꽃을 피우고 겨울은 하늘이 꽃을 피우게 한다.

송강 정철의 시 한수. "송림에 눈이 오니 가지마다 꽃이로다/ 한 가지 꺽어내어 님 계신 데 보내고저/ 님께서 보신 후에야 녹아지다 어떠리"

'백설암산(白雪巖山)'. 눈을 보니 눈이 즐겁다. 앞의 눈은 짧고 뒤의 눈을 길게 발음하는 거 아시죠. 하여튼 각설하고. 이헌태가 모처럼 씩씩하고 경쾌하게 잘 나아가간다. 눈을 보는 눈이 즐거우니 기계처럼 작동하는 다리가 하나도 고달프지도 힘겹지도 않았다. 머리가 좋으면 몸이 덜 고달프다고 하더니. '몸과 마음의 상관관계' 아세요. 최근 등장한 '몸 철학'은 다음에 설 풀고. 설(說)이 워낙 많아서.

'몸과 마음의 일치와 협력, 괴리와 갈등'. 착하고 똑똑한 사람인데도 살림이 가난해서 몸이 고달픈 케이스. 착하고 똑똑해서 잘 살고 반대로 머리 나쁘고 게을러서 못 살면 당연하지만 세상이 어찌 그렇게 정상대로 돌아갑니까. 결국 몸도 주인 잘 만나야죠. 이와 관련된 시 몇 편을 또 준비했습니다. 이헌태, 고생 많다. 니 하나 고생이 여러 사람 즐겁게 한다. 저도 그렇게 생각해요. 능력도 없는 놈이 이런 고생쯤은.

명말 유학자 홍자성의 '채근담'아시죠. 송유학자 왕신민이 "사람이 항상 나물뿌리를 씹을 수 있다면 백가지 일을 할 수 있다."고 말한 데서 채근담이란 말이 유래했다죠. 나물장사 파이팅. 한국의 채소 농가 파이팅.

그 채근담에서 홍자성 왈, "하늘이 나를 몸으로써 수고롭게 하면 나는 내 마음을 편안히 하여 이를 보충하고 하늘이 나를 역경에 빠지게 하면 나는 내 도를 높임으로써 이를 트게 하리라." 이것이 바로 '이헌태가 살아가는 법'입니다. 돈 없으면 책을 읽거나 산에 가서 그 이상의 행복을 느낍니다. 가난해도 다 행복할 수 있도록 각종 조치들이 마련되어 있구만. 하모 하모.

퀴즈하나. 몸 가운데 태어나기 전에는 가장 중요하나 지금은 아무 쓸모없는 무용지물은? 정답은 배꼽. 생긴 게 얼마나 징그럽습니까. 이상한 냄새도 나고. 근래 배꼽티를 입기시작하면서 화려하게 부활했죠. 배꼽티를 입었는데 살짝 찍어 바른 듯한 배꼽이 없으면 어떻게 될까요. 밋밋한 배가 훤히 나오면. 아유, 상상만 해도.

무시당하는 자여 희망을 가지세요. 뭐든지 천년만년 죽으라는 보장 없습니다. '기사회생'. 어려운 처지에 빠지신 분들 언젠가는 좋은 날이 올 것입니다. 안 오면 다음 생애에서라도. 그렇게 믿고 살아야지, 마음 편하지 뭐.

몸이 가벼우니 기분도 상쾌한 것으로 봐서 몸과 마음은 '일란성 쌍둥이'형제 같아요. 이 시대는 '중량의 철학'이 아닌 '경량의 철학'이 필요하죠. 수영을 잘 하려면 몸의 긴장과 힘을 빼야죠. 또 새들도 날아가기 편하도록 늘 몸을 가볍게 한다죠. 낙엽도 가볍게 해야 멀리 날아가고 인간도 몸이 가벼워야 상태가 좋죠. 성공한 기업도 기업구조나 비용을 가볍게 하더라구요. 경제도 거품을 빼고 인생도 거품을 빼고.

몸과 마음을 합친 개념으로 멋진 한마디. 미국의 독립전쟁 때 네이선 헤일은 "내 조국을 위해서 바칠 수 있는 목숨이 하나밖에 없다는 사실이 유감스럽다." 와, 대단해요.

몸과 마음이 완벽하게 만나면 '건강한 신체에 건강한 정신'. 한때 조근 근대화시절 '체력은 국력'이란 말까지 나왔죠. 현대인들은 이 구호에 대해 오해가 있었더라구요. 원래 '건전한 신체에 건전한 정신'이란 말은 로마시대 문장가 유베날리스의 풍자시에서 나온 것이라고 해요. 원문을 번역하면 "건전한 육체에 건전한 정신이 깃들기를 기원해야 할 일이다." 즉, 건전한 육체에 건전한 정신이 깃들면 얼마나 좋겠느냐, 현실은 그렇지 못하다는 푸념을 했다고 해요.

당시 몸 껍데기인 신체에만 신경만 쓰고 인간의 본체이고 핵심인 정신이 피폐해지는 것을 걱정했다고 해요. 지금처럼 얼굴이 잘 생긴 '얼짱', 몸매가 좋은 '몸짱'에만 온통 신경을 썼나 봐요. 그렇기 때문에 지금이야말로 유베날리스가 다시 이세상이 태어나야 합니다. 이헌태 연사, 다시 한 번 목 높여 주장합니다.

진짜 마지막. 고려시대 천인 정명국사의 시 가운데 "……물거품 같은 몸 내 것이 아님을 알면서도/ 어쩌다 사마귀처럼 남의 몸에 붙어 사는가/ 눈속의 공화(허공속의 꽃)를 말끔이 씻어낸다면/ 상적광(온 우주)그 안에서 한번 웃어 올리리" 캬, 좋다. 껍데기 몸보다 만고의 진리를 찾아서.

나의 말

예전에 우연히 배꼽에 대한 기사를 봤는데 서양의학에서야 배꼽은 쓸모없는 흔적기관이지만, 한의학에서는 굉장히 중요하다고 합니다. 배꼽은 사람 몸의 중심으로 선천적인 기원과 후천적인 기운이 이어지는 부분이고 여기로 단전의 기운이 모이기 때문이라네요. 그래서 이곳을 따뜻하게 유지하는 것이 중요하다고 합니다. 어떤 관점으로 보느냐에 따라 똑같은 것도 이렇게 다른 의미를 지닌다는 게 참으로 신기하죠? 펜트하우스다. 펜트하우스다!

속세

속리산은 지리산이나 설악산과 같이 넓은 땅을 차지하는 큰 산은 아니었지만 곳곳에 험준한 암릉과 암봉우리, 탑처럼 쌓아올린 듯한 기암괴석으로 구성된 완전 '돌산'이다. 멀리서 보면 흰 뼈처럼 보이는 화강암들은 눈을 통째로 덮어서는 바람에 역시 흰 뼈로 보였다. 산에서도 흰 뼈가 멋있네. 그래서 속세에 내려오면 설렁탕집과 감자탕집이 난립하나.

속리산은 돌산. 사람보고 '돌'이라고 하면 머리 나쁜 둔재를 일컫지만 산을 보고 '돌산'이라고 하면 경치 뛰어난 멋진 산을 일컫는다. 우째 이렇게 다르나. 기암괴석이 천지삐까리인 속리산.

'멋진 바위'가 열병식을 펼치고 있는 게 장관이다. 유치환 '바위'가 생각나네요. "내 죽으면 한 개 바위가 되리라./ 아예 애련(哀憐)에 물들지 않고/ 희로(喜怒)에 움직이지 않고/ 비와 바람에 깎이는 대로/ 억년(億年) 비정의 함묵(緘默)에/ 안으로 안으로만 채찍질 하여/ 드디어 생명도 망각하고/ 흐르는 구름/ 먼 원뢰(遠雷)/ 꿈꾸어도 노래하지 않고/ 두 쪽으로 깨뜨려져도/ 소리하지 않는 바위가 되리라." 바위를 잘 정리했구만. 바위를 갖고 다른 사람이 시를 지어도 이 안에서 놀겠구만. 하여튼 먼저 찜 잘 하는 분이 최고지 뭐.

조선말 한국의 대표적 지리서인 이중환의 '택리지'에도 속리산에 대해 이처럼 소개를 했더라구요.

"백두산에서 태백산까지는 한 줄기의 영으로 통하여 좌우에 다른 봉우리가 없다. 소백산 아래부터는 맥이 자주 끊어지는데 끊어져서 된 산으로는 속리산이 처음이다. 감여가는 속리산을 돌 火星이라 한다. 그러나 돌의 형세가 높고 크며 겹쳐진 봉위리의 뾰족한 돌 끝이 다보록하게 모여 마치 처음 피는 연꽃 같고 또한 불을 멀리 벌려 세운 것 같다. 산 밑은 모두 돌로 된 곳이 깊게 감싸고돌아 여덟 굽이 아홉 돌림이라는 이름이 있다. 산이 이미 빼어난 돌로 된데다 샘물이 돌에서 나오는 까닭에 물맛이 맑고 차갑다. 빛 또한 아청빛이어서 사랑스러운데 충주 달천의 상류이다.

온산을 빙 둘러 기이한 골짜기와 별난 구렁이 많고 그윽한 샘과 기묘한 돌이 묘하고 아늑한 형상으로 금강간 사듬간다. 속리산 남쪽에 있는 환적대는 천 봉우리 만 구렁이 깎아지른 듯 깊숙하여 사람이 들어가는 길을 알지 못한다. 이 골짜기의 물이 합쳐져 작은 냇물이 되어 들을 지나고 청화산 남쪽을 따라 동쪽으로 용추에 흘러드는데 이것이 병천이다."

능선에 올라서면 속리산 정상에서는 인가에 가깝더라구요. 지리산과 설악산과 금강산은 속세와 떨어져 있더라구요. 속리산은 역시 속세와 떨어지고 싶지만 멀리 떨어지지 못한, 고심을 한 흔적이 역력한 것 같아요. 이런 말이 생각나요. 인생은 고(苦)다. 명산도 고고 모든 만물은 고다.

주역에 "속세를 피해 숨는 것을 아름답게 여기는 뜻을 아는 사람이 드물게 된 지 이미 오래다."라고 적혀있죠. 지금은 속세에 살고 산속에 별장 얻고, 일거양득(一擧 兩得) 시대죠. 뭐야.

속리산(俗離山)이란 지명유래부터 알아봅시다. 인터넷 검색사이트에는 "784년(신라 선덕여왕 5년)에 진표(眞表)가 이곳에 이르자, 밭 갈던 소들이 모두 무릎을 꿇었다. 이를 본 농부들이 짐승도 저러한데 하물며 사람들이야 오죽하겠느냐며 속세를 버리고 진표를 따라 입산수도하였는데, 여기에서 '속리'라는 이름이 유래되었다고 한다."라고 적혀있다. 비승비속(非僧非俗).

게다가, "이 산은 신령하고 웅장하고 정기가 있어 인간의 세속으로는 따를 수도 표현할 수도 없기 때문에 예로부터 세속을 떠난 산, 즉 속리산이라 이름하게 된 것이다."

어쨌든, 속계의 이편과 선계의 이편이 마주 대하는 곳이 속리산이라고 본다면. 속계와 선계가 어느 사이에 이렇게 격리되게 되었나, 선계가 이 속계를 멀리했다면 이속(離俗)이라 했을 텐데 속리(俗離)라고 이름을 칭한 것을 보면 속세가 선계를 멀리했다는 뜻이 아니겠는가. 그러면 속리산은 어디에 해당되나. 또 수준 높이네, 수준 좀 낮추어라.

사람이 산 속에 들어가면 선(仙)이요 골짜기에 내려와 정착하면 속(俗)이 된다고 하네요. 어느 분이 그러셨다고 해요. "같은 산을 보더라도 산꼭대기에서 멀리 바라보면 신선이요, 산골짜기에서 보면 세속이 된다. 더 멀리 미래를 보는 것은 선인이요, 눈앞에 보는 것은 속인이다." 참 좋은 말씀 같네요.

보너스. "눈앞에 닥쳐오는 모든 일은 족한 줄 알면 선경(仙境)이나 족한 줄 모르면 속경(俗境)이요. 세상에 나타나는 모든 인연은 잘 쓰면 살리는 작용을 하지만 잘못 쓰면 죽이는 작용을 하느리라." 어디서 그런 좋은 말을 골랐냐. 잡동사니 이헌태, 한국의 국보급 아니 보물급 아니 골동품급 아니 동네 잡동사니급. 딩동댕.

또 딴 소리도 있더라구요. 홍자성의 '채근담'에는 "세상이 괴롭힌다고 사람을 피하려는 것은 깨달은 사람이라 할 수 없다. 생활이란 본래 사람 속에 있는 것이다. 먼지가 많은 거리에 있으면서 그 먼지에 물들지 않는 것이 진정 깨달은 사람이다." 이헌태 보고 뭐 어떻게 하라고. 속세를 떠나라는 건지, 말라는 건지. 성현들도 다 생각이 다르네. 알아서 살아야지 뭐.

'채근담'은 산속으로 숨어 사는 것에 대해서 관심이 많더라구요. "산림에 숨어 사는 것이 즐겁다 하지 말라. 그 말은 아직도 산림의 참 맛을 못 깨달았다는 증거다. 세상 명리의 이야기를 듣기 싫다고 하지 말라. 그 마음이 아직도 명리의 미련을 잊지 못하고 있다는 까닭이다."

하늘에서 눈발이 날렸다 멈췄다 하였다. 자욱한 눈안개가 펼쳐졌다 사라졌다 하였다. 속리산 정상 부근이 보였다 말았다 하였다. 나의 마음이 깨끗해졌다 흐려졌다 하였다. '오락가락'이구만.

풍류공화국

임제의 호는 외갓집 앞을 흐르는 섬진강 지류인 백호를 따서 지었다고 해요. 얼마나 그 어린 시절이 가슴에 남았으면 호는 그 분의 철학과 인생관, 풍류가 담겨있는 것 같더라구요. 그래서 쓸데없이 아는 대로 기억나는 대로 모았습니다. 한국을 '풍류공화국'으로 만들기를 기원하면서. 풍류남아 이헌태가 드리는 이 시대 마지막 고언.

우선 풍류에 대한 고찰. 현재 중국에서 풍류는 '그 남자는 바람기가 있다'에서 잘 보듯이 주로 남녀 간 애정사건에서 사용된다고 해요.

풍류라는 말은 원래 이런 뜻이 아니었다고 해요. 당나라 때 선비들이 기생들과 모여 놀던 곳이 風流藪澤(풍류수택)에서 비롯되었는데 그때만 해도 기생들이 풍류를 잘 알았다고 해요. 그 이후 송원대를 거쳐 명대로 오면서 기생집으로 변모해서 지금과 같은 좋지 않은 뜻으로 쓰였다고 하네요.

원래 풍류 개념은 '한서'에 보면 "관리는 그 직책을 능히 지키고 백성들은 즐거이 그 일을 행하면 창고의 남은 저축은 매년 증가하고 인구는 나날이 늘어가며 돈독하고 어진 풍습이 유행하여 각종 금령과 규범들이 점차 관대해지도다."(風流篤厚) 이때 풍류는 풍속교화의 개념이었다고 해요.

그리고 풍류가 나온 시 두 편. 두보의 시 '영회고적'에서는 "흔들리며 떨어지는 나뭇잎에서 송옥의 슬픔을 깊이 헤아릴 수 있나니/ 그 풍류스럽고 유아함은 또한 나의 스승일지다"
또 소식의 '염노교'에서 "장강이 동으로 넘실넘실 흘러/ 그 흉흉한 파도에 예전의 걸출한 영웅들은 모두 씻겨가 버렸네"라고 노래했죠. 여기서는 걸출한 인물을 풍류로 묘사했죠. 이 두 시에 풍류는 재기와 학문이 뛰어나지만 세속의 예법에 구속되지 않는 걸출한 인물을 가리키죠. 風流才子, 風流名士. 딱 이헌태네.

풍류가 나온 김에. 풍류도란 말은 신라 최치원이 쓴 '국유현묘지도일풍류(國有玄妙之道曰風流)'에서 유래되었다고 하네요. '나라에 현묘한 도가 있으니 이를 풍류'라 한다.

1) 고려불교를 다시 일으키신 분이 바로 고려중기 보조국사 지눌이죠. 호는 목우자(牧牛者). 남들이 보면 목장주인으로 알겠어요. 그런 게 아니고요. 소치는 사람, 즉 지혜의 소, 진심의 소를 가꾸고 기르는 사람이란 뜻입니다. 십우도를 생각하시면.
보조국사는 당시 타락한 불교와 정치를 벗어나기 위해 도반을 규합시켜 '정혜결사' 운동을 일으키신 분이죠. "우리는 명예와 이익을 버리고 산속에 들어가 결사를 만들어 항상 선정을 익히고 아울러 지혜를 닦기에 힘써……심성을 수양하여 한평생을 구속 없이 지내고 달사와 진인의 높은 수행을 따르면 어찌 즐겁지 않겠는가."라면서. 그의 돈오점수(頓悟漸修)에 대해서도.
먼저 돈오. 마치 열쇠를 손에 들고도 한참 찾아다니다가 어떤 계기에 문득 제 손에 든 열쇠를 알아차리듯이, 자기의 본래 정체를 알아차리는 깨달음은 단박에 일어난다. 맞아, 이처럼 모든 중생이 본래 부처님인데 우리는 그것을 모르고 스스로 범부로 살고 있다는 게 선불교의 관점이다.

다음 점수. 얼음이 본래는 물이라 해도, 얼음 그대로 물 노릇을 할 수는 없다. 그것이 물 노릇을 하게 하려면 열을 가하여 녹이는 노력이 필요하다. 맞아, 그래서 치열한 수행과정으로 자신의 삶을 채워야 한다. 깨달음만으로 부처님으로 살게 되지는 않는다. 워낙 오랫동안 범부로 살아가는 습관에 속속들이 젖어있기 때문이다. 수행도 중요하고 깨달음도 중요하고 공부도 중요하고, 그래서 선교일치를 주장했구만.

2) 이조 때 정철과 윤선도와 더불어 조선 3대 시가인으로 알려진 노계 박인로 선생. 늙어서 경주시 산내면 대현리 노계곡에 들어가 은둔하면서 노계라는 호를 사용했죠. 그전까지 쓰는 '무하옹(無何翁)'이 인상적이더라구요. 세상 물정에 어두워 무엇을 할 줄 모르는 늙은이. 솔직히 '무능력한 노인'이라는 뜻이거든요. 글도 너무 너무 잘 쓰고 멋있긴 한데 너무 무능력하니 몸이 고생했죠.

눈물 없이는 못 듣는 대목. 그의 작품 '누항사'의 일부. 농사짓는 소를 빌리러 옆집에 갔다가 서럽게 거절당한 후 나오면서 쓴. "……헌 갓을 숙여 쓰고 뒤축 없는 짚신에 설피 설피 물러나오니 풍채 적은 형용을 보고 개가 짖을 뿐이로다."

개한테 쫓겨나는 조선 제일의 문장가. 우째 눈물 없이 이 슬픈 사연을 듣고 있겠습니까. 역시 '무하옹' 올시다. 진주 이슬 같은 노계 문집은 최옥의 손을 거쳐서 1832년에 편찬되어 세상에 빛을 보죠. 최옥은 경주유림 출신으로 동학창시자 최제우의 아버지죠.

최제우가 그래서 박인로의 한을 풀자고 나섰나.

이헌태야, 세상이 험하고 거치니 이 악물고 다부지게 살아라. 그렇지 않으면 가난하게 살아서 몸고생이 이만저만이 아니게 된다. 결국 마음까지 고생한다. 인정사정 보지 말고 무조건 독하게 살아라. 저 자신이 그렇게 마음먹어도 잘 안 되는 것 같아요. 남의 사정 다 봐주고 살다가는 내가 쪽박찰 것이란 생각이 뇌리를 때리면서도 또 반대편에는 브레히트의 시 '살아남은 자의 슬픔'이 강하게 반발을 하거든요.

"물론 나는 알고 있다/ 오직 운이 좋았던 덕택에/ 나는 그 많은 친구들보다/ 오래 살아남았다/ 그러나 지난 꿈속에서/ 이 친구들이 나에 대하여 이야기하는/ 소리가 들려왔다/ '강한 자는 살아남는다'/ 그러자 나는 자신이 미워졌다"

또 저의 발목을 잡는 사람이 있지요. 굴원과 묵자. 두 사람은 세상이 더럽더라도 세상이 문제가 많더라도 '나 혼자만'이라고 굳세게 나가자고 열변을 토했죠. 이 두 사람 따라했다가는 얼마나 고독하고 힘이 드는 것인데. 이헌태를 약하게 만드네. 근본적인 질문 하나. 이 험한 세상을 만나, 착하게 살면서도 잘 먹고 사는 게 과연 가능할까요. 의문이 듭니다.

굴원. 전국시대 초나라 사람으로 귀양가면서 어부에게 글 한 수 남기죠. "세상이 온통 다 흐렸는데 나 혼자만이 맑고, 뭇 사람이 다 취해 있는데 나만 홀로 깨어 있는지라. 그리하여 추방을 당하게 되었소." 또 "내가 들으니 새로 머리를 감은 사람은 반드시 갓을 털고 새로 몸을 씻은 사람은 반드시 옷을 턴다고 하였소. 어떻게 맑고 깨끗한 몸으로 외물의 더러운 것을 받을 수 있겠소."

이에 어부가 말하기를 "창랑의 물이 맑거든 그 물로 나의 갓끈을 씻는 것이 좋고 창랑의 물이 흐리거든 거기에 나의 발을 씻는 것이 좋으리라." 이 굴원은 나중에 다시 궁으로 돌아왔으나 다시 유배를 떠나 강에 몸을 던져 자살했다고 하네요. 아, 슬프다.

묵자. 성현 이름 가운데 가장 성의없게 지었더라구요. 도토리 묵을 좋아해서는 그런 것은 아니겠지요. 밥묵자도 아니지요. 묵가의 대표적 인물인 묵자(墨子, 약 BC480~BC420). 묵자학설의 핵심은 엄격한 법질서를 강조하면서 '겸애(兼愛)'. 다른 사람과 자기를 동등하게 대우해야 한다는 것으로 사회평등으로 이어지고 결국 전쟁도 막을 수 있다는 정말로 쌈빡한 논리. 남을 내 몸처럼 사랑하라, 세계에 남이란 없다는 게 묵자의 메시지. 와, 대단해요.

묵자의 '귀의편'. 묵자가 평생토록 세상을 근심하고 개탄하여 의로운 실천에 주력하자 친구가 "현재 온 천하 사람들은 모두 의로운 일을 하기 싫어하는데 그대는 어찌하여 괴롭게 이와 같이 힘을 다하는가. 권하건 데 그대도 그만 두는 것이 좋다."고 말했다. 이에 묵자는 "가령 여기 열 사람의 아들을 가진 사람이 있어 아홉 아들이 먹기만 좋아하고 게으르며 다만 한 아들만 부지런히 땅을 간다고 하자 먹을 사람은 그와 같이 많고 일하는 사람은 적은 터이므로 한사람만이라도 더욱더 노력하여 땅을 갈아야 하지 않겠는가. 현재 온 천하 사람들이 모두 의로운 일을 하기 싫어하는 판이니 그대는 나에게 더욱 노력하기를 권해야 마땅할 것이거늘 어찌하여 도리어 나에게 그만두라고 권한단 말이냐."

하나 더. 묵자 '법의편'. 묵자왈, "세상의 모든 나라는 하느님의 고을이며 세상의 모든 사람은 어린이든 어른이든 귀하든 천하든 모두 하느님의 신하이다" 묵자님, 대단해요.

묵자 말씀 하나 더. "모든 사람이 상대방을 사랑하면 강자는 약자를 억누르지 않는다. 부자(富者)는 빈자(貧者)를 짓밟지 않는다. 귀인은 천인을 압박하지 않는다. 지자(智者)는 우자(愚者)를 속이지 않는다. 이렇듯 천하가 강탈과 원한을 일으키지 않으려면 상대방을 사랑할 일이다." 이런 마음가짐이라면 왜 파업이, 왜 전쟁이 일어나겠습니까. 이 시대에 묵자가 다시 나타나소서.

지상에서 낙원을 건설하려 했던 묵자는 단순한 사상가를 넘어서 실천가였죠. 그를 따르는 자로서 '불을 밟거나 칼날 위에 설 수도 있으며 죽어도 발꿈치를 돌리지 않는 제자'만도 180명에 이르렀다고 하네요. 그만큼 대단한 분이라는 증거죠. 이런 '행동하는 양심'이 바로 이 시대에도 필요한데.

맹자도 '진심장구상'라는 글에서 "묵자는 인간을 널리 사랑하였고 이마가 닳고 발꿈치가 벗겨지도록 천하를 이롭게 하는 일을 했다." 그렇게나 많이. 맹자가 말했으니 거짓말은 아니겠지. 이마가 닳고 발꿈치가 벗겨지도록 천하를 이롭게 하는 사람은 지금 전 세계를 둘러 과연 몇 사람이 될까.

묵가와 유가의 차이를 끝으로 땡. 여러 가지 차이 가운데 하나. 모 검색사이트를 보니, "묵자는 유가와 다르게 귀(鬼)의 존재를 인정했다. 유가는 鬼의 존재를 인정하지 않으면서 제사와 같은 예(禮)를 중시하는 모순을 범한 반면, 묵가는 鬼와 신(神)의 존재를 인정하면서 제사와 같은 禮를 낭비로 생각하고 부정했다. 즉 鬼에 대한 인정은 백성들이 겸애의 도를 실행하기 위해 여러 가지 종교적 정치적인 제재를 도입하기 위해 사용되었다."

3) 고려 천재 문인 이규보. 당시 집권 세력인 무인 최충헌에게 벼슬을 구하는 시를 바쳐 어용문인 소리 듣기도 했지만 그래도 고통받는 농민을 걱정하는 시도 많이 남겼던 분이죠. 재주있고 학덕있는 분들이 순수하게 사는 게 어렵구만. 이규보는 '동명왕편'이란 民族서사시도 남겼고. 최근 고구려사논쟁을 보면서 또 생각나는 인물이죠.

이분의 아호가 '백운거사'죠. 이외에 의미 깊은 이름을 많이 사용했더라구요. 지지헌(止止軒). 주역의 고귀한 말씀, '능히 그칠 바를 알아 그친다'. 송도 동쪽 수십 간의 초당을 짓고 살 때 붙여진 당호라고 하네요.

또 '삼혹호선생(三酷好)'도 있더라구요. 시 술 거문고를 좋아한다고 해서. 좋은 거 다 하셨구만. 그러나 옛 분들은 풍류와 낭만이 있었던 것 같아요. 현대인들도 배웁시다. 자기 호나 자기 집이름을 멋있게 지읍시다. 그래서 그분이 똑 기억에 남도록. 명함에 이메일 주소를 적어 둘 것이 아니라 이런 호를 하나씩 적어둡시다.

백운거사의 백운에 대해 그는 '백운거사 어록'에서 "백운은 내 그리워하는 바이다. 그리워하면서 배우면 그 실(實)은 얻지 못하더라도 아마 그 가까이는 갈 수 있으니 구름이란 용용(溶溶)하고 한가롭고 산에 걸리지 않고 매이지 않고 표표히 떠나가며 형적이 구애받는 바 없다. 경각에 변화하여 끝간 줄 모르고 유연히 퍼져 군자의 나옴과 같고 엄연히 거두어 고인(高人)의 숨음과 같다. 그 흰 것을 지키고 오묘한 이치를 깨우친다. 또한 거사란 집에 있어 도를 즐기는 자다." 참 멋지다.

백운이 나온 김에. 작년 12월 13일 종정을 지내신 서옹 스님은 임종게, 열반송을 통해 "운문의 해는 긴데 이르는 사람 없고/ 백운

산정에 눈이 분분하네/ 한번 백학이 나니 천년동안 고요하고/ 솔솔 부는 솔바람 붉은 노을을 보낸다"

박희진 시인이 잠언풍의 시 형식으로 쓴 '풍류도 선언' 가운데. "1) 천-지-인 3재의 균형과 조화 그것이 풍류도다. 2) 풍류도의 근원은 단군성조이고 극치는 화랑도. 3) 풍류도를 달리 말하자면 대자연교라 할 수 있으리. 4) 풍류도가 낳은 가장 위대한 학자 시인이자 도인이 최치원. 5) 유불도 삼교도 대자연 품속에선 풍류 하나로 녹아들 수밖에. 6) 왜 이 강산은 도인의 나라인가? 풍류도가 있기 때문. 7) 왜 이 나라에 풍류도가 생겼는가? 강산이 더없이 오묘한 때문. 8) 이 땅에 태어나서 풍류도 모른다면 무슨 보람 있으리오? 9) 풍류도야말로 공해로 죽어 가는 지구촌 살리는 길. 10) 풍류도가 행해져야 음양오행이 제대로 돌아간다."

4) 우리나라 최초의 야담집인 '어우야담(於宇野譚)'. 조선 중후기 야담, 설화문학의 대가인 유몽인(1559-1623)이 지었죠. 유몽인의 호가 '어우당(堂)'입니다. 장자에 나오는 "쓸데없는 소리로 뭇 사람을 현혹시킨다(於宇以蓋衆)."는 말에서 유래되었다고 하네요. 스스로 낮춘 거죠. 결국 양반님들 눈에는 풍자와 해학이 눈에 가시 같은 헛소리꾼으로 들렸겠지요. 결국 인조반정이후 아들과 함께 무고죄로 사사되었습니다. 이헌태도 몸조심해야지. 이헌태도 자칭 혹세무민하는 '헛소리꾼'인데. 전에 그랬죠. 이헌태의 혹세무민은 혹독한 세상을 만난 백성을 위무한다고.

5) 윤선도의 호는 '해옹(海翁)'. 바다의 노인, 헤밍웨이의 '노인과 바다'와 비슷하구만. 윤선도의 사랑채 녹우당(綠雨堂)은 효종이 윤

선도에게 선사한 것이라고 하는데. 녹우당, 나뭇잎새가 내는 빗소리를 듣는다. 너무 좋다.

6) 조선 중중 때 송순 선생의 정자가 '면앙정(免仰亭)', '땅을 내려다봐도 또 하늘을 올려다봐도 부끄럽지 않은 삶을 꿈꾼다'. 잎새에 이는 바람에도 괴로워한 윤동주 시인 보다 앞선 분이네요. 그분은 60살 때 그 정자를 증축한 뒤 "하늘을 쳐다보기도 하고 땅을 내려다보기도 하며 바람을 쐬면서 남은 생애를 보내게 되었으니 나의 본래 원하던 바가 이제야 이루어졌다."며 너무 기뻐했다고 하네요.
전담 담양에 머물며 지은 시, "십년을 경영하여 초려삼간 지어내어 나 한칸 달 한칸 청풍한칸 맡겨두고 강산은 들일 데 없으니 둘러두고 보리라"
이처럼 송순은 면앙정을 짓고 스스로 '면앙정가(歌)'를 부르고 기대승에게 '명앙정기(記)'를, 김인후와 박순에게 '명앙정영(詠)'을 얻고 28청년인 임제에게 '면앙정부(賦)'를 청탁했다고 하네요. 앞에서 열거된 분들이 누구인줄 아세요. 요즘으로 치면 호남문단의 대표적 인물들이죠.
아시죠, 예전에는 문장가가 시인이고 공무원이고 정치인이고 권력자였던 사실. 그래서 대권력자가 대문장가였죠. 하나로 통합되었었죠. 지금은 다 뿔뿔이 분화되었죠. 어떤 것이 좋은가. 정답, 너무 분화되면 안 좋죠. 대통령도 멋들어지게 시 한 수 쓸 수 알아야죠. 다음 대통령 선거 때는 문(文), 사(史), 철(哲) 테스트도 합시다. 아니면 그만이고.

뱀 다리. 이조시대 때 경상도 지방에서는 지조 곧고 강직한 선비가 많이 배출되었는데 비해 전라도에서는 풍류와 멋을 아는 분들이 많이 배출되었다고 하네요. 각 도별 대표선수로는 경상도는 정몽주, 길재, 김종직, 김굉필, 정여창, 이언적, 이황, 조식, 정구, 유성룡. 전라도는 송순, 김인후, 정철, 임제, 윤선도. 고려말, 조선에 투항하지 않은 야은 길재는 선산 금오산으로 들어가 버리고, 영천 출신의 포은 정몽주도 죽음으로 '충신 불사이군'을 지켰죠. 사실 야은과 포은이 경상도의 지사적 기질의 텃밭이 되었다고 봐야하겠죠.

비슷한 얘기지만, 일전에 모 일간지에 영호남 명문가에 대한 연재물이 실렸죠. 그때 영호남의 명문가들을 분석해보니, 영남의 명문가들은 권력자들이 지녀야 할 강직과 청렴에 대한 일화가 많았고 호남의 명문가들은 재력가들이 지녀야 할 적선(積善)과 분배에 대한 미담을 많이 가지고 있었다고 하네요.

근현대에 들어와서 특히 일제해방 후에는 경상도는 경제발전의 원동력으로, 전라도는 민주화의 성지로 각각 자리를 매김했죠. 영호남 지역민들 여러분, 이제 서로 서로 공을 인정하고 나라를 위해 힘을 합쳐 세계를 향해 다시 한 번 도약해 봅시다. 전라도 만세, 경상도 만세, 충청도 만세, 경기도 만세, 강원도 만세, 제주도 만세, 우리 국민 모두 만세. 이헌태 만세. 엥.

7) 멋진 호, 멋진 이름은 이외에도 수두룩하죠. 서울시내 고서화 전문 화랑인 학고재(學古齋). 그림과 글씨에서 옛 것을 배운다는 뜻. 월농정(月弄亭). 달을 희롱하면서 즐기겠다는 뜻.

검색사이트에 나온 선조 10분의 호를 소개합니다. (1) 정약용 茶山(다산) - 강진에 유배 가 있을 때 주변에 차 밭이 많아서 붙인

호. (2) 이황 退溪(퇴계) - 살던 곳을 흐르던 개울 이름에서 땀. (3) 이이 栗谷(율곡) - 거주했던 파주시 마을 이름, 밤이 많은 밤골에서 땀. (4) 정여창 一蠹(일두) - 한 마리의 벌레, 좀이라는 뜻으로 자신을 낮춤. (5) 정몽주 圃隱(포은) - 채마밭에 숨어 농사나 짓겠다는 뜻으로 조선의 벼슬을 하지 않겠다는 자신의 의지를 나타냄. (6) 이색 牧隱(목은) - 목부로 소나 양을 치면서 살겠다는 뜻. (7) 길재 冶隱(야은) - 물무질하며 대장간에서 살겠다는 뜻. (8) 권벽 習齋(습재) - 논어 첫머리의 學而時習之(학이시습지)에서 딴 호로 학문을 익힌다는 뜻이며 이런 齋 堂 軒 庵 菴 등으로 끝나는 호를 堂號(당호)라고 함. (9) 남사고 格菴(격암) - 格物致知(격물치지)에서 딴 당호. (10) 곽재우 忘憂堂(망우당) - 근심을 잊고 살아가겠다는 뜻의 호.

8) 홍길동을 지은 허균의 문집에 있는 글, '통곡헌기(慟哭軒記)'. 내용인 즉, 조카가 새 집을 짓고는 통곡하는 집, '통곡헌'이라고 이름을 내걸었다. 사람들이 조롱하고 비웃자 허균은 이에 대해 "국사는 문란하고, 관원의 행동은 교만해 가고 있다. 의견이 다르면 서로 칼을 들이대고 어진 이들은 모두 막힌 굴속 같은 세상에서 허덕이다 못해 밖으로 도망칠 생각들만 하고 있다. 그게 바로 지금 세상 되어 가는 꼴이다. 다들 양식 있는 사람이면 굴원(屈原)이 그랬듯이 바위를 지고 강물에 몸을 던져야 하는데 내 조카는 차마 그렇게 하지 못함을 스스로 통곡하고자 하는 것이다. 세상이여 내 조카를 비웃지 말라." 허균은 멋지다. 지금에도 구구절절 필요한 말인 듯하다. 통곡하고픈 이 세상.

나온 김에. 이번 산행기에 나온 김에. 김 잔치구만. 선물에는 김이 최고더라구요. 뭐야. 구한말 우국지사, 매천 황현이 장원을 하고서도 부패한 정치에 발을 들여놓기를 거부하고 낙향했다. 서울 친구들이 이를 비판하자 "그대는 어찌해서 나를 도깨비 나라, 미치광이들 속으로 끌어들이려 하는가. 나도 똑같이 미친 도깨비가 되란 말인가." 지리산 밑자락으로 돌아와 후학양성에 힘썼다고 하네요. 이것도 지금 상황과 어울리네.

소동파도 여러 차례 귀양가고 또 조정도 욕하고. 시끄러운 개구리떼, 매미떼, 올빼미떼, 쥐고기를 먹는 까마귀떼, 양계장의 가금류떼에 비유하기도 했죠. 심지어 '목욕시킨 후 관을 씌운 원숭이'라고까지 인용했으니까요. 한번은 "저는 다시 악당소굴로 들어가려 합니다. 이 나이에 골치 아픈 정치생활에 뛰어든다고 생각하니 걱정스럽고 별로 유쾌하지 않습니다. 이, 벼룩, 불한당, 사회의 기생충, 대협잡꾼, 쥐떼." 소동파님, 그러니 매번 귀양가지요.

흥망성쇠의 인간 권력사. 수천년 동안 권력자들의 야망이 부침하는 가운데 고래 싸움에 상처만 입은 새우등은 좀처럼 아물지 않는구나. 아, 슬프다.

이헌태의 전격제안. 전 국민이 모두 스스로 호(號) 한가지를 만듭시다. '전 국민의 호 한가지화'. 서로 부르기도 하고. 그렇게 되면 사회가 한층 풍류가 넘치고, 사회가 더욱 의와 기가 넘치고, 품격이 높아지고, 정이 넘치는 문화대국, 결국 문명국이 되지 않을까요. 도둑질 잘 하자, 사기를 잘 치자, 남을 밟고 일어서자 그런 호는 없을 테니까요. 좋은 것을 내세우고 실천할 테니까요. '풍류공화국만들기 국민추진운동본부 본부장' 이헌태였습니다.

나의 말

저도 저에게 어떤 호가 어울릴지 생각해봐야겠네요. 이름에도 뜻이 있는 것처럼 호에 이렇게 다양한 뜻이 있다니 신기합니다. 저의 이름을 한자로 풀면 源(근원 원)에 教(가르칠 교)입니다. 한자 뜻풀이를 하자면 근원을 가르친다는데 그건 잘 모르겠고 그리스 신화에서 메시지를 전달하는 헤르메스처럼 아버지의 좋은 글을 열심히 나르고는 있죠.

우수

2월 7일(토). 입춘(4일)도 지나고 이제 열흘 후면 공부 잘해서 우수한 절기인, 죄송하네요, 아니고 우수수한 절기인 우수(19일)가 다가온다. 생강처럼 매운 한 겨울의 자락에 서 있다. 빨리 오라, 봄이여. 이헌태 너무 오버하는구만. 봄은 멀었다. 글쎄요, 인간들의 눈에 보이는 게 전부가 아닙니다. 지금 땅속과 동물들의 행동을 유심히 지켜보세요. 인간들은 이성은 발달되었는데 감성, 더 나아가 자연과의 교감은 약한 것 같아요.

검색사이트에 '우수'를 찾아보면 봄이 '무궁화 꽃이 피었습니다'라는 놀이처럼 인간들 모르게 모르게 한 발짝 한 발짝 오고 있다는 것을 잘 알 수 있죠.

"입춘 후 15일 후인 양력 2월 19일경이 된다. 날씨가 거의 풀리고 봄바람이 불기 시작하는 시기로서 새싹이 난다. 예부터 우수·경칩에 대동강 물이 풀린다고 하였다. 태양이 황경 330°에 올 때, 우수입기일(雨水入氣日)이 되는데 음력 정월의 중기이다. 옛사람은 우수입기일 이후 15일간의 기간을 3후(三候)로 5일씩 세분하여 ① 수달이 물고기를 잡아다 늘어놓고, ② 기러기가 북쪽으로 날아가며, ③ 초목에는 싹이 튼다고 하였다." 그렇구나. 초목에 싹이 튼다고 하니 왠지 가슴이 뛴다. 좋다, 술 한잔. 봄이 오니 너무 좋아 술 한잔.

달

어두컴컴한 저녁 시간 창밖에는 너무나 밝은 광명으로 온 천지를 비추는 보름달이 휘영청 떠 걸려있다. 엄밀히 말해 며칠 전이 대보름이었으니 약간 찌그러졌겠지. 그러나 보름달과 진배없다.

이백의 달, "오늘 살아 있는 사람은 옛날의 달을 보지 못한다/ 오늘 보는 달은 전에 옛사람을 비추었다/ 옛 사람과 오늘 살아 있는 사람들이 함께 보는/ 달은 이처럼 밝기도 하여라"

고려시대 최고의 시인, 이규보. "산승이 달빛을 탐내어/ 물과 함께 한 항아리 길어 갔으나/ 절에 도착하면 응당 깨달으리/ 항아리 기울이고 나면 달빛 또한 공함을" 그렇구나. 달과 달빛을 탐하면 안 되는구나.

반짝 반짝 빛나는 별에다가 하얀 구름까지 멋지게 조연하면서 하늘은 황홀감과 신비감으로 가득찼다. 이헌태, 하늘보고 달보고 너무 감동하지 마라.

그런데 참 맞는 말이 있더라고요. 오스카 와일드는 "우리는 모두 시궁창에 있지. 하지만 우리 가운데 몇은 별을 바라보고 있다네."

달이든 별이든 즐기는 놈이 장땡이지 뭐. 비슷한 시 하나. 왕건(王建). 고려 왕건이 아니고요, 당나라 시인이죠(766?-830?). 한자도 똑같네. 제나라 왕, 왕건도 있어요. 왕건이란 이름이 중국에는 흔했구만. 하기사 왕씨 성이 있으니.

왕건의 시. "뜰 바닥에 흰 달빛 내리자 나뭇가지에 까마귀 깃들고 / 찬 이슬은 소리없이 계수나무 꽃을 흠뻑 적시네/ 오늘밤 달은 밝아 누구나 바라보겠지만/ 가을 생각이 누구에게 있을는지 알 수 없구나"

얼마 전 딸의 얘기가 떠올랐다. "아빠, 나는 초승달이 좋아. 보름달과 반달은 싫어. 역시 초승달이 가장 예쁘잖아." 아이구, 아버지 닮아서 눈은 있고 예술성은 있어서. 그래서 제가 거들어주었죠. "초승달은 미인들의 눈썹이거나 아니면 사나이 대장부들이 쏘는 활 모습이라고 선조들이 표현했지."라고.

차에서 내리니 청랭한 겨울공기가 완연, 온 몸을 감쌌다. 눈이 곱게 내려 마을과 산을 포근하게 덮고 있다. 보름달이 덩그렇게 너무나 환상적으로 하늘에 떠 있어 신선세계에서나 볼 수 있는 신비한 정경이 연출되었다. 우주의 대표별 몇 개만이 등장해서 다이아몬드처럼 반짝이는 가운데 어둑한 저녁 하늘에 흰 구름 사이로 밝은 보름달이 마구 달려가고 있는 것이 아닌가. 그것도 누구에게 쫓기듯이 아주 급하게. 달이 급히 달려가다니. 아시죠. 원인은 달이 아니라 구름이라는 것을. 구름이 대양의 파도처럼 철썩이면서 떠밀려가는 것이 달이 마구 달려가고 있는 것처럼 착각하게 만든 것이죠. 상상해 보세요. 예술입니다, 예술.

그러자 허정균 선배가 "달이 움직이는 것도 아니고 구름이 움직이는 것도 아니고, 마음이 움직이는 것이다."고 딱 정리를 했죠. 선승(禪僧)이 다 되었구만. 이날 늦은 밤, 달과 구름이 펼친 향연은 너무 아름다운 선계의 모습이었다.

참고사항. 달이 가는 것으로 착각한 시인이 있더라구요. 그 유명하고 유명한 박목월. 그분 이름에 나무와 달이란 말이 들어가 있으니 오죽하겠어요. '나그네'. "강나루 건너서/ 밀밭 길을// 구름에 달 가듯이 가는 나그네// 길은 외줄기/ 남도 삼백리// 술 익은 마을마다/ 타는 저녁놀// 구름에 달 가듯이/ 가는 나그네" 구름에 달 가듯이 가는 나그네. 오늘에서야 그 정취를 흠뻑 느낄 수 있겠구나. 유유자적, 수처작주.

저는 별과 달 가운데 달이 더 정이 갑니다요. 이번에 본 달은 사다리타고 500미터만 가면 따올 수 있을 정도로 가깝게 매달려있어 더욱 '이웃아저씨'같다. 별은 반짝반짝 빛을 내면서도 왠지 끝도 없이 먼 거리에 있는 듯하다. 실제로도 지구에 가장 가까운 위성이 바로 '달'이다. 달은 지구의 외아들이냐, 외동생이냐.

예전에 조상들은 달이 어떻게 생겼다고 생각했을까. 성현들이나 똑똑한 인간들이 저마다 설을 풀었겠지 뭐. 지금 생각하면 다들 엉터리였겠지. 미국의 암스트롱이 아폴로 우주선을 타고 가서 달에 발을 내딛기 전에는.

현대에 들어와서 과학기술의 발달로 자연현상에 대한 많은 궁금증이 풀어졌지만 그 전에는 그것을 풀기위해 얼마나 많은 시간을 허비했겠어요. 해와 달, 별만 가지고도. 그리고 그것을 종교와 철학으로 연결시키면서까지.

달이 나온 김에. 불교에서는 불성이 달과 같다고 해요. "달이 숨으면 사람들은 달이 졌다고 한다. 달이 나타나면 사람들은 달이 떴다고 한다. 그러나 달은 늘 있는 것이며 뜨거나 지는 것이 아니다. 불성도 이 달과 같다. 늘 있는 것이므로 새롭게 생기거나 소멸하는 것이 아니다. 사람에게 가르침을 나타내 보이기 위해 생기거나 소멸하는 형태를 잠시 취하는 것일 뿐이다."

달의 특성과 불성. 1) 달은 차 있거나 줄거나 그대로다. 2) 달은 모든 것 위에 나타난다. 3) 달은 사람이 가는 곳이라면 어디든지 따라다닌다. 4) 그믐밤에는 사방이 캄캄하므로 달이 보이지 않는다. 그러나 달이 없어진 것은 아니다 5) 대낮에는 별이 모습을 드러내지 않는다. 그러나 별자체가 없어진 것은 아니다.

나온 김에 소동파의 글도 소개. "그대도 저 물과 달을 아는가. 흘러가는 물은 밤낮을 쉬지 않고 이같이 흘러흘러 가지만 지금까지 그 물이 다 흘러 아주 가 버린 적이 없고 차면 기울고 기울면 또 차오르는 허공의 달은 저와 같이 커졌다 작아졌다 하지만 달의 본래의 참모습은 끝내 사라져 없어지거나 불어서 더 커지거나 하는 일이 많다."

뱀 다리, 즉 사족 하나. 어떤 분들은 모래를 갖고서 불타의 특성을 연결시켰더라구요. 대단한 연구죠. 달과 모래에서 이런 심오한 뜻이.

1) 누가 밟아도 의식치 않는다. 2) 대지를 이루는 요소 중의 하나다. 범우주적 화재가 일어나도 대지에 불타도 없어지는 일은 없다.

3) 양과 수를 헤아릴 수 없다. 4) 항상 모래다. 불타도 불생불멸. 5) 물은 흘러가 버리는 것인데 양은 조금도 줄어들지 않는다. 6) 기름짜듯 짜내도 기름이 안 나온다. 중생고뇌 아무리 짊어져도 푸념 말 안한다. 7) 물의 흐름에 따라 흘러가며 물이 없으면 안 흐른다. 불타의 설법도 깨달음의 흐름에 따라 행해진다.

구구절절 다 옳은 말씀이지만, 너무 깊고도 오묘한 생각이고, 무식한 이헌태의 생각, "해와 달과 별은 영원하여라." 하나 더. "해도 좋고 달도 좋고 별도 좋고 이헌태도 좋고 인생도 좋고 술도 좋고."

제2장 봄

금의환향

4월 24일(토), 25일(일). 백두대간 종주를 향한 25번째 산행에 나섰다. 4월은 생명의 달. 인디언 블랙푸트족은 "생의 기쁨을 느끼게 하는 달", 체로키족은 "머리맡에 씨앗을 두고 자는 달"이라고 각각 표현하더라구요.

'금의환향'까지는 아니지만 그래도 지난 두 달 동안 좋은 일하고 왔습니다. 금의환향(錦衣還鄕)은 사전을 찾아보면 비단옷을 입고 고향에 돌아온다는 뜻으로 성공하여 고향으로 돌아옴을 이르는 말입니다.

금의환향하면 생각나는 두 사람. 한 사람은 중국영웅 항우, 다른 또 한 사람은 중국 선종의 거두 마조도일 선사.

금의환향이란 고사성어의 원조인 항우. 그는 "부귀의 몸이 되어 고향에 돌아가지 않는 것은 비단을 입고 밤에 가는 것과 같다. 누가 이것을 알아줄소냐." 비단옷을 입고 밤에 가면 누가 알아주겠습니까. 자랑하고 싶은데 얼마나 속이 터지겠습니까. 세상 바뀐 줄 모르는 소리죠. 어느 마을에 졸부가 동네사람들이 자기 집에 황금

송아지를 가지고 있는 줄을 몰라주니 답답한 가 봐요. 있다고 하면 도둑맞을 것 같고 가만히 있으면 자랑하고 싶어 미치겠고 그래서 떠들고 다닌 말이 "우리 집에 황금송아지 없다."고 했다나요.

마조도일 선사가 출가 후 고향을 방문하자 고향 사람들이 따뜻하게 환영을 했지만 이웃집에 살았던 한 노파는 "나는 대단한 양반이 온 줄 알았는데 청소부 마씨의 아들이 왔구만."하고 시큰둥해 했다고 해요. 이 말을 듣고 마조선사는 농담반 진담반으로 즉흥시를 지었죠. "권하노니, 그대의 고향엘 가지마소. 고향에선 누구도 성자일 수 없나니. 개울가의 옛 할머니 아직도 옛 이름을 부르누나." 할머니 파이팅. 그게 좋아요.

그래도 고향하면 이 정도는 되어야죠. 선불교의 시 한 구절. "나 도착했네 고향에 왔네/ 나 여기있네 지금있네/ 나 굳건하네 자유롭네/ 나 궁극의 진리에 머무르리"

하나만 더. 당나라 시인 왕유. 북송 소동파가 "시속에 그림이 있고, 그림 속에 시가 있다."고 극찬한 바 있죠. 잡시, 즉 즉흥시. "그대는 고향에서 왔으니/ 고향 소식 많이 알리라/ 그대 고향 떠나던 날 비단 창가 앞의/ 겨울 매화는 꽃을 피웠던가" 나는 왜 농촌에서 태어나지 않았나. 대도시 대구에서 태어나 고향생각이 애절하지가 않죠. 부모 탓하냐. 아닙니다. 제 원초고향이 어머니 뱃속아닙니까. 잘 둘러대기는.

봄

한 해 가운데 가장 가치있는 달이 언제인가. 여론조사해보면 사람마다 다르겠죠. 물놀이를 좋아하는 사람은 한여름이 최고일 것이고, 농부들은 가을수확기를 쳐다보고 한해를 죽도록 고생할 터이고, 스키를 잘 타는 사람은 눈 오는 겨울이 기다려질 것이고. 사람은 저마다 직업따라 취향따라 더 좋아하는 계절이 있을 것입니다.

그러나 역시 만물이 소생하고 꽃이 피기 시작하는 3월과 4월이 그래도 가장 사랑받는 계절이 아닐까 싶습니다. 이 두 계절을 이헌태는 느낌 없이 그냥 지나쳐버렸습니다. '무관심의 절정'이라고나 할까. 자연을 즐기는 개인적으로 보면 '불행한 해'였죠.

봄을 화려하게 수놓았던 개나리도 진달래도 철쭉도 '나의 눈 속'에까지는 왔었지만 '나의 마음속'에까지는 오지를 못했습니다. 이는 전적으로 마음의 여유가 없었던 이헌태 탓입니다. 3월과 4월, 생명이 움트는 신비와 환상의 계절이지만 이어지는 5월은 더 좋을 것 같아서 그 감동을 시로 적지 못하고 있다는 저의 마누라의 표현이 이를 잘 말해주고 있는 것 같습니다. 마누라에게 주는 말, "느낌이 올 때 적어. 나중에는 없어."

일제 때 '오감도'라는 파격적인 시를 썼던 '이상'이라는 시인은 참 이상하더라구요. 그래서 이름이 이상인가. 봄이 되면 초록으로 물드는 것에 대해 "해마다 색깔이 바뀌지 않고 세세년년 초록의 감옥에서 해방되지 못하고 초록만 되풀이 되니 참으로 질식할 일이다."면서 '초록의 공포'라고 했다지요. 봄이 되면 개나리가 피고 진달래도 피는데 뭐가 그리 감탄을 하느냐는 그런 뜻도 있겠죠. 그래서 이상은 근대시가 도입된 초창기에서도 파격적 실험시를 계속

썼는지 모르겠습니다.

이분의 말씀에 따르면 예찬은 의미가 없죠. 신록예찬, 청춘예찬, 노년예찬, 얼짱예찬 등등. 하기사 죽으면 썩을 문드러질 몸, 인생무상, 권력무상. 뭐가 예찬할 만한 것인가.

이상 같은 워낙 유명한 시인이 얘기한 것이라서 이헌태 같은 범인이 어떻게 감히 비판의 칼을 들이대겠습니까. 그 말도 맞는 듯하고. 그래도 겨울이 되면 봄이 또 기다려지고, 새봄이 되어 개나리가 피고 진달래가 피면 또 그래도 기분 좋고. 금방 금방 잊어버리는 '새머리'라서 그런가. 하여튼 이상 같은 유명한 시인도 그런 이상한 말씀을 남겼다는 사실에 주목하면서.

참고 하나. 그런데 박희진이란 시인은 '초록예찬'이란 사행시에서 "조물주가 지상의 태반을 초록으로 물들인 것은/ 너무도 잘한 일, 너무도 잘 한 일/ 만약 초록 대신 노랑이나 빨강으로 물들였다면/ 사람은 필시 눈동자가 깨지거나 발광하고 말았으리"라고 자연의 색은 그래도 초록이 최고라면서 '초록예찬'을 하고 있더라구요.

사실 이상이란 시인이 박희진이란 시인보다 더 유명하지만 저는 일단 박희진이란 시인의 손을 들어주고 싶습니다. 이상이 살던 당시에도 이상 시인을 놓고 "천재냐, 천치냐."는 논란이 벌어졌다고 하네요. 대체적으로는 천재로 보고 있죠.

말도 안 되는 것 가지고 시인들이 다른 주장을 하는 것을 보았지요. 서양철학의 아버지들인 플라톤과 그 제자인 아리스토텔레스도 별 것 아닌 것 가지고 논란을 벌였더라구요. 플라톤의 '시인추방론'과 아리스토텔레스의 '시학'이 바로 그것이죠. 내용인 즉.

플라톤은 시가 이성이 아니라 인간의 감정에 호소한다고 보았죠.

감정은 이성보다 열등한 영혼의 부위이며 우리의 감각처럼 착각에 빠지기 쉽다나요. 특히 비극시인들은 과도한 감정을 억제하기는커녕 이를 부추기고 있으며 시가 사람됨의 품성을 손상시킨다는 것입니다.

플라톤은 그래서 호메로스나 헤시오도스와 같은 시인들을 허용해서는 안 된다고 주장했습니다. 우선 모든 신들이 사실과 달리 고약하게 그려졌으며 어린이들에게 신에게서 고약함이나 불행이 유래된다고 가르쳐서는 안 되는 것이죠. 또 젊은이들에게 죽음을 두려워하게 하는 것이며 절제와 일상법도를 어긋나게 하는 게 많다고 보았습니다. 특히 비극이 연민을 환기하여 구경꾼들을 겁쟁이로 만든다고 판단했더라구요. 결국 플라톤은 지혜와 정의, 덕성에 의해 다스려지는 이상국가를 꿈꾼 것이죠. 시인들은 모두 다 사라져라.

이에 비해 그 제자인 아리스토텔레스는 감정이 이성 못지않게 인간의 중요한 일부라고 생각하고 있지만 감정이 그 자체로서 해로운 것은 아니며 다만 적절히 제어하지 못하였을 때 해로울 수 있다고 보았죠.

이헌태의 생각은 플라톤은 너무 극단적으로 생각한 것 같습니다. 저는 서구문학이론의 기초를 만든 아리스토텔레스의 시학에 손을 들어주겠습니다.

버스 안에서, 유대장의 이번 산행 소개 말씀도 모처럼 들으니 고향으로 돌아온 것 같은 기분이었다. 유대장은 영국시인 T.S.엘리어트의 '황무지'란 시에 나오는 "사월은 가장 잔인한 달."이란 첫 구절을 먼저 인용했죠. 약간만 소개하면. "4월은 가장 잔인한 달./ 죽은 땅에서 라일락을 키워내고/ 기억과 욕정을 뒤섞으며,/ 봄비로

잠든 뿌리를 뒤흔든다./ 차라리 겨울은 우리를 따뜻하게 했었다./ 망각의 눈(雪)으로 대지를 덮고/ 마른 구근(球根)으로 가냘픈 생명을 키웠으니……"

1922년 발표된 이 시는 제1차 세계대전 후 유럽의 신앙 부재와 정신적 황폐를 상징적으로 표현한 작품으로 그러한 불모(不毛)를 암시한 시죠. 같은 4월이라도 느끼는 사람의 기분에 따라 다르죠.

유 대장은 이어 "대간 산행은 처음에는 쉽고 즐겁다가도 나중에는 힘든데 이는 허심과 무념무상으로 이겨나가야 한다."고 말씀을 하신다. 속세에서 돌아온 이헌태가 얼마 만에 들어보는 '도 닦는 얘기'인가.

별

버스에 내려서 하늘을 올려다보니 별이 총총 박혀 있다. 사다리를 타고 올라가서 손으로 잡아서 바구니에 가득 담을 수 있을 것 같다. '한 바구니에 오만원'. 국자모양의 북두칠성과 북극성이 한눈에 들어왔다. 너무나 반갑다. 이 얼마 만에 보는 하늘이고 별인가. 별들도 내가 반갑다고 더욱 반짝반짝 빛나는 것 같았다. 착각하지 마세요. 별들은 이헌태한테 눈곱만큼도 관심이 없답니다. 알았어.

하늘의 별을 골똘히 쳐다보면서 하루에 한번 씩 하늘을 쳐다보고 별을 쳐다보면 인간세상이 얼마나 좋아질까 하는 소박한 생각을 해보았습니다. 하늘은 '종교'이면서 '두려운 존재'이고 '광활한 우주'이면서도 '동심'이고 '꿈'이고 '양심'이니까. 공자도 "하늘을 속일 수는 없다."고 했으니까요.

'하늘을 우러러 한 점 부끄럼 없이'라는 민족시인 윤동주의 정신처럼 이헌태도 대한민국의 시민단체들과 함께 '하루 한차례 하늘보기 운동'을 벌이면 어떨까 하는 생각이 듭니다. 양심에 어긋나는 짓 하지 말자는 운동이죠.

윤동주는 하늘을 보면 죄를 지을 수 없다고 했지만 이해인 수녀님은 비온 뒤의 맑음과 평화스러움을 두고 "이런 날은 아무도 죄를 지을 수 없을 것 같지요."라고 말씀을 하셨답니다. 경찰청에 알아봐야지. 진짜로 그런 날이 범죄건수가 가장 낮았는지. 매사를 과학적으로 실증적으로 사고해야지. 이헌태, 그만해라.

별 볼일 있는 얘기 하나. 비극적인 너무나 비극적인 삶을 살다가 37세 나이에 자살한 천재화가 고흐. 그가 한때 '별이 빛나는 밤'을 그리기 전 후원자인 동생 테오에게 보낸 글 가운데.

"지도에서 도시나 마을을 가리키는 검은 점을 보면 꿈을 꾸게 되는 것처럼, 별이 빛나는 밤하늘은 늘 나에게 꿈을 꾸게 한다. 그럴 땐 나 혼자 묻곤 하지. 프랑스 지도위에 표시된 검은 점에게 가듯이 왜 창공에서 반짝이는 저 별에게는 갈 수 없는 것일까.

타라스콩이나 루앙에 가려면 기차를 타야하는 것처럼, 별까지 가기 위해서는 죽음을 맞이해야 한다. 죽으면 기차를 탈 수 없듯이 살아있는 동안에는 별까지 갈 수 없겠지. 증기선이나 합승마차, 철도 등이 지상의 운송수단이라면 콜레라, 결석, 결핵, 암등은 천상으로 가는 운송수단인지도 모른다. 늙어서 평화롭게 죽는다는 것은 별까지 걸어간다는 것이겠지." 고흐한테는 별을 보면 죽고 싶었던 모양이지. 별은 별의 별 생각을 다 들게 하는 모양입니다. 별 볼일 있는 것에서 별 볼일 없는 것까지.

걷다보니 해가 떴다. 따뜻한 햇살이 너무 감사했다. "저 많은 햇빛 공으로 쏘이면서도 그 햇빛에 고마워하지 않았던 일 사죄합니다"란 이기철의 '그렇게 하겠습니다'라는 시가 불현듯 생각났다. 인심쓰는 김에 왕창 쓰자.

"내 걸어온 길 되돌아보며/ 나로 하여 슬퍼진 사람에게 사죄합니다/ 내 밟고 온 길, 내발에 밟힌 풀벌레에게 사죄합니다/ 내 무심히 던진 말 한마디에 상처받은 이/ 내 길 건너며 무표정했던 이웃들에 사죄합니다/ 내 작은 앎 크게 전하지 못한 교실에, 내짧은 지식, 신념 없는 말로 강요한 학생들에 사죄합니다/ 또 내일을 맞기 위해선/ 초원의 소와 순한 닭을 먹어야 하고/ 들판의 배추와 상추를 먹어야 합니다/ 내 한 포기 꽃나무를 심지 않고 풀꽃의 아름다움만 탐한 일 사죄합니다/ 저 많은 햇빛 공으로 쏘이면서도/ 그 햇빛에 고마워하지 않았던 일 사죄합니다/ 살면서, 사죄하면서, 사랑하겠습니다/ 꼭 그렇게 하겠습니다"

구구절절 이헌태에게 해당되는 말이고 이헌태가 가슴속에 꼭 새겨야할 말인 것 같습니다. 저도 일순간이나마 "꼭 그렇게 하겠습니다."

결론은 있는 법. 나의 사랑하는 초등학생 딸이 한 명언. "아빠, 인생은 너무 시시해. 힘들지만 정답이 있는 것 같아." 와, 대단하다. 어떻게 어린 것이. 이런 딸을 두고 있으니 마누라 왈, "당신은 딸 보다 못한 것 같아." 딸이 대단하지, 내가 못한 것이 아니라니까요.

따님, 그런데 어떤 스님의 말씀을 소개해드리죠. "삶에는 정답이 없다. 그냥 그냥 다 받아들이면 그대로 정답인 것이다. 오답이라고 후회할 것도 없고 정답을 찾으려 애쓸 것도 없고 다 놓고 가면 된다."

결국 끝은 있는 법. 나호열 시인의 '집과 무덤'이란 시가 생각난다. "저녁에 닿기 위하여 새벽에 길을 떠난다."
보너스 하나. 신현봉 시인의 '희망을 위하여'. "끝이 있다/ 모든 일에/ 살아 있는 모든 것에/ 어떤 웃음/ 어떤 눈물에도/ 그 끝이 아득히 멀리에 있어도/ 끝이라곤 없을 것만 같아도/ 끝은 찾아온다/ 희망이 아주 없다고 생각될 때에는/ 끝이 있어서/ 세상은 살 만한 것이라고/ 믿기로 하자/ 그 끝이 얼마나 정직한가를 끝까지 지켜보기로 하자"

산 아래에 내려오자 목표지인 하늘재에 도착했다. 절 쪽으로 하산하니 스님의 은은한 독경소리가 들려오더니 마을로 이어지는 계곡이 나왔다. 근처 식당에서 청국장과 맛있는 밥반찬으로 배를 가득 채우고 난 뒤 고단한 산행의 고통을 잊고 차안에서 잘 자다가 집에 도착했다. 집에 도착하니 모두들 반갑게 맞이한다. 아들 왈, "재미있었어요?" "응"했지만 속으로는 "죽다가 살아나왔다."고 말했다.
아니다, 인생을 죽다가 살면 큰일 나지. 결론을 바꾸겠습니다. "즐거운 나라, 즐거운 땅에, 즐겁게 살다가, 즐겁게 죽어야지."

나의 말

'아버지는 말하셨지 인생을 즐겨라'라는 CM송이 생각나네요. 딱 저희 아버지가 저에게 그러셨어요. 인생에 정답은 없다고, 항상 재밌게 살라고 말이죠. 이제 보니 가장 재밌게 사시는 건 아버지였네요. 생각해보니 SNS에 재미에 대해서 쓴 글이 있어 옮겨봅니다.

〈자신이 만든 재미〉

오늘은 재미에 대해 얘기해보려 한다. 돌이켜보면 나는 참 재밌는 인생을 산 것 같다.

고등학교 때 동아리에 들어가 과학실에서 밤늦게까지 실험을 했다. 평범한 내가 마치 연금술사가 된 것 같았다. 그래서 과학이 좋았다. 하이탑 문제집 화학2, 생물2를 풀며 낑낑댄 기억도 난다. 고3 첫 중간고사에 두 과목 모두 100점을 맞은 순간 뛸 듯이 기뻤다. 재밌었다.(다른 과목은 기억 안 나는 게 함정이다)

복학 후 대학교에서 IT기기를 만드는 스튜디오에 들어가 개발자, 디자이너 후배들과 함께 개인 맞춤 정보 제공 '스마트미러'를 만들었다. 영상 디자인을 담당했던 후배가 모처럼 스마트미러 사진을 보내왔다. 과학실에서 스튜디오로 장소만 바뀌었지만 우리팀은 자신이 쓰고 싶은 IT기기를 직접 만들어냈다. 재밌었다.

과학실에서 했던 실험은 생각나지 않고 특허까지 등록된 스마트미러는 출시되지 않았다. 남는 게 없어보여도 결국, 재미가 있었다. 재미가 남았다. 하루 종일 공부에 시달리면서도 자기 전에 글을 쓴다. 재밌다. 그 잠깐의 시간이 힘을 나게 한다. 언제나 나의 재미를 만들려고 한다. 당신도 자신만의 재미를 찾기를 바란다!

5월

5월 15일(토), 16일(일). 백두대간 종주 26번째 산행에 나섰다. 지난 5월 5일이 입하(立夏). 입하 이후 입추(立秋)전날까지를 여름으로 간주한다고 하네요. 이제부터 사실상 여름이구만.

입하 무렵이 되면 농작물이 자라기 시작하고 해충도 왕성한 활동을 시작한다. 특히 이 시기부터 들판의 풀잎이나 나뭇잎이 신록으로 물들기 시작한다. 백두대간 산행꾼들에게는 한마디로 '신록의 계절'인 셈. 초록빛 바다에 초록빛 산. 그야말로 지구가 아니, 한반도는 온통 '초록의 물결'이구만.

축하, 축하. '신록의 여름시작 기념'. 자동차 한 대가 선물이 아니고요. 중국 동진시대 대문호 '귀거래사'의 도연명의 '독(讀) 산해경'

"초여름에 집 주위는/ 풀과 나무 자라나 신록으로 울창하네/ 새들이 의지할 곳 생긴 걸 기뻐하듯/ 나 또한 오두막집을 사랑하네/ 밭 갈고 씨 뿌리고 난 후에/ 틈틈이 책을 읽네/ 관리들의 발길 뜸한 외진 골목길에/ 친구들의 수레가 찾아드네/ 즐겁게 얘기하며 봄 술 따르고/ 집안의 뜰에서 채소를 뜯네/ 동쪽에서 몰려오는 보슬비/ 그리고 훈풍도 함께 실려오네/ 목천자전(木天子傳)을 대충 보다가/ 산해경 그림을 들추어보기도 하네/ 잠깐 동안 온 우주를 돌아보게 되니/ 이것이 즐겁지 않고 무엇이 즐거우랴"

중국 사람만 인용하면 저는 사대부가 아니고 사대주의자(조선시대 사대부들은 중국 사대주의자였지 아마). 한국 사람도 소개해야지. 그래야 공평. 1월부터 12월까지 각 월별로 시를 썼던 오세영 시인의 '5월'을 보자.

"어떻게 하라는/ 말씀입니까./ 부신 초록으로 두 눈 머는데/ 진한 향기로 숨 막히는데/ 마약처럼 황홀하게 타오르는/ 육신을 붙들고 / 나는 어떻게 하라는/ 말씀입니까./ 아아, 살아 있는 것도 죄스러운/ 푸르디 푸른 이 봄날,/ 그리움에 지친 장미는 끝내 가시를 품었습니다./ 먼 하늘가에 서서 당신은/ 자꾸만 손짓을 하고."

시 두 편으로 시작하니 기분이 너무 너무 좋다. 초록빛 산하(山河)가 나왔으니 클라이브 폰팅의 황금 같은 말씀도 잠깐 소개.

그는 저서 '녹색세계사'를 통해 "생태학적 입장에서 인간사를 바라보면 인간사는 진보의 역사라기보다는 퇴보의 역사"라고 말했다. 그의 말을 곰곰이 되새겨야 할 것 같다. 뜬금없기는.

역사학자 토인비는 역사를 한마디로 '도전과 응전'으로 정리했지만. 다른 시각이네. 이헌태는 만시지탄이지만, 이제 인류발전의 시각을 근본적으로 바꾸어야할 시점에 도달했다고 보는데, 여러분 생각은 어떠하십니까. 아니면 말고.

인류사와 조금 다른 얘기지만 더 영역을 좁혀 인간사도 있죠. 하기사 인간사가 모여 인류사지 별 게 있나. 하여튼 더 허황한 얘기. 중국 북송 때 시인 소동파 왈, "인간세상의 흥망성쇠와 승패, 영욕은 신비하여 알 길이 없다." 그럼 뭐야.

또 소동파는 "선생님, 인생을 어떻게 생각하십니까?"라는 질문을 받고 "사람의 일생에 있어 인간은 창창한 창해의 좁쌀 한 알이다." 라고 답했다고 하네요. 소동파 선생의 말씀을 들으면 말은 맞기도 하고 뜻도 깊기도 하지만 어떻게 보면 허무하기도 하고 또 한심하기도 하고 천하태평이라는 생각이 드네요.

역시 결론이 중요. 지금의 시대는 물질적으로는 풍요로워졌지만 정신적으로는 갈수록 피곤해지고 있지만 그래도 이 와중에 즐겁게 살려고 노력하는 인간이 늘어나고 있으며 그 가운데 진짜로 즐겁게 사는 사람이 있고 억지로 즐겁게 사는 것처럼 보이려고 하는 사람이 있고…. 뭐야. 횡설수설. 주장하는 바가, "무결론이 결론" 정답이네요.

이상의 시 '오감도' 가운데 '시(詩) 제2호'도 횡설수설. "나의아버지가나의곁에서조을적에나는나의아버지가되고또나는나의아버지의아버지가되고그런데도나의아버지는나의아버지대로나의아버지인데어쩌자고나는자꾸나의아버지의아버지의아버지의…아버지가되나나는왜나의아버지를껑충뛰어넘어야하는지나는왜드디어나와나의아버지와나의아버지의아버지와나의아버지의아버지의아버지노릇을한꺼번에하면서살아야하는것이냐"

돌아와서 무자식이 상팔자고 무대책이 상책이고. 무위(無爲)자연이 최고자연이고. 무위정치가 최고정치. 그건 맞아. 가만히 있는 게 최고네. 백수가 최고 직업이네. 그게 아닙니다. 백수는 인생을 채우는 게 아니고 인생을 텅 비게 하는 것입니다. 한때의 백수는 필요할지 몰라도.

취중

백두대간 양반들은 전과 두부김치, 황태요리, 소위 산해진미의 푸짐한 안주를 그냥 방치하지 않는 법. 귀한 마과목 열매주도 돌렸다. 이것을 '향연'이라고 부르죠. 플라톤의 '향연', 술 마시고 서로 하고 싶은 말을 하면서 학문적 토론을 하는 것이 바로 '향연' 아닌가요. 수준이 다르지. 뭐야 우리가 어때서.

정치와 경제는 전쟁중, 하느님은 사랑중, 부처님은 자비중, 인생은 고생중, 중생은 번뇌중, 스님은 수행중, 이헌태는 심인중 출신. 잉. 그게 아니고 희희낙락중. 하여튼 맛있는 안주를 곁들여 술 퍼마시고 있는 우리 대간 일행은 취중.

제가 시 한수 읽어 드렸죠. 샤를르 브들레르. "취하게 하라, 언제나 너희는 취해 있어야 한다./ 모든 것은 거기에 있다. 그것이 유일의 문제다./ 너희들의 어깨를 짓누르고 너희를 지상으로 누르고 있는 시간이라는 끔찍한 짐을 느끼지 않기 위해서 너희는 여지없이 취해야 한다./ 그러나 무얼 갖고서 취하는가?/ 술로 또는 시로, 또는 당신의 미덕으로,/ 그건 좋을 대로 하시오./ 그러나 하여간 취하여야 한다."

술이 나온 김에. 또 도연명. 옛날에는 대문인은 알콜중독자더라구요. 너무 가난해서 "입에 풀칠할 무 한 조각이라도 집에 있다면 얼마나 좋으냐."고 외쳤던 그 도연명의 소원. 로또복권당첨이 아닙니다. 늘 주변에 "나는 달리 바랄 것이 없지요. 술이나 맘 놓고 마시면 족합니다." 이런 분들을 우리가 대문호로서 흠모해야 하겠습니까. 하여튼 넘어가고.

오래간만에 설문조사. 당신은 무엇으로 취하고 있습니까. 1) 술과 시와 미덕 2) 술과 시 3) 술과 미덕 4) 시와 미덕 5) 술만 6) 시만 7) 미덕만. 이헌태에게는 5번이 해당되는 것 같군요. 술회사와 술집만 좋아하겠구만. 술주정꾼이네. 죄송합니다. 그래도 시도 약간 취하고 있는 중입니다. 앞으로 두루 두루 취하겠습니다. 잘 생각했다.

'취중'까지 나왔으면 '취중진담'도 나와야지. 취중의 한계 및 필요성이라고나 할까. 누군가가 술은 비와 같다고 했습니다. 진흙에 내리면 더럽히지만 옥토에 내리면 꽃을 피운답니다. 무슨 얘기하려고. 채근담에도 나오지만 꽃은 반만 피었을 때가 가장 아름답고 술은 적당히 취했을 때가 가장 아름답습니다.

하늘재를 지나면서 느낀 점. 우리나라 지명 가운데 눈에 띄는 게 역시, 해남의 땅끝마을과 문경의 하늘재. 땅과 하늘이 지명에 바로 붙었으니까요. 백두대간의 고산준령을 이어주는 재 가운데 가장 이름이 멋진 게 역시 하늘재. 하늘에 가장 가깝다고 붙은 명칭인가. 일단 지명유래를 봐야죠.

검색사이트를 보면, "고려시대 개성에서 경상도를 이어주던 고개는 오늘날 문경새재나 이화령이 아닌 하늘재였는데 이 하늘재의 또 다른 이름이 백재이다. 그 뜻은 호랑이가 언제 나타날지 모르기에 백사람이 집단을 이루어야만 넘을 수 있었기에 하늘재 또는 백재란 이름이 붙여진 것이다." 예전에는 고개를 넘을 때 무서워 떼지어 다녔나 봐요. 육십령도 그렇고.

하늘재에 내걸린 안내판을 보면 하늘재는 원래 계립령(鷄立嶺)이었다고 해요. 신라가 한강유역으로 가는 통로로서 서기 154년 신라의 아달라 이사금이 죽령보다 2년 먼저 개척한 곳으로 설명되어 있다. 신라에서 가장 오래된 기록으로 남아 있는 재. 이 조그만 재가 삼국시대 때 나라의 흥망을 좌우한 전략적 요충지. 산이란 산은 그대로 뚫고 가는 '고속철도시대'에는 그야말로 호랑이 담배 피우던 시절 이야기네.

이 안내판에는 고구려 때 바보 온달장군도 등장. 당시 온달은 "계립령과 죽령 서쪽의 땅을 되찾기 전에는 돌아오지 않겠다."고 맹세하고 출정한 후 사망했다고 하네요. 그 계립령을 찾기 위해 목숨을 걸었던 온달장군을 생각하니 가슴이 저며 오는구만. 그 현장을 밟아 보니 감개가 무량하다. 그런데, 땅 뺏고 땅 찾는데 목숨을 걸다니 지금 생각하면 모든 게 부질없는 짓.

온달장군을 그렇게 표현하다니, 이헌태 '또라이'아이가. 인류의 역사는 전쟁의 역사이고 이는 영웅의 역사고 또 그렇다보니 장군의 역사인데. 이제는 세상이 바뀌었습니다. 평화주의자 관점에서 역사를 다 바꿉시다. 이라크 등 일부 지역이 아직도 전쟁 중이지만 인류 전체적으로 보면 지금이 가장 평화스러운 시대라고 하네요.

나의 말

그 수많은 전쟁사를 보면 지금이 인류 역사상 가장 평화로운 시기는 맞는 것 같습니다. 두 차례의 세계대전을 통해 전쟁은 곧 모두가 망하는 길이라는 교훈을 인류가 깨달은 것 같아요. 평화롭긴 하지만 현실은 너무 힘들죠. 지금 저의 세대를 취업, 연애, 결혼을 포기한 세대인 삼포세대라고도 말합니다. 거기다가 인간관계와 내 집마련까지 포기하면 오포세대.. 너무 공감이 가요.

그나마 긍정적으로 보자면 저의 세대가 아날로그와 디지털을 동시에 경험한 세대이지 않을까 싶어요. 어릴 때는 동네 놀이터에서 친구를 만나 딱지치기, 술래잡기를 하면서 놀다가 중학교에 들어가서야 핸드폰을 쓰기 시작했으니까요. 요즘 아이들은 아날로그가 주는 불편하지만 아련하고 따뜻한 그 무엇을 어디서 느낄 수 있을까요? 갑자기 어릴 때 놀던 그 친구들은 잘 지내는지 궁금해지네요.

동생의 말

술과 시와 미덕이 오가는 내용 가운데. 샤를르 브들레르의 '취하라' 시를 보면 제 인생드라마 중 하나인 '미생'이 떠올라요. '미생'은 무역회사에 입사한 스물여섯 계약직 장그래가 정규직이 되기 위해 우여곡절 일을 겪는 드라마입니다. 왜 '미생'이 떠올랐냐면 장그래의 상사가 '장그래 더 할 나위 없었다 yes!'라고 적어준 엽서가 휘날리며 운을 떼는 시거든요. 회사생활을 앞둔 저에게 여러 자극이 되었고 어떤 다짐들을 하게 해준 드라마입니다. 막상 입사해서 얼마나 어떻게 달라질진 모르지만 마음가짐이라는 건 중요하잖아요.

'미생'은 당시 장안의 화제였고 종영 후에는 소위 '장그래 법'이라는 '비정규직 종합대책안'까지 발표됐었어요. 그 핵심내용은 '비정규직 근무를 최대 4년까지 연장한다'는 겁니다. 정부는 '4년의 기간 동안 일이 숙련된다면 정규직 전환율이 높아질 것'이라고 생각했지만, 여론은 '계약직이 괴로운 이유는 정규직이 될 수 없다는 것인데 더 많은 장그래를 만들 뿐'이라며 아주 좋지 않았어요. 기사 밑에 "장그래가 정규직 시켜달라고 했지, 계약직 연장해달라고 했냐!"라는 댓글도 봤고요.

정권이 바뀌고 난 지금도 비정규직 문제가 해결되지는 못했습니다. 쉬운 문제는 아니니까요. 그래도 최근 문재인 대통령과 대기업 경영인들이 만나는 자리에 중견기업인 '오뚜기'가 참석해서 주목을 끌었습니다. '사람을 비정규직으로 쓰지 말라'는 경영철학을 가진 '오뚜기'가 문재인 대통령께 '갓(god)뚜기'라고 불리기도 했죠. 제 또래들이 쓰는 말인데 경영철학을 높이 사 일부러 그 회사 제품을 구입하기도 해요. 저의 세대를 위해서도, 앞으로의 세대를 위해서도, '갓뚜기'같은 기업이 더 선망되어지고 많이 생겨났으면 좋겠습니다.

꽃

다시 고달픈 산행을 시작. 고산준령의 백두대간 능선은 속세와는 시차가 있죠. 불타는 로마처럼 산하를 불태우고 지나간 진달래가 이제 겨우 피기 시작한 듯한데. 산행 도중에 더러더러 진달래꽃이 비 때문에 폭격을 맞고 떨어져 땅위에 처절한 몰골로 사망했더라구요. 산행 시작 이후 내내 한 송이 진달래꽃만 보았죠. 외롭게, 아니 혼자니까 영웅스럽게 피어나 일행을 반겼다.

비와 꽃은 철천지원수구만. 비가 온 탓인지 야생화는 아주 드물게 드물게 자태를 뽐내고 있었다. 도시에서 자라서 이름도 모르겠다. 이름을 모른다고 야생화로 두루뭉술하게 넘어가서 죄송합니다.

제가 늘 말씀드렸지요. 제가 학교 다닐 때는 어릴 때부터 식물교육이 약했다고. 가족나들이는 동물원밖에 없고. 동물교육만 받아서 그런지 인간들이 더 비정해지고 잔인해졌는가. 교육부총리님. 앞으로 나무와 꽃에 대한 교육을 더욱 강화할 필요가 있다고 주장합니다. 친환경적, 생명존중적 사고를 키우려면 나무와 꽃을 더욱 사랑하도록 해야 합니다.

더 실감나게 설명하죠. 동물의 세계에 대해서는 역시 '시튼 동물기'로 유명한 어니스트 톰슨 시튼(1860-1946)이 유명하죠. 그는 스코틀랜드에서 6세 때 캐나다로 이주해서 30대 초반까지 로키산맥에서 동물들을 연구했죠. 무자비한 밀렵을 막기 위해 애썼던 '급진적 환경보호주의자'였죠.

그가 관찰한 동물의 세계는 비정하죠. "야생동물에게는 인간처럼 평온한 삶이란 없다. 노년이 되어도 평온하지 못하다. 그들은 두 눈이 떠 있는 한 언제나 생사가 오가는 살벌한 전쟁터에서 살아가야한다. 그들의 힘이 약해지는 순간, 그 순간 적들은 상대적으로 더 강한 무기로 무장한다."

동물의 세계와 식물의 세계는 완전 딴판이죠. 지금 인간의 세계는 약육강식의 동물의 세계. 인간들은 동물의 세계보다 식물의 세계를 더 배워야 합니다. 식물은 평화와 공존과 침묵의 상징.

보너스. 꽃을 보고 우주의 환희를 노래한 시인도 있더라구요. 이호우 시인의 '개화'.

"꽃이 피네 한 잎 한 잎/ 한 하늘이 열리고 있네/ 마침내 남은 한 잎이 마지막 떨고 있는 고비/ 바람도 햇볕도 숨을 죽이네 나도 가만 눈을 감네" 와, 대단해요.

하나 더. 영국시인 블레이크 왈, "모래 알갱이 하나에서 하나의 세계를 보고 한포기 들꽃에서 천국을 본다." 역시 도를 닦은 사람은 동서양을 막론하고 서로 통하는 구만. 천국이든 극락이든, 어디든.

마지막. 라첼카슨의 시 '꽃'. "대지는/ 꽃을 통해/ 웃는다." 신은 어쩌면 저렇게 아름다운 꽃들을, 저렇게 많이 만들었나요.

나의 말

요즘은 검색사이트에 '꽃검색'이라는 기능이 있어서 핸드폰으로 사진만 찍으면 어떤 꽃인지 바로 알 수 있죠. 10년 만에 참 세상이 많이 바뀌었네요. 예전에는 꽃이 아름답게 피어있어도 도무지 이름을 알 수 없었는데... 이렇게 꽃의 이름을 배우는 건 좋은 것 같아요. 이름을 안다는 것은 관심을 가진다는 것이잖아요? 김춘수의 시 '꽃'이 생각나네요. "내가 그의 이름을 불러주었을 때 그는 나에게로 와서 꽃이 되었다" '꽃검색'은 기술이 사람을 풍요롭게 하는 좋은 사례 같아요.

동생의 말

아부지, 저도 동물의 세계와 식물의 세계가 딴판이라고 생각하던 때가 있었지만 댄 래스킨의 '자연의 배신-인간보다 비열하고 유전자보다 이기적인 생태계에 관한 보고서'에서 말하길 식물의 세계 또한 잔혹하다고 합니다. 식물의 세계도 주체적으로 환경에 적응하면서 자신을 방어하고 싸우는 전쟁터라고 해요. 이 책에서는 '식물'뿐만 아니라 모든 '자연'의 잔인한 생존전략에 대해 말하긴 하지만, "그렇다면 인간은?"이란 질문으로 연결짓고 있어요. 뭐, 저런 얘기를 떠나서 흥미로운 예시들이 많으니 관심가는 분들은 읽어보시길 추천합니다. 상징적인 얘기에 너무 진지하게 파고들었나요.

행복

비온 직후라서 거대한 비안개가 산이 좋은 지 떠나지를 않는다. 산에는 안개가 자욱하게 깔려있어 시야가 사방 50미터를 벗어나지 못했다. 일행은 구름 위를 가고 있는 '구름 산행'이었다. 숲속의 전경은 너무 평화스럽다.

나무와 풀들은 한결같이 연초록의 푸르름과 싱싱함을 자랑하고 있어 내딛는 발걸음과 눈도 상쾌하기 그지없었다. 녹음 속에 오솔길을 걷고 있는 듯한 '숲속 산책 산행'이었다. 나무와 풀도 푸르고 자연도 푸르고 따라서 내 마음도 푸르다. 이것이 한마디로 '청정자연'이고 '청정세계'다.

고려 진각 혜심선사의 '선당시중(禪堂示衆)'. "푸른 눈이 청산과 마주하니/ 그 사이에 티끌을 허용치 않고/ 자연의 청정함이 골수에 이르니/ 다시 어찌 열반을 구하리오"

아, 행복하다. 부처님도 수행하는 궁극적 이유가 딴 게 아니고 '행복추구'였다고 하네요. 부처님 말씀, "행복을 추구하는데 있어서 나보다 더한 사람은 없다." 종교도 천국이든 극락이든, 현생에서든 결국 '행복추구'구만.

서양의 고대 철학자 아리스토텔레스도 "삶은 목적은 행복에 있다."면서 인간은 행복해지기 위해서 산다고 했죠. 이들은 자기수행과 자기연마를 행복추구의 한 방법으로 생각했다고 하네요. 전에 언급했지만 마르쿠제도 "모든 사람의 인생론은 행복론."이라고 말했죠. 종교든 철학이든 한마디로 '행복추구'구만.

이기주의도 개인의 행복추구인데. 그것은 잘못된 행복추구입니다. 자신도 타인도 모두 행복추구, 공동의 선을 추구하는 행복추구가 옳은 행복추구입니다. 아, 그렇구나.

아탈리는 '합리적인 미치광이'라는 책에서 현재 시장경제 및 민주주의의 위기극복책과 세계무한경쟁시대의 대안으로 '형제애'를 들었죠. 색다른가요. 그가 말하는 형제애란 "남이 행복해지도록 돕는 데에서 자기의 행복을 찾는 것."이라나요. 형제를 바탕으로 한 '윈윈 게임'의 세상을 추구했죠. 그가 추구한 유토피아란 합리적인 주체들이 열정과 광기를 가지고 타인의 행복을 위해 노력함으로써 자신의 행복을 증대시키는 '합리적인 미치광이'들이 주도하는 곳이라고 합니다.

'합리적인 미치광이'들이 넘치는 세상이 되기를. 미치광이들이 넘치면 안 되고요. 그런데 지금 세상은 나쁜 미치광이들이 넘쳐서 큰일이야. 특히 돈에 미친 사람들 '돈광'말이죠. '권력광'도 있고 '명예광'도 있는데. 봉사하고 싶어 미치는 '봉사광'이 넘실대야하는데. 그래도 화투의 오광이 좋다고요.

형제가 없는 분들은 형제애를 모르겠네요. 그래서 이헌태가 준비한 야심작. 사마우가 "사람들에겐 모두 형 동생이 있기 마련이지만 나만 홀로 없구나."라고 하자 자하가 이에 "죽음과 삶은 운명에 달려있고 경제적 성공과 사회적 출세는 하늘에 달려있네. 군자란 신중하게 처신하여 잘못을 저지르지 않고 주위사람들과 사귀어서 공손하고 예의범절을 지킨다네. 그렇게 된다면 온 세상 사람들이 모두 나의 형이고 동생인 셈, 군자가 되려고 하면서 어찌 형이나 동생이 없다고 근심하나."

여기에 나오는 '온 세상 사람들'이 한자로 '사해지내(四海之內)'. 사해동포, 사해형제라는 말이 여기서 나왔다고 하네요. '온 세상 사람들'을 형제처럼 지냅시다. 그렇게 되면 전쟁도 없을 테고 나라끼리 또는 나라 안에서 빈부 갈등도 크게 사라질 것입니다.

나의 말

짐캐리 주연의 영화 '브루스 올마이티'도 재밌게 봤지만 그 후속작 '에반 올마이티'도 원작 못지않게 재미있습니다. 거기서 신은 세상을 바꿀 방법이 '임의의 친절한 행동 하나(One Act of Random Kindness)를 실천하는 것'이라고 합니다. 이 뜻을 제대로 이해하려면 영화를 보는 것을 추천해 드려요.

저도 아르바이트 중에 매일 오셨던 단골분이 저보다 분명 나이가 많은데도 항상 저에게 존댓말을 하면서 끝에는 "감사합니다."라고 말했습니다. 내색은 안 했지만 너무 고마워서 눈물이 날 뻔했죠. 그 이후로 저도 어떤 서비스를 받을 때 끝에 "감사합니다."라는 얘기를 합니다. 뭐 큰 선행이 따로 있나요? 이런 거 잘하면 되지.

대미산

이번 산행의 하이라이트 대미산(해발 1115미터) 정상에 올랐다. 주변의 호쾌 웅장한 산 능선이 안개에 싸여 희미하게 보였다. 부끄러움 때문인지, 아니면 신비로움을 과시하려는 때문인지 알몸을 좀 처럼 드러내지 않았다. 그래도 산이 좋다.

북송 때 정치가이며 문인인 왕안석은 '종산유람기'에서 "종일 산을 보아도 산이 싫지 않다./ 산을 사서 마침내 산에서 늙어갈 수 있네./ 산에 꽃이 다 떨어져도 산은 오래 있고/ 산에 물은 덧없이 흘러도 산은 스스로 한가롭네." 맞습니다. 산은 늘 혼자 한가롭죠.

먹는 것 가운데 가장 비싼 것은 산삼(山蔘)이잖아요. 100년 묵은 좋은 상품은 수억 원이 호가될 정도니까요. 그런데 산에서 사는 것, 즉 '산삶'도 산삼이상으로 몸에 좋다고 하네요. 또 말장난하네. 이런 것은 뜻이 뒷받침되는 말장난이죠. 이헌태는 '산 예찬론자'죠. '유토피아'가 아니라 '마운틴토피아'라고나 할까.

예전 도인이나 문인들은 다 산을 즐겨 찾았죠. "산이 도요 도가 바로 산이다." 아니면 "산은 시고 시는 산이다." 아니면 "산은 철학이요 철학은 산이다." 아니면 "산은 종교요 종교는 산이다." 누가 한 말인지는 모르겠으나 일단 이헌태의 지적재산권으로 등록.

대미산 정상에는 따뜻한 햇볕이 포근하게 내리쬐면서 정상주를 마신다는 핑계로 한참 휴식을 취했다. 러시아 황제 짜르가 마셨다는 보드카도 얼음까지 준비해 와서 마셨다. 겉모습은 영락없는 생수 같았다. 수정 같은 순수 알콜인가. 얼음에 타서 마시니 향도 좋고 술맛도 기가 막혔다. 캬, 짜르가 된 기분이다. 짜르가 이름이 나빠서인지 러시아 마지막 짜르가 허망하게 짤렸지.

정상에서 이날 시 낭송이 있었다. 오세영 시인의 '숲속에서'. "어떤 것은 예리한 도끼로 쳤고/ 어떤 것은 잔인하게 톱으로 싹둑 베어 버렸다/ 외진 숲속의 잘린 나무들/ 아직도 나이테 선명하고 송진향 그윽한데/ 너는 일말의 적의도 없이/ 가진 모든 것을/ 아낌없이 세상에 베풀기만 하였구나/ 살아서는 꽃과 열매를 주고/ 우리로 하여/ 푸른 그늘 아래 쉬게 하더니/ 어느 악한이 장작패서 불태워버렸을까/ 어느 무식이 너를 잘라 불상을 새겼을까/ 그래도 모자람이 있었던지 너는/ 죽어버린 끝덩에서 조차/ 파아란 이끼를 키우고 또 다소곳이/ 버섯까지 안았구나/ 딱새, 벌, 산꽃, 다람쥐, 풀잎 심지어는/ 혀를 날름거리는 꽃뱀까지도/ 왜 너와 더불어는 평안을 얻는지 이제야/ 그 이유를 알겠다/ 소신공양이 따로 없느니/ 네가 바로 부처인 것을/ 내 오늘 산에 오르며 문득/ 자연으로 가는 길을 배운다"

또 하나. 작자미상의 진달래. "진달래 밭에서/ 너만 생각하였다// 연 초록빛 새순이 돋아나면/ 온 몸에 전율이 인다는/ 眞眞이// 이제 너만 그리워 하기로/ 사나이 눈감고 맹세를 하고// 죽어서도 못잊을/ 저 그리운 대간의 품속으로/ 우리는 간다// 끊어 괴로운 인연이라면/ 구태여 끊어 무엇하랴// 온산에 불이 났네/ 진달래는 왜 이리/ 지천으로 피어서/ 지천으로 피어서"

이 자리에서 유대장은 죽은 기형도시인에 대해서 말하면서 어떤 분이 오마르 카이얌의 '루바이아트'란 시로 그의 넋을 달랬는데 그 시가 그렇게 가슴에 와 닿는다나. "우리 모두 오고 가는 이 세상은 / 시작도 끝도 본시 없는 법!/ 묻는 들 어느 누가 대답할 수 있으리오/ 어디에서 왔으며 어디로 가는가를!"

백두대간 종주를 하다가는 사람들이 인생무상으로 빠져 다들 도인이 되겠구만. 현실세계로 돌아오면 생활무능력자가 되기 십상이다. 다들 정신 바짝 차립시다. 가족들 먹여 살릴 궁리는 하면서 자연에 빠집시다.

그나저나 기형도 시인은 서울시내 극장에서 혼자 영화 보다가 그냥 죽었다고 해요. 기형적으로, 도시적으로 죽은 후에 그렇게 팬들이 크게 늘어났다고 해요. 저는 그의 시를 읽으니 뭐가 뭔지, 너무 어둡기만 하고.

기억에 남는 시 한 구절. '나쁘게 말하다' 가운데. "어둠속에서 몇 개의 그림자가 어슬렁거렸다/....../저들은 왜 밤마다 어둠 속에 모여 있는가/ 저 청년들의 욕망은 어디로 가는가/ 사람들의 쾌락은 왜 같은 종류인가"

동생의 말

'산삶'도 '산삼'이상으로 몸에 좋다니요, 이렇게 라임을 맞추시니 래퍼하셔도 되겠습니다. 중년래퍼는 획기적이지 않을까요. 이 말을 꺼내려던 게 아니고, 제가 가장 아끼는 시인 중에 한 명이 기형도 시인입니다. '질투는 나의 힘'과 '빈 집'은 참 유명하고 저도 사랑하는 시이고 '겨울 판화' 연작도 좋아해요. 아버지께서 너무 어둡기만 하시다기에 그리 어둡지 않은 시를 소개할게요. '소리의 뼈'라는 시입니다.

"김교수님이 새로운 학설을 발표했다/ 소리에도 뼈가 있다는 것이다/ 모두 그 말을 웃어넘겼다, 몇몇 학자들은/ 잠시 즐거운 시간을 제공한 김교수의 유머에 감사했다/ 학장의 강력한 경고에도 불구하고/ 교수님은 일학기 강의를 개설했다/ 호기심 많은 학생들이 장난삼아 신청했다/ 한 학기 내내 그는/ 모든 수업 시간마다 침묵하는/ 무서운 고집을 보여주었다/ 참지 못한 학생들이, 소리의 뼈란 무엇일까/ 각자 일가견을 피력했다/ 이군은 그것이 침묵일 거라고 말했다./ 박군은 그것을 숨은 의미라 보았다/ 또 누군가는 그것의 개념은 중요하지 않다고 했다./ 모든 고정관념에 대한 비판에 접근하기 위하여 채택된/ 방법론적 비유라는 것이었다/ 그의 견해는 너무 난해하여 곧 묵살되었다// 그러나 어쨌든/ 그 다음 학기부터 우리들의 귀는/ 모든 소리들을 훨씬 더 잘 듣게 되었다."

내내 김교수는 침묵하고 누군가의 의견은 묵살되기도 하지만 우리의 귀가 모든 소리들을, 서로의 소리들을 훨씬 잘 듣게 되었다니 기형도 스타일의 귀여운 시 아닌가요?

모방

이번에는 이헌태의 장기인 남의 말 꼬투리잡기, 남의 약점잡기를 본격 시작하겠습니다. 모방은 창조의 어머니.

노골적인 모방인 패러디를 소개하겠습니다. 난해시로 유명한 이상의 '오감도' 가운데 '시 제1호'를 본떠 오세영의 시 '브루클린 가는 길'이 나왔습니다.

먼저, 오감도의 '시(詩) 제 1호'. "13인의아해(兒孩)가도로로질주하오.(길은막다른골목이적당하오)// 제1의아해가무섭다고그리오./ 제2의아해가무섭다고그리오./ 제3의아해가무섭다고그리오./ 제4의아해가무섭다고그리오./ 제5의아해가무섭다고그리오./ 제6의아해가무섭다고그리오./ 제7의아해가무섭다고그리오./ 제8의아해가무섭다고그리오./ 제9의아해가무섭다고그리오./ 제10의아해가무섭다고그리오./ 제11의아해가무섭다고그리오./ 제12의아해가무섭다고그리오./ 제13의아해가무섭다고그리오./ 13인의아해는무서운아해와무서워하는아해와그렇게뿐이모였소.(다른사정은없는것이차라리나았소)// 그중에1인의아해가무서운아해라도좋소./ 그중에2인의아해가무서운아해라도좋소./ 그중에3인의아해가무서운아해라도좋소./ 그중에4인의아해가무서운아해라도좋소.// (길이뚫린골목이라도적당하오)/ 13인의아해가도로로질주하지아니하여도좋소."

'브루클린 가는 길'의 일부분만 소개. "제1의 백인이 걸어가오/ 제2의 백인이 걸어가오/....../ 제13인의 백인이 걸어가오// 길은 화려한 데파트먼트 앞 네거리가 적당하고// 제1의 백인이 가슴에 총을 숨겼다 해도 좋소/....../ 총은 21구경 리벌버 6연발 피스톨이오// 제1의 흑인이 걸어가오/ 제2의 흑인이 걸어가오/....../ 그들은 그렇게 무서우니까 웃는 사람과 무서워서 웃는 사람들 뿐이오// "하이"하고 제1의 황인이 지나가오"

또 야한 소설가로 더 알려진 장정일의 패러디 시도 있죠. 이것은 김춘수 시인의 '꽃'에서 나왔죠. 먼저 김춘수 시의 '꽃'.

"내가 그의 이름을 불러 주기 전에는/ 그는 다만/ 하나의 몸짓에 지나지 않았다.// 내가 그의 이름을 불러 주었을 때,/ 그는 나에게로 와서/ 꽃이 되었다.// 내가 그의 이름을 불러 준 것처럼/ 나의 이 빛깔과 향기(香氣)에 알맞은/ 누가 나의 이름을 불러 다오./ 그에게로 가서 나도/ 그의 꽃이 되고 싶다.// 우리들은 모두 무엇이 되고 싶다./ 너는 나에게 나는 너에게/ 잊혀지지 않는 하나의 의미가 되고 싶다."

또 장정일의 시, '김춘수의 꽃을 변주하여'. "내가 단추를 눌러 주기 전에는/ 그는 다만/ 하나의 라디오에 지나지 않았다.// 내가 그의 단추를 눌러 주었을 때/ 그는 나에게로 와서/ 전파가 되었다.// 내가 그의 단추를 눌러 준 것처럼/ 누가 와서 나의/ 굳어 버린 핏줄기와 황량한 가슴속 버튼을 눌러 다오./ 그에게로 가서 나도// 그의 전파가 되고 싶다.// 우리들은 모두/ 사랑이 되고 싶다.// 끄고 싶을 때 끄고 켜고 싶을 때 켤 수 있는/ 라디오가 되고 싶다."

김춘수의 이 시는 무의미시, 인공시 등으로 불리지만 엄밀히 말해 '양명학'의 창시자인 왕양명의 철학에서 따왔을 수도 있는 것 같아요. 아니면 그만이고.

왕양명이 한 친구로부터 "자네는 천하에 마음 밖에는 물이 없다고 하는데 이 꽃나무의 꽃은 (자네의 마음과 상관없이) 산속에서 저절로 피었다가 저절로 떨어지네. 나의 마음과 무슨 상관이 있나?"는 질문을 받자 "자네가 아직 이 꽃을 보지 못하였을 때는 이 꽃이 자네의 마음과 함께 (아무런 상관이 없는) 정적의 상태에 돌아가 있었다. 자네가 이 꽃을 보았을 때는 이것의 색깔이 일시에 또렷해졌다. 이것을 보면 이 꽃이 자네의 마음밖에 있지 않음을 알 수 있다."

김춘수 시인의 꽃과 왕양명의 생각이 다르면 할 수 없고. 이헌태 내 마음대로 지껄이는 것입니다.

이번 백두대간 산행에서 진달래꽃을 보았습니다만 불멸의 시 '진달래꽃'의 김소월. 김억이 번역한 영국의 시인 예이츠의 '그는 하늘나라의 옷감을 원한다'는 시를 그렇게 좋아했다고 해요.

"내게 만일 금빛 은빛으로 곱게 짜인/ 하늘나라의 수놓은 옷감이 있다면/ 밤과 낮과 황혼의/ 파랗고 어슴프레하고 어두운 빛의 옷감이 있다면 나는 그 옷감을 당신 발아래 깔아 드리우리다/ 허나, 나는 가난하여 가진 건 꿈 뿐이라/ 내 꿈에 당신 발 아래 깔았사오니/ 사뿐히 밟으시라. 당신은 내 꿈을 밟으시니."

진짜로 비슷하고만요. 김소월 시인님 실망했어요. 농담. '진달래꽃'이란 시도 너무 좋고 다른 시도 너무 좋아요.

얼마 전 전 정권실세가 감옥에 가면서 한 말, "꽃이 지기로서니 바람을 탓할 소냐."며 유명한 시에서 인용했죠.

조지훈의 '낙화'. "꽃이 지기로소니/ 바람을 탓하랴.// 주렴 밖에 성긴 별이/ 하나 둘 스러지고// 귀촉도 울음 뒤에 머언 산이 닥아서다.// 촛불을 꺼야 하리/ 꽃이 지는데// 꽃 지는 그림자/ 뜰에 어리어// 하이얀 미닫이가/ 우련 붉어라.// 묻혀서 사는 이의/ 고운 마음을// 아는 이 있을까/ 저허하노니// 꽃이 지는 아침은/ 울고 싶어라."

이 훌륭한 시는 조선시대 송순의 시와 약간 비슷해요. 송순이 기묘사화로 선비들이 억울하게 희생되자 "꽃이 진다고 새들아 슬퍼마라/ 바람에 흩날리니 꽃의 탓 아니로다/ 가노라 희젓는 봄을 새와 무삼하리오"

김수영의 '풀'이란 시 있죠. "……풀이 눕는다. 바람보다도 더 빨리 눕는다. 바람보다도 더 빨리 울고 바람보다 먼저 일어난다.……
바람보다 늦게 누워도 바람보다 먼저 일어나고 바람보다 늦게 울어도 바람보다 먼저 웃는다."

이것은 공자님 말씀가운데 '바람과 풀'에서 아이디어를 얻은 것이 아닐까요. 민초사상을 넣어서.

논어 '안연'편에 보면. 계강자가 공자에게 "만약 말썽을 피우거나 분란을 일으키는 작자를 엄벌에 처하고 즉, 사형을 시켜서 일반 백성들이 선량한 사람과 가까이 하도록 하면 어떻겠습니까?"라고 묻자 공자 왈, "당신은 정치를 하면서 어찌 사람을 죽일 생각을 하십니까. 당신과 같은 사회지도층이 착하게 살라고 하면 민도 착하게 삽니다. 군자의 역할은 바람과 비슷하고 소인의 역할은 풀과 비슷하지요. 아시다시피 풀 위에 바람이 불면 풀은 반드시 드러눕지 않습니까."

공자도 '사형반대주의'자 였구만. 이헌태가 생각해도 사형을 왜 시키는데, 죽을 때까지 징역살게 하면 되지.

하여튼 인간 이헌태 연구대상이구만. 참 할 일 없다. 우째 역사적으로 존경받는 분들을 깎아내리려고 눈이 벌겋게 충혈되어 있는고.
그런게 아니고요, 훌륭하신 분들도 갑자기 하늘에서 떨어지지 않았다는 것을 보여주고 싶었고 또 21세기 정보과학기술시대에는 모방과 창조가 다 중요하다는 이헌태의 심오한 철학적 사유적 얘기죠.
뭐야.

반

대미산에서 하산을 하다 보니 남녘땅 백두대간의 딱 반 지점에 도착했다. 백두대간 중간지점이라는 이정표가 세워져 있었다. "경기평택여산회 백두대간구간종주대"가 세웠다. 참 고마운 일이다. 남쪽방향인 천왕봉까지도 367.325킬로미터 그리고 북쪽방향인 진부령까지도 367.325킬로미터 딱 한가운데에 있다는 것이다. 이 대간거리는 포항셀파산장의 실측거리에 따른 것이라고 설명해 두었다. 모두들 고생 많이 하시네요.

아, 이 기쁨! 베트남출신 틱낫한 스님의 '기쁜 소식'이란 시의 한 구절이 생각난다. "기쁜 소식은 신문에 나지 않는다. 기쁜 소식은 우리가 쓴다.……"

처음 출발 할 때는 언제 끝까지 갈까. 또 반이나 갈까 걱정했는데, 벌써 반을 지나온 것이다. 거의 일년 반이란 긴 세월이 걸렸다. 그것도 산길을 따라 367킬로미터 머나먼 대장정을. 이것은 인간 이헌태가 이룩한 것이다. 이헌태도 대견하다, 대단하다. 지나온 길이 그립고 앞으로 지나갈 길이 기다려진다. 이럴 때 생각나는 한마디, "티끌모아 태산"

원효의 '발심수행중'에서 "시간이 지나가 어느새 하루가 되고 하루하루가 어느새 한달이 되고 한달 두달이 흘러 문득 한해가 되고 한해두해가 바뀌어 어느덧 죽음에 이르게 된다."고 말씀하셨는데. 뭐야. 평범한 말씀이네. 그리고 죽음이 왜 나와. 그럼 이헌태 주장하는 바가 뭐야. 저는 그냥 가다보면 어딘가에 도착한다는 당연한 말씀을 얘기하고 싶을 뿐인데.

또 하나, 백두대간 종주 산행을 시작한 지 벌써 일년 반이 훌쩍 지났다. 목표가 있으면, 그것도 재미난 목표가 있으면 시간이 더 빨리 지나가는 것 같다. 그래서 나온 조병화 시인의 '계절'.

“어렵게 개나리가 피더니/ 목련이 진다.// 개나리가 피다 지면/ 아카시아, 장미가 피고// 아카시아, 장미가 지면/ 단풍 낙엽의 계절이 되겠지// 그러다간 어느새 또 눈 내리고 바람 부는 엄동설한이 되겠지// 세월 빠르다// 아, 사랑아// 나는 지금 계절의 특급을 타고/ 정신 없이 네 곁을 달리고 있다.”

계절하니 생각나는 도연명의 '사시(四時) 사계절(四季節)'이란 시. “봄물은 못마다 가득히 차고/ 여름구름 묘한 봉우리 많기도 하다/ 가을달은 높이 떠 밝게 비취고/ 겨울고개 솔 한 그루 아름답구나” 참 이상한 시네. 한 시점에서 사계절 동시출연이 불가능하다는 것은 두말 하면 잔소리. 이런 시는 연말 '결산시'인가.

하산하면서 계곡을 만났다. 물이 그렇게 깨끗하고 맑을 수 없었다. “맑은 물은 푸른 산에서 흘러나온다. 물은 산의 빛을 띠기 때문이다. 명시는 맑은 술에서 우러난다. 술에서 시흥을 얻기 때문이다.” 뭐야.

하여튼 계곡물도 3주 전 보다는 덜 차가웠고 땀과 속세의 나쁜 기운을 모두 씻었다. 마을로 내려와서 얼굴을 돌려 백두대간 주릉을 다시 보니 여름철의 우거진 신록의 푸른 밀림이 시원하면서도 평화롭게 다가왔고 그 주변을 에워싸고 있는 수많은 산들이 만든 ‘산속 숲의 나라’가 속세와 다른 별천지를 실감케 했다.

예전 선승과 시인, 묵객들이 청산녹수의 자연을 보고 “청산은 붓을 들어 그린 그림이 아니어도 천추에 뛰어난 그림이요. 계곡을 흐르는 푸른 물소리는 줄이 없지만 만고에 빼어난 거문고다.”라고 했든가.

이와 유사품. 삿갓하나 눌러쓰고 평생을 정처 없이 떠돌아다닌 방랑시인 김삿갓. 바람의 딸인 한비야는 김삿갓의 후예. 그때는 배고파 죽었을지 몰라도 요즘은 돈도 벌고 인기짱이죠. 김삿갓도 한 수 읊었더라구요. "시냇물은 무생법인(절대의 진리)의 법문을 들려주고 솔바람은 태고의 거문고를 연주한다."

이 산골 마을은 유명한 산인 황정산 입구라서 등산객이 많은 모양이지. 옛날로 보면 술도가인 한백주제조장이 등산객을 대상으로 직접 영업을 하고 있었다. 산머루주를 사서 한잔 씩 돌렸다. 향도 좋고 술맛도 너무 좋다. 경치 좋고 공기 좋고 술맛 좋고, 이것이 바로 무릉도원이 아닐까.

서울로 돌아와 집에 도착했다. 이번 산행에 아들을 꼭 데리고 가려고 했는데 이 따식이 막판에 "갑자기 할 일이 있다."면서 동행을 거부했죠. 다음에 꼭 데리고 가야지. 한 때 이 아부지따라 전국의 명산은 다 가 본 놈이죠. 그때는 백두산 다람쥐란 별명까지 얻었는데. 다음에 꼭 가자. 공부가 밥 먹여주나, 어릴 때부터 산천초목을 즐기는 법을 배워야지. 알겠냐. 잡글 읽으시느라 고생하시는 여러분 모두 안녕.

제3장 여름

6월

6월 5일(토), 6일(일). 백두대간 종주 27번째 산행에 나섰다. 계절도 이제 완연 여름에 들어섰다. 한낮에는 작열하는 땡볕 때문에 대지는 이글거리고 사람들은 땀으로 목과 등을 흥건히 적시는 무더위도 이어지고 있다.

인디언에 따르면 6월은 "수수염이 나는 달(위네바고족), 더위가 시작되는 달(퐁카족), 나뭇잎이 짙어지는 달(테와 푸에블로족), 황소가 짝짓기하는 달(오마하족), 말없이 거미를 바라보게 되는 달(체로키족)"

캄캄한 하늘에는 별은 아예 종적을 감추고 무림의 고수들의 어마어마한 칼싸움이 벌어질 듯한 무협지의 배경처럼 구름이 날카롭게 칼날을 세우며 하늘을 뒤덮고 있는 가운데 달빛이 세상을 비추기 위해 언뜻 언뜻 눈치를 보며 안간힘을 쓰고 있었다.

기괴한 구름과 교교한 달빛을 받아 대간을 따라 산정상으로 난 좁은 시멘트 도로를 오르기 시작했다. 숲길이 아니라 도로길은 어스름한 달빛을 받아 행군하기에 아무런 지장이 없었다. 랜턴이 필요 없었다. 너무나 고마운 달빛이었다.

광해군 때 문신인 이지천의 한시 한수. "대자연은 시비가 있을 수 없으나/ 속세의 인간은 시비 속에 사니라/ 시비를 잊고 우선 술을 마실지니/ 시흥이 나면 시를 이야기 하게나/ 푸른 물은 그침없이 흘러가고/ 푸른 산도 영원히 푸르기만 하니라/ 발을 걷어올리고 멀리 바라보니/ 엷은 구름 사이로 조각달이 떠 있네"

초입, 산행 도로변에는 잣나무 군락이 호위병처럼 사열하고 있었고 어두워서 잘 보이지 않았지만 깜깜한 밤에도 눈에 확 들어오는 하얀 꽃의 찔레꽃 향기가 코를 찔렀고 그 향기가 뇌 속까지, 가슴 속까지 깊숙이 후벼 파고 들었다. 나는 향긋한 찔레꽃 향기를 한껏 맡기 위해 코를 연신 들어 쉬었다.

헛소리 하나. 자연의 향기를 가슴속 깊이 들이쉬는 것은 별 것 아닌 것 같아도 보잘 것 없는 인간 이헌태가 무한한 우주에 참여하는 것이죠. 와, 대단하다. 무슨 소리냐고요. 프랑스 실존주의 철학자 샤르트르는 "내가 숨 쉬는 것조차 세계에 참여하는 것."이라면서 지식인의 현실참여를 적극 피력했죠. 멋있는 말이 있죠. "세계에 참여하고 세계를 선택한다."

이헌태가 숨 한번 크게 내쉬는 것 갖고, 우주와 대화하고 호흡하고 참여하는 것까지 의미부여하기는 너무 심한 것 아닌가. 그럼 방구 '뽕'도 우주에 참여하는 것인가, 우주를 오염시키는 것이지. 하여튼 이헌태의 주장의 결론, 우주적 사고를 갖자는 것. 내공은 없으면서 껍데기만 마구마구 업그레이드시켜 놓았구만. 자연보호는 지구적, 우주적 사고에서 나올 수 있습니다. 우주적 관점에서 보아야 지구를 보호할 논거가 생기니까요. 니 대단하다.

자연을 예찬하고 문명사회를 통렬하게 비판한 헨리 데이빗 소로우의 '월든'. 이 책에 나오는 저자의 자연교감이 딱 들어맞는다. "몹시도 상쾌한 저녁이다. 이런 때는 온몸이 하나의 감각기관이 되어 모든 땀구멍으로 기쁨을 들이마신다. 나는 자연의 일부가 되어 이상하리만큼 자유롭게 돌아다닌다. 모든 자연현상들이 그 어느 때보다 내 마음을 흡족하게 한다."

호연지기

싱거운 코너. 이헌태의 창작 문제. 초등학교 6학년 국어문제로 적당할까요. 조금 수준이 높나, 낮나. 호연지기는 어디에서 생길 가능성이 높나요. 1) 강 2) 산 3) 가정 4) 학교. 정답은 마음대로 하세요. 집에서는 호연지기가 안 생기나요. 책에서도 생긴다고 하든데.

어떤 통계를 보니 전남지역의 경우 장수마을을 조사해보니 산과 바닷가였다고 하네요. 맑은 공기, 깨끗한 물이 장수에 영향을 미쳤다고 분석했더라구요. 하여튼 산과 바다를 사랑합시다. 특히 산. 바다는 배타고 멀리 나가야 거친 바다를 경험하지 해변가에서 구경하면 뭐 할 건데. 산은 그냥 올라가면 되니까.

'호연지기'가 나온 김에. 어원을 찾아보죠. 공손추가 맹자에게 "선생님, 호연지기란 무엇입니까?"라고 물으니 맹자 왈, "말로 설명하기 어렵지만, 그 기는 지극히 크고 지극히 굳센 것인데, 그것을 올곧게 길러서 해치지만 않는다면 천지간에 가득 찰 수 있게 된다.

또 그 기는 정의(正義)와 정도(正道)에 함께 오는 것이니, 그것이 없으면 허탈해진다. 호연지기는 의가 모여서 된 것이지, 의를 밖에서 빌어온 것은 아니다. 반드시 의로운 일이 있다면, 그것을 그만두어 버리지 말고 마음을 망령되이 갖지 말고 무리하게 잘 되게 하지 말아야 하는 것이다."

맹자는 사람이 가져야 할 정신 자세를 '호연지기'라고 했죠. '호연지기'란 정의와 도리에 뿌리를 두어 비굴하지 않고 조금도 부끄러울 바 없는 용기를 뜻하죠. 이 같은 '호연지기'의 좋은 뜻이 이제는 '통 큰 인물'로 약간 바뀐 면도 없지는 않지만요. 처음 이 말을 쓴 맹자도 이 말을 설명하기 어렵다고 했으니 이 말을 해석하는 사람은 오죽 하겠습니까.

나의 말

'바다'하니까 생각나는데 저도 군 생활을 바다가 보이는 섬에서 했죠. 바다를 보고 있노라면 마음이 불끈불끈. 가끔 운동장에 갈매기가 내려앉기도 했습니다. 언젠가 밤에 문득 하늘을 보니 검은 도화지에 온통 별이 가득 찼었죠. 말로만 듣던 별이 흐르는 은하수, 그 은하수를 보니 힘든 몸이 날아갈 것 같았습니다. 태어나서 처음 보는 광경. 여러분도 은하수를 꼭 보기를 바랍니다!

사랑

소백산 정상 비로봉을 떠난 지 한시간 반가량 걸린 뒤 국망봉 바로 아래 평지에 도착했다. 그 곳에서 정상주도 마시고 산상시 낭독 시간도 가졌다.

그런데 웬 파리와 벌이, 사람이 그냥 앉아 있을 수가 없을 정도로 많았고 못살게 굴었다. 이 아름답고 좋은 곳에 이런 놈이 인간들을 못살게 굴다니. 메뚜기 떼가 휩쓸고 간 펄벅의 소설 '대지'가 생각난다. 혹시 나중에 벌과 파리 때문에 인간 사회가 망하는 것은 아닌지. 재수 없는 소리인가. 아주 피곤하구만. 시 낭송회를 보러 온 귀족 파리와 벌인가. 설마.

시 낭송 두 편. 고정희 시인의 '상한 영혼을 위하여'. "상한 갈대라도 하늘 아래선/ 한 계절 넉넉히 흔들리거니/ 뿌리 깊으면야/ 밑둥 잘리어도 새 순은 돋거니/ 충분히 흔들리자 상한 영혼이여/ 충분히 흔들리며 고통에게로 가자// 뿌리 없이 흔들리는 부평초잎이라도/ 물 고이면 꽃은 피거니/ 이 세상 어디서나 개울은 흐르고/ 이 세상 어디서나 등불은 켜지듯/ 가자 고통이여 살 맞대고 가자/ 외롭기로 작정하면 어딘들 못 가랴/ 가기로 목숨 걸면 지는 해가 문제랴// 고통과 설움의 땅 훨훨 지나서/ 뿌리 깊은 벌판에 서자/ 두 팔로 막아도 바람은 불 듯/ 영원한 눈물이란 없느니라/ 영원한 비탄이란 없느니라/ 캄캄한 밤이라도 하늘 아래선/ 마주잡을 손 하나 오고 있거니"

또 하나 유하 시인의 '나무를 낳는 새'. "찌르레기 한 마리 날아와/ 나무에게 키스했을 때/ 나무는 새의 입 속에/ 산수유 열매를 넣어주었습니다// 달콤한 과육의 시절이 끝나고/ 어느 날 허공을 날던 새는/ 최후의 추락을 맞이하였습니다/ 바람이, 떨어진 새의 육신을 거두어 가는 동안/ 그의 몸 안에 남아 있던 산수유 씨앗들은/ 싹을 틔워 잎새 무성한 나무가 되었습니다// 나무는 그렇듯/ 새가 낳은 자식이기도 한 것입니다// 새떼가 날아갑니다/ 울창한 숲의 내세가 날아갑니다"

하나 더. 유대장이 준비한 '결혼에 대하여'란 글을 읽었다. 원문을 소개하면. "……알미트라는 다시 물었다. 그러면 스승이여, 결혼이란 무엇인지요. 그는 대답했다. 그대들은 함께 태어났으며 또 영원히 함께 있으리라. 죽음의 흰 날개가 그대들의 한 생애를 흩어 사라지게 할 때까지 함께 있으리라.

아, 그대들은 함께 있으리라. 신의 고요한 기억 속에서까지도 함께 있으리라. 하나 '함께있음(공존)'에도 거리를 두라. 그리하여 천공의 바람이 그대들 사이에서 춤추게 하라.

서로서로를 사랑하라. 그러나 사랑에 속박되지는 말라. 차라리 그대들 영혼의 기슭 사이엔 출렁이는 바다를 놓아두라. 서로의 잔을 채우라. 그러나 절대로 잔 하나로 마시지 말라. 그대들의 빵을 서로 나눠주라. 그러나 절대로 한 덩어리의 방을 함께 먹으려 하지 말라. 함께 노래하고 춤추며 즐거워하라. 그러나 그대들 각자는 언제나 고독하게 있으라. 비록 하나의 음악을 울릴지라도 각 기타줄들은 홀로인 것처럼.

서로 가슴을 주라. 그러나 각각 간직하지는 말라. 오직 생명의 손길만이 그대들의 가슴을 간직할 수 있으니. 함께 서 있으라. 그러나 너무 가까이 서 있지는 말라. 사원의 기둥들도 서로 떨어져 서 있는 것을. 참나무와 사이프러스 나무도 서로의 그늘 속에서는 자라지 못한다."

아니 마누라하고 어떻게 지내라는 거요. 머리가 나쁜 이헌태는 도대체 이해를 못하겠어요. 마누라와 늘 붙어 다니라는 거요, 떨어져서 살아가라는 거요. 농담이고요. 구구절절이 맞는 말 같아요. 가장 가슴에 와닿는 말. "함께 서 있으라. 그러나 너무 가까이 서 있지는 말라." 부부가 서로에게 동반자가 되어야지 서로에게 매달리는 노예는 되지 말라는 뜻이겠죠. "부부는 서로에게 피곤한 사람이 되지 말고 서로에게 기쁨을 주는 사람이 되자." 이헌태의 어록 추가.

'법구경'에는 "사랑하는 사람을 갖지 말자."는 가르침이 있어요. 사랑하는 사람과 이별해야 한다는 것은 괴롭기 그지없는 일일 것이다. 언젠가는 겪어야할 괴로움이라면 차라리 사랑하는 사람을 갖지 않는 것이 괴로움에서 해방되는 길이라는 뜻이라고 하네요. 부처님도 죽어서도 이승의 산 사람을 잊지 못해 구천을 헤매어서는 안 된다고 했죠. '착'을 버리라고 했다나요.

일전에 개를 너무나 너무나 사랑스럽게 키우는 분을 만났는데 개 키우는데 관심을 보였더니 저보고 처음 개를 키우려고 하면 키우지 말라고 하더라구요. 정들다 죽으면 가족 가운데 한 사람이 죽는 고통을 겪는다고 하더라구요. 하여튼 횡설수설.

동생의 말

'천공의 바람이 그대들 사이에서 춤추게 하라', '하나의 음악을 울릴지라도 각 기타줄들은 홀로인 것처럼' 참 좋네요. 무언가를 사랑할수록 일정거리를 유지하는 건 중요한 것 같아요. 깊이 빠져들되

자기 자신을 잃어버리지 않도록 말이에요. 고작 이십여년밖에 살지 않은 제가 뭘 알겠냐만은. 왜, 정말로 좋아하는 취미는 직업으로 삼지 말라고 하잖아요. 이 예시가 아닌가. 아무튼, 이와 비슷한 가사의 알앤비 팝송이 있는데 아주 아주 좋습니다. 바로 'Emily King'의 'Distance'인데 꼭 들어보세요. 저는 비오는 날 들으면 좋더라고요.

몸

사랑해서도 싫어해서도 안 될 것 하나. 몸. 웬 뚱딴지. 당나라 백거이, 자가 낙천(樂天). 낙천적이었죠. 호는 취음선생(醉吟先生), 이헌태와 '코드'가 맞구만. 이백(李白)이 죽은 지 10년, 두보(杜甫)가 죽은 지 2년 후에 태어났으며, 같은 시대의 한유(韓愈)와 더불어 '이두한백(李杜韓白)'으로 병칭되었죠.

그의 시 '逍遙詠'(소요영, 노닐며 노래하다). "赤莫戀此身(적막연차신) 몸을 사랑하지도/ 赤莫厭此身(적막염차신) 싫어하지도 말아라/ 萬劫煩惱根(만겁번뇌근) 몸은 만겁 번뇌의 뿌리/ 一聚虛空塵(일취허공진) 먼지가 모인 근거 없는 것/ 無戀赤無厭(무연적무염) 사랑도 없고 미움도 없으니/ 始是逍遙人(시시소요인) 이제야 자유로이 노니는 사람"

몸이 나온 김에 최근 책 가운데 '21세기 지식키워드 100'에 나오는 몸을 간략하게 정리하면 다음과 같아요. 인간을 구성하는 마음의 '맘'과 신체의 '몸'은 말이 비슷하구만.

플라톤은 몸은 영혼의 감옥이고 이데아를 인식하는 이성적 영혼을 혼란시키는 근원으로 보았다고 하네요. 영혼이 몸과 결합함으로써 낮은 차원의 영혼인 욕망이 생겨났다고 본 것이죠. 영혼 즉, 정신과 몸을 이분법적으로 보면서 영혼이 몸보다 높은 존재론적인 지위를 지니고 있다는 위계론을 담고 있죠. 영혼은 선을 향하는 중심이고 몸은 악이 벌어지는 장소라는 것이죠.

이에 비해 아리스토텔레스는 영혼을 몸의 형상으로 보았다고 하네요. 근본적으로 몸과 영혼은 분리되는 것이 아니라 하나로 통일되어 있으면서 질료와 형상의 관계를 맺고 있다는 것이죠. 몸이 더욱 현실화되면 될수록 더욱더 영혼이 잘 드러나게 된다는 것이죠.

또 기독교 사상에서 바울이 몸을 모든 악의 원천으로 본 것은 플라톤적인 경향이고 종말에 이르러 예수의 부활한 몸처럼 신실한 자들의 몸이 거룩한 상태가 되어 천국을 이룬다는 생각은 아리스토텔레스적인 경향이라고 하네요.

근대에 이르러 데카르트는 몸을 철저히 기계-법칙적인 것으로 보고 정신을 목적-의지적인 것으로 보는 완전한 이분법을 제시했죠. 이에 따라 몸을 기계적인 메커니즘에 의거한 것으로 보는 생리학적 의학이 현대에 이르기까지 계속 발달되어 왔죠. 몸으로부터 인격성 자율성 주체성 등을 완전히 제거하는 경향이 가속화되었죠. 게놈프로젝트는 기계론적 입장이 최고도로 전개되어 나타난 것이라고 하네요.

메를로 퐁티의 '몸현상학'은 몸이란 결코 물리적이거나 생물학적인 것에 불과한 인과결정론적인 존재가 아니라 문화와 역사 전체를 일구어 낼뿐더러 그 얼개들을 자신의 것으로 체화시키고 있는 존재라고 보았죠. 푸코는 영혼은 몸의 감옥이라는 플라톤의 관념론을 뒤집어 몸이야말로 권력관계가 이루어지는 지반이 된다고 주장했죠. 권력에 연계되어 있는 지식의 담론들이 어떻게 몸을 관리 통솔 지배하는가를 드러낸다는 것이죠.

하여튼 수천년의 서양철학사를 통해 본 '몸'이 이렇게 깊은 뜻이 있는 줄 몰랐네. 동양에서는 너무 너무 간단한데. "육체는 없어질 먼지같고 이슬같은 것." 잉. 몸을 사랑합시다. 몸사랑의 최고조, '몸짱'.

플라톤은 몸을 극도로 싫어했구만. 하기사 '플라토닉 러브'는 관능적, 육체적 인 것을 배제한 남녀간 정신적 사랑을 뜻하죠. 플라톤은 공식적으로 80세 평생 독신으로 지냈다고 하네요. 이거 몸학대아닌가. 몸이 주인을 잘 못 만난 케이스구만.

동생의 말

모두가 스마트폰만 붙잡고 의미없이 SNS를 하는 시대가 왔습니다. 저도 예외는 아니고요. 다들 행복해 보이는 일상을 올리니 서로 비교하게 되어, SNS를 오래할수록 우울감은 높아지고 자존감은 낮아진다는 연구결과까지 나왔어요. 그래서인지 '자존감', 최근 몇 년간 출판계 키워드는 '자존감'이었죠. 여전히 베스트셀러에는 있는 그대로의 나를 받아들이고, 남을 지나치게 신경쓰지 않는, 자존감 회복에 대한 책들이 수두룩합니다. 내 마음을 올바르게 가꾸는 건 좋아요, 그런데 마음이라는 것이 쉽사리 바뀌기가 어렵잖아요. '마음'과 '몸'은 떼려야 뗄 수 없다고 생각하는데 많은 사람들이 '마음'에만 치우친 것 같았습니다. 그러다 공지영 작가님의 '딸에게 주는 레시피'를 읽었는데 '몸'의 중요성을 강조한 내용이 와닿고 정말 공감했어요. 본문 중 한 구절.
"다시 말하지만 육체를 보살펴야 한다. 네 육체에게 좋은 것을 먹이고 좋은 것을 입히고 좋은 말을 들려주고 좋은 향기를 맡게 해주어라. 해도 해도 지나치지 않은 말, 나를 사랑하는 것은 바로 내 몸에서부터 시작해야 해. 정신도 당연히 중요하지만 정신과 육체가 둘이 아니고, 그리고 정신보다 육체를 위하는 게 효과가 빠르고 좋으니까."

쾌락

몸이 전기오듯이 찌릿찌릿해지면 역시 '쾌락'. 쾌락은 망국(亡國)과 망가(亡家)의 근원. 중국을 처음으로 천하통일한 진시황. 진나라는 이세(二世) 호해에서 망한 나라가 되었죠. "짐은 천하의 쾌락이란 쾌락은 다 맛보고 일생을 보내련다."고 말하자 환관 조고가 "대단히 훌륭하신 말씀입니다."라며 얼씨구나 좋아했다고 하네요. 결국 바로 망했죠. 진시황으로 보면 진짜 허망한 거죠. 양의 동서를 막론하고 이렇게 허망한 정권은 전무후무했으니까요.

이와는 반대로 그리스 역사가 크세노폰이 스승인 소크라테스에게 한 말이 있더라구요. "많은 사람들이 절제하지 못하고 지나치게 향락에 빠져 있으나 절제하면서도 얼마든지 향락을 동시에 누릴 수 있다." 뭐야. 향락을 잘 즐기면 나라도 망하지 않고 개인도 망하지 않는다는 건데. 하기사 현대에 와서 이런 분들이 많다고는 하더라구요. '요령껏'하기 때문이라나요.

우리나라도 예전에는 "부자가 3대를 넘기기 어렵다."고 했는데 지금은 자본주의가 정착되어 가고 또 부자들의 재산관리가 잘 되어서인지(어찌나 재산관리를 잘하는지, 부잣집 아이들이 교육투자 덕분에 공부도 잘해요) 부자가 계속 부자일 가능성이 높다고 하네요. 반대로 가난한 사람이 '부자되기'가 하늘에 별따기. 또 나라가 망해도 잘사는 사람은 망하지 않는다고 해요. 기업이 망해도 기업가는 망하지 않는다고 하고. 뭐가 뭔지. 현대는 '망(亡)의 법칙'이 예전하고 다르네.

쾌락하면 '에피쿠로스'학파가 떠오르죠. 유명한 표어인 '카르페 디엠(Carpe diem)'. '오늘을 즐겨라', 또는 '현재를 즐겨라'로 번역. 쾌락을 주장하다가 오랫동안 오해를 많이 받았죠. 단지 쾌락을 추구하는 것만이 아니라 살아있다는 사실에서 즐거움을 발견하라는 것, 소위 '안빈낙도(安貧樂道)'. 스콜라철학은 공(公)을 중요시했고 에피쿠르스철학은 사(私)를 중요시했다고 하네요.

베르나르 베르베르의 장편소설 '뇌'를 보면 서양의 쾌락추구를 언급했죠. "옛날 사람들은 쾌락을 추구했다. 16세기 종교전쟁이 벌어지고 구교와 신교간에 근엄함의 경쟁이 격화되면서 달라졌다. 16세기까지 성은 하나의 정상적이고 생리적인 요구로 받아들여졌다. 중세의 한 유모를 그린 그림에서는 어린아이들을 달래거나 재우기 위해 수음을 시켜주곤 했다. 옛날의 프랑스 많은 도시에서는 시장들이 '시민들의 정신적 안정과 젊은이들의 교육을 위해서' 갈보집을 열었다. 수도사들에게 금지된 것은 결혼뿐으로 그것은 교회의 재산이 분산되는 것을 막기 위해서다. 공중목욕탕에 남녀가 함께 목욕했고 나중 교회가 콜레라와 페스트를 옮기는 불결한 장소로 규정해서 1530년 모두 문을 닫았다. 모두 침대에서 벌거벗고 잤지만 잠옷이라는 반쾌락적 요소가 나타났다. 에피쿠로스에 반하는 악습으로 손수건과 포크가 나타났고 코를 만지지 못하게 했고 손가락으로 음식을 집어먹는 습관이 사라졌다." 이 이야기 진짜로 맞나. 소설로 지어낸 것 아닌가. 참 웃기는 세상이었구만.

이야기가 너무 옆길로 빠졌나. 역시 거리하면 한국최고의 벤쳐밸리 '테헤란밸리'가 아니고요, 일본의 대표적 소설가인 무라카미 하루키죠. 그의 대표작 '상실의 시대'에 나오는 말. "모든 사물을 너무 심각하게 생각하지 말 것, 모든 사물과 나 사이에 적당한 거리를 둘 것." 참 맞습니다.

'상실의 시대'에는 이런 구절도 있어요. "인생은 비스킷통 이라고 생각하면 돼요. 비스킷통에 비스킷이 가득 들어 있고, 거기엔 좋아하는 것과 그렇게 좋아하지 않는 것이 있잖아요? 그래서 먼저 좋아하는 것을 자꾸 먹어버리면 그 다음엔 그다지 좋아하지 않는 것만 남게 되죠. 난 괴로운 일이 생기면 언제나 그렇게 생각해요. 지금 이걸 겪어 두면 나중에 편해진다고 인생은 비스킷통이다 라고." 뭐야. 그렇게 살아도 되는 건가.

거리 가운데 가장 먼 거리는 태양계가 속한 은하계와 안드로메다 은하계가 아니고요. 사람의 머리에서 가슴까지의 거리가 가장 먼 거리라고 하네요. 우주의 중심이 인간이라고 하면 얼핏 이해도 가죠. 차가운 이성과 뜨거운 가슴, 만세. 이헌태의 최종결론, 뭐든지 사랑하되 죽기살기 식으로 집착하지 맙시다.

하지

6월 26일(토), 27일(일) 주말을 맞아 백두대간 종주를 향한 28번째 산행에 나섰다. 계절적으로는 24절기상으로도 본격 여름철에 접어들었다.

나온 김에, 계절을 과학적으로 따져보자. 이번 주말은 하지(夏至, 6월 21일)와 소서(小暑, 7월 7일) 사이에 놓여있다. 만능백과사전 검색사이트에 들어가 보자.

하지. "하지 때는 일년 중 태양이 가장 높이 뜨고 낮의 길이가 길므로, 북반구의 지표면은 태양으로부터 가장 많은 열을 받는다. 그리고 이 열이 쌓여서 하지 이후에는 기온이 상승하여 몹시 더워진다. 중국에서는 하지 15일간을 5일씩 끊어서 3후(候)로 나눠서, ① 사슴의 뿔이 떨어지고, ② 매미가 울기 시작하며, ③ 반하(半夏)의 알이 생긴다고 했다. 한국의 농사력에서는 모내기가 끝나는 시기이며 장마가 시작되는 때이기도 하다." 아시겠죠. 간략하게 설명을 잘 해놓았구만.

소서. "중국에서는 이 시기의 15일을 3후(三候)로 나누어 ① 더운 바람이 불어오고, ② 귀뚜라미가 벽에 기어 다니며, ③ 매가 사나워진다고 하였다. 한국에서는 이 시기가 장마철이다."

하지는 24절기 가운데 열 번째에 해당된다고 해요. 벌써 절기상으로 10번째를 넘겼구만. 오로지 술 마시기 위해 기념명분 찾아다니는 사람한테는 좋은 건수겠구만. 술 마시러 가자, "그렇게 하지." 이것도 하지네.

불교에서 좋은 말씀 한 구절로 글 마무리. "우리 마음자리는 허공처럼 원만해서 모자람도 남음도 없다고 한다. 우리 마음은 본래 맑은 거울 같고 잔잔한 하늘과 같다." 이 말씀이 뜻하는 바는 즉, 맑은 거울을 덮고 있는 먼지와 티끌 같은 증오와 갈등과 욕심과 괴로움과 탐욕과 미혹을 버리라는 뜻이라고 하네요.

천재

초반부터 이빨부터 까겠습니다. 예전에 양주동 선생을 거론하면서 양이 넘쳐 '또라이 열전(列傳)'을 다음으로 미루었거든요. 여가삼아 '또라이 열전'을 간단하게나마 제 나름대로 정리했습니다. '또라이과(課)'에 속하는 별난 천재 대가(天才 大家), 등등.

먼저 편견을 버리기 위해 노자선생의 말씀부터 듣고. "정신적으로 탁월한 사람은 세상 사람들로부터 비웃음을 받는다. 비웃음을 받지 않은 사람은 정신적으로 탁월한 사람이라고 할 수 없다." 노선생의 말씀을 들어야지 다음에 등장하시는 분들을 '진짜 또라이'로 보지 않죠. 또라이도 '천재성 또라이'가 있고 '진짜 또라이'가 있습니다. 아시겠죠.

역시 '또라이과'의 원조는 장자죠. 장자는 마누라가 죽자 초기에는 슬퍼했지만 이내 질동이를 두드리며 술도 마시고 노래를 불렀죠. 요즘으로 치면 손가락질 받는 완전 또라이죠. 아니죠, 그러니까 '천재성 또라이'죠.

"그녀의 시초를 생각하면 생명도 없었다. 봄여름가을겨울 사시가 운행하는 것과 같은 이치, 내 아내는 천지라는 거대한 방에 잠들게 되었다." 너무 차원이 높다보니까 마누라 죽는 게 슬픈 일이 아니었던 모양입니다. 장자는 피도 눈물도 없구만.

또 이런 또라이도 있어요. 삼천갑자 동박삭. 중국 전한무제가 천하의 인재를 구했나 봐요. 그런 면에서 지금도 청와대 인사수석비서관의 역할이 중요하죠. "천하의 인재들을 구하라."

그때 동방삭이라는 사람이 스스로 나섰죠. 소위 '자천'. 낯 뜨겁나. 그는 물경 3천장의 대나무쪽에 적힌 글을 올렸죠. 종이가 없었으니. 무려 한무제가 두 달 걸려 읽었다고 하네요. 위풍당당, 안하무인, 기상천외한 내용으로 발탁되었죠. 그 후 그의 행동도 기인.

"제의 앞에서 음식물 하사가 있으면 먹다 남은 고기를 거리낌없이 품안에 넣고 갔다. 의복은 형편없었고 비단을 하사하면 어깨에 걸치고 갔다. 반 미치광이 취급을 당했다. 한여름 삼복에는 황제가 신하에게 고기를 내리는 것이 상례, 어느 날 고기는 준비되어 있는데 분배해주는 관원이 오지 않자 자신이 잘라서 '먼저 실례합니다'며 가버렸다. 왕이 이를 듣고 심문하자 '무례하지만 칼을 꺼내 베니 장렬하고 몇 조각에 지나지 않으니 염직하고 더구나 갖고 간 고기를 처에게 주니 얼마나 정다운 일입니까'라고 답했다. 무제는 고기 백근을 또 내리어 부인에게 갖다 주라고 했다. 동방삭은 직언도 잘하고 책도 많이 읽었다. 그는 술에 취하면 '나는 궁중에서 세상을 피한다. 세상을 피하는 것은 비단 심산의 초가집뿐만은 아니다'고 특유의 '궁중론'을 펼치기도 했다. 일설에는 서민들의 사랑을 많이 받았다고 한다. 그에 대한 전설도 있다. 서왕모의 복숭아를 세 개 훔쳐 먹었기 때문에 삼천갑자(3000 곱하기 60)나 장수하였다는 것이다."

중국 북송시절, 동시대인물로서 극심한 라이벌이었던 두 분도 어떻게 보면 또라이이면서 기인이고 천재죠. 소동파와 왕안석.

임어당은 '소동파평전'에서 "구제불능의 낙천가, 위대한 인도주의자, 백성들의 친구이자 위대한 작가, 달빛아래 배회하기를 즐기는 사람, 낙천적 수다꾼, 노는 것 좋아하고 자신을 위해 한 푼도 비축하지 않고, 언제나 위트가 넘치는 인물."로 묘사했죠.

소동파는 또 직설적 성격으로 자신의 마음에 들지 않을 때는 "마치 음식물에서 파리를 발견했을 때처럼 그것을 뱉어내야만 직성이 풀린다."고 까지 했다고 하네요. 동생 소철에게 "나는 위로는 옥황상제와도 사귈 수 있으며 아래로는 거지들과도 잘 어울릴 수 있다. 내 생각에는 이 세상에 악한 사람이라곤 단 하나도 없는 것 같다."고 말했을 정도로 파격적인 성격의 소유자였다. 소동파는 이헌태의 우상이죠.

소동파는 라이벌인 왕안석에 대해 '성격장애자'라고 힐난했죠. 그의 코멘트, "야만인의 관복을 입고 개, 돼지들의 음식을 먹는 죄수처럼 수염과 머리를 다듬지 않고 얼굴은 씻지도 않은 채 시와 역사에 대해 논한다."고 말했죠. 물론 중국의 유명한 근대학자 양계초는 사유독점을 없애는 대신 국가독점을 실천한 왕안석에 대해 "현대 사회주의사상에 부합하는 인물."이라고 변호했지만 말이죠.

또라이는 또라이인데 '감성 천재 또라이'도 있더라구요. 전국시대 사상가인 양주는 갈림길에 이르면 언제나 울음을 터뜨렸다고 하네요. 이유는 작은 선택이 인생의 큰 흐름을 바꾸어 놓을 수 있기 때문에 선택되지 않는 길에 대한 아쉬움 때문이었다고 해요. 황당하네. 설마 그렇게 까지. 양주처럼 살다가 매일 눈물이고 평생이 눈물이네.

시인 워즈워드는 "호박꽃 같은 (천한) 꽃에서도 삶의 신비감에 눈물이 쏟아져 나오는 것을 금할 수 없다."고 했어요. 꽃을 보고, 눈물을 주룩주룩. 이 분도 심하네.

고사성어 가운데 또라이가 있어요. 이놈은 '천재성 또라이'가 아니고 '진짜 또라이'입니다. '미생지신(尾生之信)'. '사기'와 '장자'에 나오는 말. 내용인 즉, "추시대 노(魯)나라에 미생(尾生)이라는 사람이 있었는데, 사랑하는 여자와 다리 아래에서 만나기로 약속하고 기다렸으나 여자가 오지 않자 소나기가 내려 물이 밀려와도 끝내 자리를 떠나지 않고 기다리다가 마침내 교각을 끌어안고 죽었다."
이에 장자는 "이런 인간은 제사에 쓰려고 찢어발긴 개나 물에 떠내려가는 돼지, 아니면 쪽박을 들고 빌어먹는 거지와 다를 바 없다. 쓸데없는 명분에 빠져 소중한 목숨을 가벼이 여기는 인간은 진정한 삶의 길을 모르는 놈이다."며 한심해 했죠.

'천재성 또라이'가 등장했으니 이번에는 '천재'들을 소개합니다. 다른 말로, 수재(秀才)라고도 하죠. 수재라는 말은 중국 남북조시대 때 장원급제한 사람에게 불리는 호칭이 원조라고 하네요. 현재 우리나라에서는 똘똘하면 다 수재라고 하죠. 지금 남, 북한시대와 남, 북조시대가 비슷하네. 대한민국도 수재가 가장 필요할 때이죠.
한국에서 수재는 누가 있을까요. 특히 어릴 때 주변을 경악시킨 몇 분 골랐습니다. 소위 '신동(神童)' 1) 김시습. 세조가 등극하자 꼴 보기 싫어 은둔한 생육신의 한 명.
이 분은 태어난 지 8개월 만에 글을 알았고 3살 때 시를 짓기 시작했고 5살 때 세종대왕의 칭찬을 받고 '오세'란 별명으로 불렸다고 하네요. '김오세'였구만. 이헌태는 '이사십' 사십이 되도록 아직 정신 못 차리고 있다고.

김시습이 5살 때 재상 허주가 세종대왕의 명을 받고 '노'자로 시를 주문하자 "늙은 나무에 꽃이 피니 그 마음은 늙지 않았네(老木開花必不老)."라고 지었다고 하네요. 똑똑하기는 똑똑하네. 엄마 젖도 아직 떼지 않은 게 늙은 것에 대해 뭘 안다고, 조숙했구만. 너무 심했나. 흔히 요즘에도 노인어른들 가운데 '마음은 청춘'이라고 우기시는 분(?)들이 많은데 김시습이 원조구만.

조선시대 백호 임제도 대단하죠. 어릴 때 서당 훈장이 무지개를 주제로 작시를 요청하자 "몇 필의 푸르고 붉은 비단을 직녀의 베틀에서 끊어내어 견우의 옷을 짓고자 비온 뒤 씻어서 하늘에 걸었구나." 이 분도 어릴 때부터 조숙했구만. 머리에 피도 안 마른 게 견우, 직녀 사랑타령을 배워 가지고는. 조상들은 왜 다 이 모양인가. 이헌태가 너무 버릇없이 굴었나.

그는 또 8세 때, 이감사라는 사람과 칠언시를 주고받았죠. 이감사가 "탑 아래 어린 소나무가 높으면 얼마나 높으냐. 탑은 높고 소나무는 짧으니 상대가 되지 않는다."고 한방 먹였죠. 이에 백호는 "옆에 있는 분은 소나무가 어리고 짧다고 웃지 마오. 뒷날 소나무가 높이 자라면 반대로 탑이 낮아지리니." 어른 코를 납작하게 만드는 것은 좋은데, 얘가 너무 시건방진 것 같기도 하고.

이조 유학의 대가인 율곡 이이 선생도 8세에 시를 지었더라구요. "숲속 정자에도 가을도 이미 늦었는데/ 시인의 회포는 끝 간 줄을 몰라라/ 멀리 강물은 하늘에 이어 파랗고/ 서리 맞은 단풍은 햇볕에 더욱 붉구나// 산은 외로운 달을 토해내고/ 강은 만리 바람을 머금었는데/ 찬 기러기는 어디로 날아가느뇨/ 처량한 울음소리 구름 속에 끊기누나" 10살 때는 '경포대부'라는 글을 통해 "하늘은 유유하여 더욱 멀고 달은 교교하여 빛을 발한다." 참 대단합니다요. 대단해요.

훌륭한 조상들의 경우 7, 8살 때부터 저 정도로 깨우쳤으면 꼬마 신랑이라는 말도 황당하지는 않구만. 그분들의 경우 지금 내 나이 40살 쯤 정도 되면 '인생 황혼기'였겠구만. 이헌태가 대략 20살 넘어서면서부터 겨우 철이 들었다고 보면 그 분들은 나보다 훨씬 인생을 알차게 사셨구만. 이헌태의 80년 인생이 당시 학자들의 40년 인생과 가치가 같구만.

또 있습니다. 조선 후기 당대 최고의 지식인 정약용선생도 7살 때 "작은 산이 큰 산을 가리우니/ 멀고 가까운 거리가 같지 않음이라"이라는 시를 지었다고 하네요. 지금도 '공무원의 모범'인 '정약용' 선생도 역시 천재 반열에 들어갔구만.

올해가 무슨 해인 줄 아시죠. 갑신년입니다. 딱 120년전인 1884년 갑신정변이 일어났습니다. 서양문물에 눈 뜬 지식인들이 고리타분한 세상을 바꾸기 위해 쿠데타를 했습니다. 핵심주동인물이 김옥균이죠. 이 김옥균이란 인물이 대단해요. 불과 6살 때 부친이 달을 가리키며 시 한 수 지으라고 하니, 즉석에서 "달은 비록 작지만 천하를 비춘다(月雖小照天下)." 맹랑하기는. 어릴 때부터 천하를 거머쥐려는 포부가 있었구만.

이 김옥균이란 분이 1884년 12월 4일 쿠데타를 일으켰지만 3일 천하에 그치고 일본으로 도망가서 결국 10년이란 긴 세월을 망명

했다가 중국 상해에서 살해되었죠. 그 사이 처, 자식은 노비가 되어 비참한 인생을 살았죠. 94년 4월 14일 지금의 합정동 양화진 백사장에서 난도질을 당했고 장대에 사흘간 매달려있었다고 하네요. 옥균아, 불쌍타.

혁명은 성공하든지 해야지 실패하면 아주 처참해지죠. "사랑은 아무나 하나"가 아니고 "혁명은 아무나 하나". 당대의 사람들은 이 분에 대해서 여러 가지 평이 나오고 있지만 일부에서는 "재주는 조금 있으나 때때로 그 몸을 위험에 빠뜨리기에 족하다."고 했다고 하네요. 올해 갑신년을 맞아 혁명과 개혁, 김옥균에 대해 한 번 더 진지하게 생각해봅시다.

제가 국수주의자는 아니니까. 외국 선수 한명만 소개하죠. 공자, 맹자선생이 만든 유교가 나중 '선지후행'의 사변적 주자학과 '지행합일'의 행동철학 양명학으로 나뉘어졌지만. 양명학을 만든 왕양명이 11세 때 지은 즉흥시가 있죠.

"산은 가깝고 달은 멀어서 달이 작은 듯하니/ 이 산은 달보다도 크다고 말한다/ 만일 사람이 눈크기가 하늘과 같을 수 있다면 산이 작고 달이 더욱 광활함을 도리어 알게되리니" 어릴 때 신동들은 달과 산을 갖고 많이 장난을 쳤구만.

이헌태는 8-10살 때 동심의 나래를 맘껏 펼쳤죠. 동네나 인근 주변을 돌아다니면서 놀기만 했죠. '철없이'. 너무 철없이 놀았다. 너무 겸손한가. 제가 만약 그때 시를 한수 읊었다고 하면 대략 이쯤. "저 달도 헛것이고 저 나무도 헛것이고 우리 인생도 헛것이고 모든 게 헛것이다." 천재노릇 하려면 자자한 인간의 삶을 뛰어넘는 파격적인 천재가 되어야지. '완전 평정'입니다요. 너무 심했나. 티벳에서 전생활불(轉生活佛)한 어린 달라이라마 수준이구만. '완전 평정'이 아니고 '완전 평지풍파'구만.

아침

고요하고 적막한 숲 속에도 날이 새면서 아침이 찾아왔다. 짧은 순간의 감동이었다. 랜턴을 껐다. 해맑은 공기가 대지에 완연하고 고요한 침묵이 꽉 찬 숲 속 그 곳, 어둠의 밤에서 밝음의 아침으로 허물을 벗는 그 광경을 두 눈 똑똑히 뜨고 지켜보았다. 새벽창조, 조금 뻥쳐 천지창조와 같은 감동과 흥분을 느꼈습니다. 공장에서 아침을 만들 수는 없나요. 신만이 할 수 있다고요. 저녁이 되면 그냥 아침이 되고, 또 아침이 되면 그냥 낮이 되고 그런 거지 뭐. 저도 모르겠어요. 자연의 신비에 대해서.

박남수 시인의 시 '아침 아미지'가 딱 맞네요. "어둠은 새를 낳고 돌을 낳고 꽃을 낳는다./ 아침이면 어둠은 온갖 물상을 돌려주지만/ 무거운 어깨를 털고 물상들은 몸을 움직이어/ 노동의 시간을 즐기고 있다./ 즐거운 지상의 잔치에/ 금으로 타는 태양의 즐거운 울림,/ 아침이면 세상은 개벽한다."

아침이 되니 하늘 빛깔은 하얀색과 파란색의 배합이 확 늘고 주변의 만물의 모습이 생생하게 드러났다. 자연색의 변화와 만물의 환생은 순수하고 영롱하고 신비로운 빛 때문이겠죠. 그 빛이 천지만물에게 '기상'을 독촉하는 것 같습니다. "학교 가야지!"하면서 창 커튼을 확 젖혀 버리는 야속한 부모들처럼. 게으른 꽃과 어떤 나무는 "조금 더 잘게~"라고 투정을 하겠지요. 날이 새는 장면은 너무나 황홀했다. 천지 만물에 빛이 얼마나 귀한 존재인지를 다시금 깨닫게 해주었지요. 새벽만세, 햇볕만세, 태양만세. 이헌태만세. 이헌태만세는 빼고. 이럴 때 슬쩍. 죄송합니다.

새벽이 되는 장면을 보는 것은 가슴이 벅차고 좋은데 이 코스를 산행하면서 죽다 살아났습니다. 현실에 찌든 몸, 오바이트 헛구역질이 계속 나오고 속은 한바탕 전쟁이 벌어졌죠. 속세의 악한 기운과 산속의 선한 기운. '선악의 전쟁'. 결국 나중에는 선한 기운이 이겨서 몸이 정상으로 찾아왔죠. 역시 산행은 너무 너무 좋은 거예요. "돈을 잃는 것은 조금 잃는 것이고 명예를 잃는 것은 많이 잃는 것이고 건강을 잃는 것은 전부를 잃는 것이다." 길거리의 돌처럼 너무나 흔하고 진부하고 뻔한 얘기.

뻔한 얘기 하나 더. '고문진보'에 맹자 왈, "좌우의 신하들이 다 이 사람은 어진 사람이라 하더라도 믿어서는 안 되며 여러 대부들이 다 어진 사람이라고 해도 믿어서는 안 되며 나라 사람들 모두가 이 사람은 어진 사람이라고 말할 뒤에 직접 살펴보아 어진 사람이 틀림없으면 등용하는 것이다. 반대로 나라 사람들 모두가 이 사람을 죽여야한다고 하면 그것도 맞는 것이다." 전수조사. 모든 사람이 얘기하면 맞지. 그것을 말이라고 합니다. 싱거운 성인이시네.

소동파도 황제에게 "옛말에게 이르기를 '백 사람이 전부 잘못될 수는 없다'고 했습니다. (어쩌고저쩌고) 미천한 종 소식 삼가 올림." 맹자나 소동파 선생이나 두 분 다 뻔한 얘기 아닙니까. 백 사람이 얘기하면 그 정도는 맞겠지 뭐. 그런데 "미천한 종"은 뭐야.

소동파가 민주주의가 발달된 현대에 안 태어나서 좀 아쉽구만.

현실의 찌든 때에 몸이 망가지고 있는 이런 때 문득, 조병화시인의 '천적'이란 단시가 생각난다. "결국, 나의 천적은 나였던 거다." 뭐야, 이것도 시인가. 시지. 넘어가고. 사실, 황당하게도 나의 몸을 가장 괴롭힌 것은 저 자신이었습니다. 평소 제 몸을 아끼지 않은 제 자신에게 반성하면서 자주 산에 다니도록 하겠습니다. 뭐야.

나온 김에. 모든 것은 자기 자신에게 달렸다는 뜻이죠. '일체유심조(一切唯心造)'. 중국의 천재 왕양명도 "산속의 도적은 깨뜨리기 쉬워도 마음속의 도적은 깨뜨리기 어렵다."고 했죠. 자신의 적은 내부에 있다니까요. 지금 당장 내부에 있는 자신의 적을 무찌르죠. 뎅강. 뎅강.

나의 말

'돈을 잃는 것은 조금 잃는 것이고 명예를 잃는 것은 많이 잃는 것이고 건강을 잃는 것은 전부를 잃는 것이다'라는 구절이 가장 마음에 와닿아요. 역시 건강이 최고! 이 구절을 보니 가치투자의 귀재, 오마하의 현인이라 불리는 투자자 워렌 버핏(Warren Buffett)이 미국 대학생에게 남긴 명언이 생각나 일부를 옮깁니다. 이 분은 평판이 얼마나 중요한지를 말했네요.

"저의 성공에는 우리의 평판 덕이 큽니다.

저는 저의 사람들에게 법의 테두리보다 훨씬 더 안쪽의 경계선에서 행동하며 우리에게 비판적이고 또한 영리한 기자가 우리의 행동을 신문에 대서특필할 수 있을 정도로 행동하길 바랐습니다. 저는 저의 회사들의 지사장들에게 2년에 한번 이와 같은 메시지를 줍니다.

여러분은 돈을 잃어도 상관없습니다. 많은 돈이어도 괜찮습니다. 하지만 평판을 잃지 마십시오. 인격을 잃지는 마십시오. 우리에겐 돈을 잃을 여유는 충분히 있으나 평판을 잃을 여유는 조금도 없습니다.

여러분은 아직 젊습니다. 지금의 모습보다 훨씬 나아질 가능성이 충분합니다. 결코 돈 때문에 직장을 선택하거나 사람을 사귀지 마십시오. 여러분이 좋아하는 직업을 갖고 좋아하고 존경할만한 사람만을 사귀십시오."

비

언젠가부터 한 방울 한 방울 떨어지던 비가 장대비가 되어 억수로 쏟아지기 시작했다. 숲속에 폭우가 퍼부으면서 나는 식물들과 함께 비를 맞았다. 식물들과 형제가 된 느낌이다. 비는 식물이야 무럭무럭 자라게 하는 밥이고 식량이고, 때를 씻어내는 샤워지만 인간들에게는 축축하게 만드는 짜증과 불쾌와 귀찮음이죠. 그런데 마음을 완전 비우고 거세게 비를 맞으니 너무 너무 시원하고 좋더라구요. '대자연인', '대자유인'. 한번 시험해보세요. 역시 마음비우면 좋다는 게 여기서도 증명되는구나.

큰 재가 나와 혹시나 '다 왔나' 싶었는데 역시나. 안내판에 여기는 당구재. 저수령은 20분 더 가야한다고 가리킨다. 눈물을 머금고 다시 산을 올라탔다. 참, 하늘도 무심하시지. 높은 봉우리가 3-4개가 더 나타나 진을 다 뺐다. 번개와 천둥까지 치면서 하늘이 미쳐 날뛴다. 대야로 붓는 폭우다.

'채근담'에는 비를 비난도 했더라구요. "거센 바람 성난 비엔 새들도 조심하고 갠 날씨 따뜻한 바람엔 초목도 기뻐한다. 가히 알겠도다. 천지엔 하루도 온화한 기운이 없어서는 안 되고 사람이 마음엔 하루도 기쁜 정신이 없어서는 안 된다는 것을." 뭐야.

초목은 비를 싫어하나. 식물들에게 물어 볼 수도 없고. 비와도 좋고 햇볕도 좋고 그냥 그냥 좋은 것 아닐까요. 좋은 말씀만 담아놓은 채근담도 틀릴 때가 있네. 옥의 티구만. 채근담의 진정한 뜻이 그게 아니라구요. 알겠습니다.

어쨌든 인간 위주의 판단에 대해 노자가 점잖게 얘기했죠. 인간들이 머리를 너무 많이 마구 돌리지 말라고. 노자의 핵심 포인트죠. "공부하지 말고 지식 쌓지 말고 대가리 돌리지 말라."고. 대가리가 심했나. 노자 입장에서는 워낙 지식에 대한 불신이 깊어 "대가리"란 표현을 능히 썼을 것 같아요. 아니면 그만이고.

노자 왈, "인간이 자기들의 행위에 대해서 어느 것이 옳다 어느 것이 옳지 않다고 도덕적인 가치판단을 하고 있는데 그러한 가치판단에 사로잡히는 한 영원한 도에 거역하며 자연에 거역하는 것이다. 인간에게 인의나 의를 강요한다든지 혹은 도덕적으로 교육하려고 한다든가 또 도덕적으로 남을 판단하려고 하는 사상이나 행동은 모두들 인간본래의 자연을 스스로의 손으로 파괴하는데 지나지 않을 것이다." 노자 말씀이 무슨 관계가 있냐고요. 그런 머리 자체를 돌리지 말라는 거요. 와, 이헌태 심하다. 노자선생의 깊은 뜻만 알면 되지. 노자는 공자식의 윤리관에 반대했죠. 무위자연. 거기서 무위정치. 거기서 무위도식. 뭐야.

내가 도착하자마자 기다렸다는 듯이 전세버스는 모두를 태우고 바로 인근 단양온천으로 달렸다. 비를 잔뜩 맞아 온 몸이 축축한 상태에서 온천을 하고 나니 기분이 날아갈 듯했다. 온천물도 매끈매끈, 유황온천이라고 한다. 상경길에 식당에 들러 맛있는 촌 삼겹살에 촌 된장찌개를 촌 상추와 고추를 곁들여 먹으니 포만감과 함께 행복감에 젖어들었다.

귀경길에 산악지대 단양을 구불구불 가로지르는 강과 그 주변을 에워싸고 있는 기골이 장대한 산들이 어우러져 비경을 연출했다. 강에는 천렵하는 아저씨, 물장구치고 수영하는 개구쟁이, 한 폭의 멋진 그림이었다. 이번 산행의 보너스 선물이었다. 저렇게 빼어난 산과 강이 나의 조국에 있다니 너무 행복했다. 아부처럼 보이겠지만 단양은 한국의 보배다. '단양8경'이 다 이유가 있구만. 이번 산행은 황장산의 경치에, 유황온천에, 맛있는 먹거리에, 단양의 비경에, 늘 얘기하지만 좋은 동지에, '90점 이상'의 기분 좋은 산행이었다.

일찍 출발한 탓에 예상보다 빨리 서울로 돌아왔다. 눈이 감격하도록 아름다운 산천을 보다가 인간 군상들이 빽빽하게 모여 사는 서울로 돌아오니 답답하다. 시멘트 아파트와 빌딩뿐.

신동엽 시인의 '서울'이 가슴에 절절하게 다가온다. "……갑자기 보리씨가 뿌리고 싶어졌다. 저 고층 건물들을 갈아엎고 그 광활한 땅에 보리를 심으면 그 이랑이랑마다 얼마나 싱싱한 곡식들이 사시사철 물결칠 것이랴." 아, 아, 갈아엎고 싶다.

"갈아 마시고 싶다."는 증오에 찬 말이 있듯이 "갈아엎고 싶다."는 말도 과격한 발언인데. 혁명적인 발상. 이번 글은 과격한 발언으로 마치는구나. 자연을 무참하게 부수고 있는 문명에 대한 반발과 저항이 그 만큼 커다는 반증이 아닐까. 그런 과격은 괜찮지 않을까하는 생각도 드는데, 여러분의 생각은 어떠십니까. 아니면 말고.

진짜 하나 더. 이갑수 시인의 시 '신은 망했다'. "신은 시골을 만들었고/ 인간은 도회를 건설했다. 신은 망했다." 안녕.

보리고개

7월 17일(토), 18일(일). 백두대간 종주를 향한 29번째 산행에 나섰다. 이번 코스는 지난번 산행 때 마친 저수령을 출발해서 묘적봉과 도솔봉을 거쳐 죽령에 도착하는 것으로 예정되어 있다. 예상 산행 거리는 대략 18Km, 예상 소요시간은 대략 10시간. 어휴 이번 산행도 반(半)죽었다. 또 고생길이네.

고개 가운데 가장 힘든 고개가 '보리고개', 길 가운데 가장 힘든 길이 '고생길'이라고 하네요. 한국 사람들의 한이 서린 고개와 길이죠. 백두대간 위에는 그런 명칭의 고개와 길은 없다고요. 다만 그런 이름만 없을 뿐 장거리산을 걷다보면 매번 배고프고 힘든 탓에 다 '보리고개'와 '고생길'이지 뭐.

'순간포착의 귀재'인 시인들이 이를 놓칠 리가 없죠. 황금찬 시인의 시 '보리고개' 한 수 읊고 갑시다. "코리아의 보리고개는 한 없이 높아서 많은 사람이 울며 갔다."는 둥, "안 넘을 수 없는 운명의 해발 구천 미터."라는 둥. 진짜 고개처럼 표현하기 위해 머리를 엄청 돌렸더라구요. 훌륭한 시인보고 머리라고 해도 되나. 모르겠다. 머리지, 지성인가.

"보리고개 밑에서/ 아이가 울고 있다./ 아이가 흘리는 눈물 속에/ 할머니가 울고 있는 것이 보인다./ 할아버지가 울고 있다./ 아버지의 눈물, 외할머니의 흐느낌/ 어머니가 울고 있다./ 소년은 죽은 동생의 마지막/ 눈물을 생각한다.// 에베레스트는 아시아의 산이다./ 몽블랑은 유럽,/ 와스카라는 아메리카의 것/ 아프리카엔 킬리만자로가 있다.// 이 산들은 거리가 멀다./ 우리는 누구도 뼈를 묻지 않았다./ 그런데 코리어의 보리고개는 높다./ 한없이 높아서 많은 사람이 울며 갔다./ ……굶으며 넘었다./ 얼마나한 사람은 죽어서 못 넘었다.// 코리어의 보리고개,/ 안 넘을 수 없는 운명의 해발 구천 미터/ 소년은 풀밭에 누웠다./ 하늘은 한 알의 보리알,/ 지금 내 앞에 아무것도 보이는 것이 없다."

도착하자마자 일행은 바로 산행길에 나섰다. 하늘에는 비가 오지 않을 것 같기도 하고 올 것 같기도 하고 애매했다. 중요한 것은 현재. 현재로서는 비가 오지 않은 상태. 장마비가 훑고 지나간 뒤여서 깊은 산 속 공기는 맑고 깨끗했으며 시원한 산바람이 불어 온 몸이 상쾌했다. 몸만 상쾌하면 뭐하냐, 정신과 영혼은. 당연히 상쾌하죠.

몸과 정신 얘기가 나왔으니 '정신나간' 소리가 아닌 똑소리 나는 '정신들어온' 소리 한마디. 어느 고승께서 하신 말씀. "물질인 몸뚱이는 팔다리 떨어져도 살지만 정신은 1초만 나가도 송장이 되고 만다." 일반 대중에게는 너무 가혹한 지적.

이왕 송장이 나왔으니. 해방 후 본격적인 불교개혁이 시작되던 1949년, 성철스님 등이 봉암사에서 행한 결사화두가 뭔 줄 아세요. "무엇이 너의 송장을 끌고 왔느냐." 캬.

이런 스님들의 논리대로 하면 이헌태는 완전 '살아있는 송장'이네. 참고로 역대 조사들의 화두(공안)가 1700여개 정도 된다고 하네요. 와, 많다. 화두 하나로 평생 수행정진 하시는 분들도 있으니. 하기사 높은 고승들은 화두에 대해 한마디 씩 멋진 일화들을 남기고 계시니까. 이헌태에게는 '화두'는 없습니다. 대신 '화투'가 있습니다. 한심한 이헌태.

맞습니다. '한심한 세상, 한심한 사람, 한심한 일, 한심한 일생. 한심한 이헌태'. 모두 다 틀리고 '한심한 이헌태'만 맞다고요. 너무 하십니다.

대박

'한심한 인생'의 반대가 뭔 줄 아세요. 요새 같으면 '대박 인생'이죠. 대박의 원조는 역시 '흥부'죠. '대박'이란 말이 '흥부의 박'에서 나왔나. '도박'하고 비슷하네. 사촌지간이죠. 대박도 너무 좋아하다가는 도박과 비슷하게 패가망신할 걸요.

나온 김에. 대박의 중국원조는 역시 진시황의 아버지로 알려진 '여불위'겠죠. 편리한 세상, 인터넷 검색을 하면. 여불위는 "원래 양책(陽翟: 河南)의 대상인(大商人)으로 조(趙)나라의 한단(鄲)으로 갔을 때, 진나라의 서공자(庶公子)로 볼모로 잡혀 있는 자초(子楚)

를 도왔다. 그의 도움으로 귀국한 자초는 왕위에 올라 장양왕(莊襄王)이 되었고, 그 공로에 의해 그는 승상(丞相)이 되어 문신후(文信侯)에 봉하여졌다. 장양왕이 죽은 뒤《사기(史記)》에 여불위의 친자식이라고 기록된 태자 정(政:始皇帝)이 왕위에 올랐다. 최고의 상국(相國)이 되어 중부(仲父)라는 칭호로 불리며 중용되었으나, 태후(太后, 진시황의 모후)의 밀통사건에 연루되어 상국에서 파면, 압박에 못 이겨 마침내 자살하였다."

왕위에 오르는 것이 불가능에 가까웠던 자초를 돈과 권모술수로 끝내 왕위에 올려서 천하를 쥐락펴락했던 장사꾼. 최고의 대박인생이죠. 여기서 밑줄 쫙. 대박도 투자와 노력, 아이디어와 운이 필요하답니다.

여불위와 그의 부친과의 대화내용을 소개. "여불위가 부친에게 '농사를 지어 남는 이익은 몇 배나 됩니까'하고 묻자 아버지가 '열 배'라고 대답했다. 또 '주옥의 매매를 통해 남는 이익은 몇 배 입니까'라고 묻자 '백 이다'라고 대답했다. 다시 '국가의 주인의 세워서 남는 이익은 몇 배나 됩니까'라고 묻자 '헤아릴 수 없다'라고 대답했다" 대박의 원조답구나.

'여불위'가 멋있는 면도 있어요. 그는 3천여 명의 식객들로 하여금 무려 20여만이나 되는 대작 '여씨춘추'를 만들게 한 장본인이죠. 지금도 한국의 큰 서점에 가면 '여씨춘추' 책이 진열되어 있죠. 특히 문장을 첨삭할 수 있는 자에게는 한자에 천금의 상금을 주겠다고 밝히기도 했다고 하네요. 예사로운 장사꾼이 아니구만. 벤처기업인들이 벌어들인 이익의 일부를 교육과 문화에 투자하는 꼴이구만. 현대판 '여불위'는 누구인가.

나의 말

학문과 예술을 후원하여 르네상스를 꽃피운 이탈리아의 메디치 가문이 생각나네요. 돈만 많이 벌면 뭐하나요. 잘 쓰는 게 중요하지. 요즘은 크라우드펀딩(Crowd funding)이라고 해서 자신이 만들고 싶은 것이 있다면 그것을 잘 소개해서 미리 다수의 사람으로부터 돈을 모아 만들 수 있습니다.

단지 자신이 하고자 하는 것을 크라우드펀딩 사이트에 잘 소개해서 올리면 됩니다. 그에 공감한 사람들이 후원을 하거나(후원형) 미리 돈을 지불하고 제품을 구매해줍니다.(리워드형) 액수에 따라 리워드도 달라지는데 어떤 경우는 제품에 나의 이름을 새겨주기도 해요! 저도 심심하면 들어가는데 기존에 볼 수 없던 참신한 제품들이 보여서 여러 번 구매했습니다.

아직도 '예술은 배고프다'라는 인식이 강해요. 그림을 그리는 후배와 대화를 한 적이 있는데, 그림이 좋지만 그림만 하고 살기에는 힘들 것 같다는 얘기를 듣고 마음이 참 아팠습니다. 이런 친구들이 경제력에 국한되지 않고 자신의 능력을 마음껏 펼칠 수 있는 세상이 되기를 바라며, 이 책을 팔아서 얻은 인세의 일부를 문화 예술 쪽에 쓰고 싶어요.

김구 선생님의 '백범일지'에 나온 말을 옮기면서 제 얘기를 마무리. "내가 남의 침략에 가슴 아팠으니 내 나라가 남을 침략하는 것을 원치 아니한다. 우리의 부력(富力)은 우리의 생활을 충족히 할

만하고 우리의 강력(强力)은 남의 침략을 막을 만하면 족하다. 오직 한없이 가지고 싶은 것은 문화의 힘이다. 문화의 힘은 우리 자신을 행복하게 하고, 나아가서 남에게 행복을 주기 때문이다."

바다

숲과 나무도 비를 흠뻑 맞은 뒤에 바람이 불어오면 너무 좋을 것 같아요. 사람도 샤워하고 온 몸을 말리고 나면 개운한 게 그렇게 기분이 좋잖아요. 나무와 풀도 마찬가지이지 않을까 혼자 생각해봅니다. 아니면 그만이고.

숲 속에 부는 바람소리가 너무 정겹다. '솨솨'하는 바람 부는 소리와 나무와 풀들이 바람에 신이 나서 몸을 이리저리 춤추면서 '획획'소리를 낸다. 바람과 나무, 풀소리가 어우러져 내는 '자연교향곡' 베를린 필 오케스트라 연주 같다. 여기에 이헌태가 너무 감동스럽게 바라보면서 내지르는 '감탄소리'까지 합치면 '천상의 소리'가 아닐까 합니다.

숲산과 바다는 공통점이 너무 많은 것 같아요. 숲산은 초록빛 바다라고 누차 얘기했잖아요. 바다에서 파도가 철썩이는 소리가 바람이 산속 숲을 스칠 때 내는 소리와 너무 비슷해요. '쏴악쏴악'. 산과 바다 모두 생명을 잉태하고 있는 것을 두말할 필요도 없고요. 두 곳 모두 다 정적을 감싸 안은 채 도를 닦는 도인같죠.

'바다론'에 대한 작은 고찰. 바다하면 연상되는 것. 모든 것을 받아들이는 것. 적멸. 망망대해. 참 재미난 사실 하나. 동양에서는 산에 대한 시가 많고 서양에서는 바다에 대한 시가 많다고 하네요.

호메로스의 서사시 일리아드나 오딧세이는 영웅적 주인공이 바다로 나가 온갖 고초를 겪고 귀환하는 내용이고 동양에서는 선승이나 선비들이 산을 놓고 높은 기상이나 이상향을 비유하는 내용이라고 해요. 동양에서는 일단 바다보다는 산이 선호되고 있죠. 서양 사람들은 바다를 좋아해서 모험적이고 거친 것이고 동양 사람들은 산을 좋아해서 신비하고 착한가. 아니면 말고.

다 아시죠. 지구생물의 조상이 바다에서 비롯되었다는 것을. 그래서 사람들이 여름만 되면 바다로 가나. 바다 속으로 들어가면 속까지 다 시원하고. 바다가 좋은 것 보다는 물이 좋은 것이겠죠. 태아시절 엄마 뱃속 양수에서 헤엄쳐 살아온 타성에 젖어서 인간은 물속에 들어가면 그렇게 편안하고 좋은 것인가.

'바다'가 나온 김에. '바다'는 부처님의 세계라고 하네요. 부증불감(不增不減). 홍수가 나도 넘치지 않고 가뭄이 와도 줄지 않고. 늘 똑같은 바다. 대단한 특징이 있었구만. 바다가 그렇게 깊은 의미가 있구나. 나도 바다처럼 '평상심'으로 살아야지. 이헌태, 니는 평상심을 갖고 있는 것도 좋지만 바다처럼 '짠돌이'가 되는 게 더 급하다. 그게 잘 안 되더라구요.

바다의 구성요소인 물도 '변화하지 않는' 특징이 있죠. 기화하는 경우도 있지만 돌이나 꽃이나 나무와 달리 특정 모양을 갖는 것이 아니고 물은 물과 섞이면 금방 하나가 되어버리죠. 그런데 질문 하나. '물 같은 사람'은 흐리멍덩한 사람으로 비유되는데 태풍 때나 극심한 가뭄 때 보면 '물 같은 사람'은 뜻이 완전 달라지더라구요. 태풍 때는 '무서운 사람', 한발 때는 '고마운 사람'. 이렇게 깊은 연구를.

보너스 하나 더. 바닷물과 산속물이 다른 것 아시죠. 헤밍웨이의 참 서글픈 글에서 파악하시기 바랍니다.

"생의 마지막 무렵에 남긴 글을 보면 나는 전지약이 다 떨어지고 코드를 꽂으려 해도 꽂을 전원이 없어서 불이 들어오지 않는 라디오의 진공관처럼 외로움의 공허함 속에 살고 있다. 나는 필라멘트가 끊어진 텅 빈 전구처럼 공허하다고 남겨있습니다. 이 세상의 부귀영화 공명쾌락을 다 가지고 있었지만 마음은 공허하기 짝이 없었습니다. 세상의 부귀영화 공명쾌락은 바닷물과 같습니다. 목이 마른 사람이 출렁이는 바닷물을 마시면 시원할 것 같지만 바닷물을 마시면 마실수록 소금기가 목에 붙어 더 목이 타서 나중에는 죽게 되는 것과 같습니다. 세상은 결코 우리의 갈증을 채워 줄 수 없습니다. 우리의 소망을 채워주지 못합니다. 세상의 것을 추구한 사람들은 마음의 허무와 무의미를 채울 수 없어 결국 좌절과 절망에 빠져 자살로 마감하는 것입니다." 그래서 헤밍웨이가 자살한 걸까.

나의 말

'자살하지 맙시다, 힘들 때는 주위에 손을 내미세요.'라고 얘기해도 살아갈 힘도, 의욕도 없는 사람에게는 크게 힘이 되지 않는 것이 사실입니다. 평소에는 죽음에 대해서 생각해볼 기회는 많지 않아요. 저는 웹툰 '죽음에 관하여'를 보고 죽음에 대해 많이 생각해봤습니다. 추천. 의사에 따르면 우울증은 햇빛을 받으며 산책하면 좋아진다고 하네요. 일단 밖으로 나갑시다.

최근 유튜브에서 일본의 자살방지 공익광고를 봤어요. 한 여고생이 동화를 읽는데 끝까지 읽지 않고 도중에 이야기를 끊더라고요. 신데렐라는 청소만 하다 끝나고, 개구리 왕자는 계속 개구리로 사는 것만 보여주죠. 왜 그 여고생은 동화를 끝까지 읽지 않을까? 영상 마지막에 '인생의 멋진 일은 대부분 후반부에 일어난다'고 하며 끝나요. 꼭 봤으면 좋겠어요. 끝까지 버티다 보면 혹시 알아요? 당신이 상상도 못 한 멋진 엔딩이 기다릴지!

동생의 말

위에 오빠가 우울증얘기를 해서 생각난 건데 어느 책에서 말하길 우울할수록 진정시켜야 한다고 해요. '우울'은 치솟는 분노가 억압받고 있는 상태라 사실은 위험하고 흥분된 상태라고 합니다. 우울증도 치료가 가능하다고 하니 혹시나 앓는 분이 계시다면 병원가는 걸 두려워하지 않으셨으면 좋겠어요.

그나저나 엄청난 고백을 하자면 저는 산보다 바다가 더 좋아요. 두둥. '산 예찬론자' 아버지께서 충격받지 않으실까요. 계절 따라 옷을 갈아입는 산도 좋아하지만 바다의 퍼런 푸름, 하얀 물결이 해안으로 밀려오는 것, 황금빛 바스락거리는 것, 흐물흐물 헤엄치는 것, 계절 따질 것 없이 너무 좋습니다. 안되겠다. 아버지께서 '등산' 큰 줄기로만 이렇게 긴 글을 쓰셨으니 뒤를 이어 저도 우리나라 모든 바다를 누비며 '해변산책' 글을 써볼까요. 아닙니다. 그냥 한 번 해본 소리예요.

곤충

도솔봉 정상에는 잠자리와 나비가 무리를 지어 운동회를 하고 있구만. 지난 번 소백산 비로봉 정상에서는 벌과 파리가 운동회를 하고 있더니. 아예 한꺼번에 올림픽처럼 온 나라 곤충 운동회를 하든지.

잠자리가 나온 김에. 잠자리에 대한 시도 있죠. 하여튼 눈에 보이는 것은 다 시를 지었더라구요. 안도현 시인의 '나와 잠자리의 갈등 1'이란 시. "다른 곳은 다 놔두고/ 굳이 수숫대 끝에/ 그 아슬아슬한 곳에 내려앉는 이유가 뭐냐?/ 내가 이렇게 따지듯이 물으면."

안도현 시인님, 참 싱거운 분이시네. 진짜로 그렇게 궁금합니까. 솔직하게 이헌태가 답하죠. "수숫대 위에서 살포시 내려앉지 그러면 거꾸로 물구나무서기 할까요." 뛰어내릴 때 머리를 거꾸로 박고 뛰어내립니까, 조심스럽게 뛰어내리지. 만유인력의 법칙을 발견한 뉴턴에게 물어보세요.

잠자리, 벌, 나비 곤충류가 대거 등장했으니 곤충들이 대게 허무하더라구요. 매미는 땅속에서 유충으로 4-5년 살다가 성충 매미로 탈바꿈해서 지상으로 나온 지 보름간만 살다가 죽는다고 해요. 노력하고 고생한 것에 비해서는 허무한 인생이구만. 인생이 아니고 충생이구만. 좋게 얘기하면 불꽃같은 삶이죠. 매미 같은 인생을 가진 사람들도 많을 겁니다. 뼈 빠지게 고생해서 돈을 모았는데 얼마 못가 제대로 써보지도 못하고 병으로 죽는 분들. 위로를 보냅니다.

특히 소동파에게는 매미소리가 나쁜 소리로 들렸나 봐요. 저는 그렇지 않은데. 그는 집권층에 대해 '매미'라고 비난했죠. 이외에도 '시끄러운 개구리' 또 '올빼미' 또 '썩은 쥐고기를 먹는 까마귀'에 비유했죠. 이들 동물들도 한두 마리면 그 소리가 정겹고 귀여운데 큰 소음을 야기하면서 집단적으로 떼를 지어서 돌아다니면 기분이 왠지 좋지는 않죠.

허무한 곤충의 결정판. '하루살이'에 대해서도. 물속에 낳은 알이 한 달 안에 깨어서 애벌레가 된 뒤 1-2년 물속에 살다가 성충이 되어 날개를 달아 날아오른다고 하네요. 하루만 사는 놈도 있고 보통 2-3일은 보통이고 심지어 14일을 넘기는 놈도 있다고 하네요. 어쨌든 이 하루살이는 진짜로 참 허망한 놈이구만.

다 곤충들이구만. 현재까지 지구상에 기록된 곤충은 약 80만종으로 지구상 동물수의 약 4분이 3, 최다개체수를 차지하고 있다고 해요. 특히 4억년 동안 지구에서 살아오면서 어디서든지 적응해 산다고 하네요. 곤충세상이 오면 끔찍하겠지.

참조하나. 진화론을 주장한 '찰스 다윈'에 따르면 생존하는 동물은 세 종류가 있다는 것. 힘센 동물, 지능지수가 높은 동물, 변화에 잘 적응하는 동물. 힘센 동물이라고 무조건 생존하는 것은 아니죠. 공룡이 어느 날 사라졌듯이. 가장 확실하게 생존하는 것은 변화에 잘 적응하는 동물이라고 해요. 바로 곤충이 해당되죠. 하기사 인간 사회에서도 변화에 잘 적응하는 부류들이 잘 먹고 잘 살더라구요. 기회주의적 나쁜 인간들도 있지만.

곤충 가운데 나비의 경우 알(탄생), 애벌레(성장), 번데기(죽음), 성충(재생)의 네 단계를 통해 혁명과 해탈을 하죠. 그 모습이 본받아야 대목이라고 생각하는데 어떻게 생각하십니까. 이번 산행의 결론. 1) 곤충처럼 허무한 인생을 살지 맙시다. 2) 나비처럼 삶의 질적 전환을 늘 추구합시다. 3) 하루벌어 하루먹고 사는 하루살이 인생이 되지 맙시다. 잉. 4) 곤충이 수적우위를 내세워 이 지구를 점령하려는 야욕을 드러내고 있기 때문에 지구수비대를 조직합시다. 뭐야. 5) 곤충하니 예전에 메뚜기 반찬이 최고였는데. 그건 맞다. 모처럼 맞는 소리했구만.

도솔봉

도솔봉 정상에서 대장이 준비한 시를 낭송했다. 이수익 시인의 '17년 만의 여름'이란 시. 땅 속과 땅 밖의 기간을 비교하면 매미는 '허무의 극치'를 보여주는 동물이구나. 제일 실속 없이 허무한 동물.

"이 여름을/ 한 번 울기 위하여/ 매미 유충은 땅 속에서/ 17년간의 세월을 보냈다고 했다// 깜깜한 지옥 어둠과 고독을 이겨내며/ 한철을 위한 준비가/ 기도처럼 오래오래 이루어졌으리// 지금/ 한여름 불볕 뜨겁게 내리쬐는 한낮/ 거리의 가로수에 매달려/ 매미는 17년 동안 숙성시킨 침묵의 향기를/ 저 쨍쨍한 울음소리로 토해내고 있다// 여름 지나면 목숨도 그칠/ 짧은 생의 핏빛 절창(絶唱)이/ 8월 염천을 건너고 있다"

또 한편의 시. 신동엽 시인의 '누가 하늘을 보았다 하는가' 하늘을 본 사람이 많은데. 하늘도 워낙 종류가 많아서요. 하느님 하늘,

비 천둥 번개 하늘, 별과 태양과 달 하늘, 오염 하늘, 배우 김하늘, 죄지어서 볼 낯이 없는 하늘 등등. 하늘같은 이헌태의 넓은 마음은 어디에 해당되나요. 어디에 해당되기는, 근거 없는 말이지.

"누가 하늘을 보았다 하는가/ 누가 구름 한 송이 없이 맑은/ 하늘을 보았다 하는가.// 네가 본 건, 먹구름/ 그걸 하늘로 알고/ 일생을 살아갔다.// 네가 본 건, 지붕 덮은/ 쇠항아리/ 그걸 하늘로 알고/ 일생을 살아갔다.// 닦아라, 사람들아/ 네 마음속 구름/ 찢어라, 사람들아,/ 네 머리 덮은 쇠항아리.// 아침 저녁/ 네마음속 구름을 닦고/ 티없이 맑은 영원의 하늘./ 볼 수 있는 사람은/ 외경(畏敬)을/ 알리라// 아침 저녁/ 네 머리 위 쇠항아릴 찢고/ 티없이 맑은 구원의 하늘/ 마실 수 있는 사람은// 연민(憐憫)을/ 알리라/ 차마 삼가서/ 발걸음도 조심/ 마음 모아리며.// 서럽게/ 아 엄숙한 세상을/ 서럽게/ 눈물 흘려/ 살아 가리라./ 누가 하늘을 보았다 하는가,/ 누가 구름 한 자락 없이 맑은/ 하늘을 보았다 하는가."

산 밑으로 쭉쭉 내려가는 본격 하산길에 도착하니 이정표에 목표지인 죽령까지 '3.3킬로미터'가 적혀있다. 또 이렇게 남았나. 지겹다, 이제부터는 진짜 하산길인 모양이다. 다리가 후들후들. 기는 기진맥진.

이헌태님, 이렇게 산행이 힘들고 지겨운데도 매번 왜 산에 오르나요. "산에 왜 오르나?"의 대표 정답 다 아시죠. 영국의 전설적인 등산가 조지 맬러리(1886-1924)가 하신 말씀. "산이 거기 있기 때문이다." 백두대간 종주를 도전하고 있는 종마 이헌태도 이 수준까지는 도를 득하지 못했지만.

맬러리란 이 사람은 참 별난 분이더라구요. 평생을 목숨이 아슬아

슬한 도전과 모험 속에서 살았는데 어릴 때부터 '모험끼'가 가득 찼다고 하네요. 배수관 타고 높은 지붕위로 기어 오른 적도 있고 바닷가 바위 위에 올라가 밀물을 익사할 뻔 하기도 했으며 특히 기차를 탈 때도 5초의 여유를 두고 탔다고 하네요. 미친 놈아냐. 나 원 참. 철도청 분들이 아시면 기가 찰 노릇. 결국 이분은 세계 최고봉인 에베레스트산을 불과 240미터 남겨놓은 시점에서 지상에서 영원히 사라졌다고 하네요.

산에 왜 가나. 이성적인 서양인과 달리 철학적인 동양인의 답도 있죠. 산에는 진리가 있기 때문이죠. 이헌태의 말씀이 아니죠. 어느 학인이 선종의 운문선사에게 "자아란 무엇입니까?"라고 물으니 "산에서는 자유로이 배회하고 강에서도 즐거움을 찾는 사람이다."라면서 자연 속에 있는 진여(불법진리)를 찾으라고 했다고 하네요.

이헌태도 운문선사의 말씀에 따르면 산에 자주 가니까 입신의 경지에 들어갔겠구만. 이헌태같은 이들은 산에 아무리 배회해도 지나간 산길에 먼지만 자욱하게 일어난다고요. 알겠습니다.

결론이 중요. 좋은 산행은 즐기면서. 응용 말씀 하나. 공자 왈, "아는 사람이 좋아하는 사람만 못하고 좋아하는 사람은 즐기는 사람만 못하다." 이헌태의 경우, 산행 때마다 헉헉대다보니 산을 여유롭게 즐기기 참 힘들더라구요.

전 세계 여러 나라, 여러 민족 가운데 한국 사람들처럼 등산을 좋아하는 민족이 없을 것입니다. 등산을 좋아해서 입신의 경지에 간 등신족(登神族)이라고나 할까. 바보 등신이 아니고요. 산악국가, 그것도 경치가 좋은 산악국가, 마을 사방이 바로 산이 있으니까. 일본 시인의 눈에는 어떻게 비쳤을까.

일본의 유명 시인 '기타카와 후유히코'의 '한국소견' 가운데. "사람들은 떼지어 높은 곳에 오르고 싶어한다/ 젊은 남녀뿐 아니라/ 늙은 부부까지도 기꺼이 높은 곳에 오르고 싶어한다/ 알맞게/ 서울 인천 경주 부산등 도시근방에는 산들이 있고/ 그곳에는 전망대가 마련되어 있다/ 학대받은 세월이 오래고 깊었기에/ 산에 올라 전망대에 섬으로 해서/ 사람들의 해방감은 만끽되는 모양이다"

오랫동안 괴롭히고 학대한 일이나 반성하세요. 그런 이유로 산에 오르지는 않는데. 산에 올라가면 스트레스도 풀고 아름다운 자연에 넋을 잃기도 하고 슬픔도 날려버리고 다목적 용도를 갖고 있죠.

산 만세! 자연 만세! 이헌태 만세! 이헌태는 빼고. 광화문 프레스센터 뒤에 유명한 북엇국집에 가면 "빼고"가 있죠. 아시는 분은 알죠. 건더기 있잖아요. 왜 빼고 먹는지 이해가 가지 않아요.

양반

죽령고갯길에는 '양반의 도시' 영주라는 안내판이 보인다. 백두대간 산행을 하다보면 우리나라에 '양반의 도시'로 자처하는 곳이 왜 이래 많나요. 죽령의 유래를 설명하는 안내판도 큼지막하게 걸려있다. 충북 쪽은 '청풍명월의 고장'이라고 적혀 있다.

제가 아는 한. '사농공상'의 신분차별이 생긴 것이 우리나라에서는 고려가 출범하면서부터라고 하네요. 그전에는 사민이라고 구분없이 지칭되었고 지식인들도 다 농사를 지었죠. 고려 왕건이 삼국을 통일할 즈음 중국에서는 당나라가 망하면서 그때 연해주 근변에 살던 당나라의 떨거지 지식인들이 고려로 오면서 그럴듯하게 포장해서 전파를 시킨 것이고 그것이 오랜 세월에 걸쳐 정착되면서 조선말까지 이어져 온 것이라고 하네요.

조선말 고종 때인 1882년에 드디어 양반도 장사를 할 수 있도록 하는 혁명적인 조치가 내려졌다고 해요. 그전에는 “양반이 어찌 돈을 세나?”였겠죠. 특히 조선시대에는 양반체면에 이익, 장사, 상업 등과 관계된 직업은 상상도 하기 힘들었죠.

그런데 조선시대에는 겉으로는 양반들이 장사나 물질에 등한시한 것 같아도 사실은 그렇지 않아요. 한국최고의 유학자인 퇴계 이황 선생님도 맏아들이 서울로 벼슬을 하려고 상경하려하자 “지금 벼슬보다도 집안의 살림이 더 중요하다.”며 만류를 했다는 기록이 있더라구요. 예나 지금이나 먹고 사는 게 중요했구만. 지금은 ‘천민자본주의’시대. 공산주의도 망하고 사회주의도 망하면서 자본주의가 아주 멋대로 설치고 있죠.

이와는 반대로, 심오하고 고상한 철학 때문에 억지로 상인이 되어 크게 출세를 한 집단이 있어 잠깐 소개합니다.

인도에서 기원전 6세기쯤, 불교에 비해 약간 앞서 출현해서 한때 번창했던 종교 자이나교. 지금은 인도에 2백만 가량의 신자가 있어 그야말로 소수종교. 이 종교는 영혼이 업의 속박에서 벗어나기 위해서는 보다 심한 고행을 수행하고 특히 불살생(不殺生)을 철저히 지키는 것으로 유명하죠. 이 종교의 특징 가운데 재미난 것만 뽑아보면.

1) 사람이나 사물에 집착하지 않기 위해 한 장소에 하룻밤 이상 머물지 않았고, 2) 신체를 괴롭히기 위해 겨울에 가장 추운 곳으로 여름에 가장 더운 곳으로 찾아갔고 항상 벌거벗고 다녀, 3) 화가

나서 악의 품은 사람이 개 풀어 물게 해도 저항 없이 물게 놔두고, 4) 불살생 지키기 위해서 우기엔 땅위로 기어 나온 벌레들을 밟지 않도록 길을 걷지 않았고 건조기에 벌레를 밟지 않도록 길을 빗자루로 쓸며 다녔고, 5) 물을 마실 때 혹시 그 속에 있을지 모르는 생물체를 삼키지 않도록 걸러서 마셨다고 하네요. 참 지독하네.

자이나교 신자들은 군인, 도살업, 가죽공, 소독업, 심지어는 땅속의 벌레를 죽이지 않도록 농부도 될 수 없었다고 해요. 자연히 상업에 종사하면서 정직과 신용을 바탕으로 발군의 사업가의 자질을 보였고 지금도 공교롭게도 인도에서 가장 부유한 계층이 되었다고 하는 전설 같은 얘기가 있습니다. 우리나라의 상인들은 고행과 불살생하고는 전혀 관계가 없습니다.

간디가 인도에서 태어나서 그렇나. 인도에서는 특별한 말씀이 아니지만 인도 바깥 나라 사람들에게는 눈길을 끌죠. "불살생은 가장 위대한 사랑이다. 그것은 최상의 법칙이다. 이것만이 인류를 구하는 유일한 길이다." '불살생'이 '인류를 구하는 유일한 길'이라. 육식을 주식으로 하는 선진국 국민들이 먼저 대오각성 정신을 차려야 하는데. 그런 날이 오는 것은 거의 불가능에 가깝지 않을까요. 그렇다면 인류는 망한다는 얘기. 너무 재수 없는 소리했나.

이헌태의 생각. 중국 최고의 현대문학가인 노신은 중국최초의 현대소설인 광인일기에서 '봉건제도를 사람이 사람을 잡아먹는 관계'라고 비난했죠. 제도가 사람을 죽이고 법이 사람을 죽이고. 니체는 '신은 죽었다'고 말했는데 어떤 의미에서 신을 죽였죠. 이런 것은 '살생' 아닌가요. 자이나교 신자들이나 대다수의 선량한 상인들은 상업에 종사해도 착하게 장사하겠지만 일부러 부도내고 돈 떼먹는 악덕상인도 있거든요. 이로 인해 자살하는 사람도 있으니 그런 상인처럼 살인상인이 있는 거죠. 이헌태, 예리하다. 왜냐하면 신체적인 살생도 있지만 말로나 다양한 형태의 더 '잔인한 살생'도 많거든요.

그리고 어느 인디언은 식물도 감정이 있다고 생각한다고 해요. 꽃이나 나무를 꺾는 것은 생명을 죽이는 살생이겠네요. 이건 너무 심한 것 같기도 하고. 하여튼 인도 침묵의 성자 '스리 라마나 마하리쉬'는 "나무에서 열매를 따야 할 경우에는 나무의 고통을 줄여 주어야 한다."고 신신당부했다고 하네요. 국민여러분, 얼토당토않으시겠지만 식물의 아픔과 기쁨까지도 함께 나누는 '생명국민', '환경국민', '자연국민'이 됩시다.

앞에서 얘기했듯이 자이나교는 건조기에 벌레들을 밟아 죽이는 것을 피하기 위해 길을 빗자루로 쓸면서 나아갔다고 해요. 참 힘들고, 병적으로 완벽을 추구하는 종교구만. 빗자루가 나온 김에 어떤 아주머니 왈, "내방만 쓸면 나만 행복하지만 골목을 쓰면 동네가 즐겁다." 요즘 우리나라에서 골목청소는 사라진 것 같아요. 이 아주머니도 자이나교 출신인가.

인간적인

8월 14일(토), 15일(일). 광복절기념 백두대간 종주를 향한 30번째 산행에 나섰다. 백두대간 종주코스는 대략 45번째 내외의 산행에서 완료된다고 볼 때 3분의 2 가량을 지나온 셈이다. 어떤 면에서는 아득하고 긴 세월이었고 어떤 면에서는 화살같이 빠른 세월이었다. 지나온 백두대간 산행길이 주마등처럼 스쳐 지나간다. 한 편의 감동적인 파노라마. 너무나 아름다운 산하, 너무나 인간적인 백두대간팀, 너무나 자랑스런 이헌태.
'인간적인 너무나 인간적인'이란 독일철학자 니체의 책 제목이 갑자기 떠오르네요. 책 제목으로는 세상에서 가장 좋은 것 같아요. 백두대간 산행 중간 결산. '자연적이고 너무나 자연적인 백두대간과 인간적이고 너무나 인간적인 백두대간팀'.

서두에 쓴 표현, 긴 듯하면서도 빠르다. 뭐야. 말장난인가. 응용하나. 일처리나 인생 삶의 핵심 포인트. '느린 듯이 빠르게, 빠른 듯이 느리게'. '바보 같으면서도 영리하게, 영리하면서도 바보스럽게'. 이렇게 사시는 분 몇 분이 계실까. 이렇게 실천하는 것은 불가능에 가깝죠. 그 뜻은 빈틈없이 완벽하게 살라는 말씀인데 이론적으로만 가능하지 않을까 하는 생각을 해봅니다. 각설하고 이에 근접한 삶을 살아 보도록 같이 노력합시다.
이와 비슷하게 아리송한 명언들이 수두룩하더라구요. 인도불교의 정수 '비유비무(非有非)'. '있는 것도 아니고 그렇다고 없는 것도 아니고'. 어렵다 어려워. "보지 않은 자는 보지 않았기에 말할 수 있고 본 자는 보았기에 말할 수 없다." 이건 또 뭐야. 또 하나. "이 세상을 아는 것은 미친 짓이다. 모르는 것이 아는 것이고 아는 것이 모르는 것이다." 이건 또 뭐야. 대조와 반어의 미학인가. 말장난의 미학이고 횡설수설의 미학이지. 자칫하면 헷갈리니 조심.
나온 김에. 혹하기 쉬운 글. 러시아의 대문호 톨스토이는 '안나 카레니나' 첫머리 문장에서 "행복한 가정은 서로 닮았지만 불행한 가정은 모두 저마다의 이유로 불행하다." 이와 반대로 블라디미르

나보코브의 소설에서는 “모든 행복한 가정들은 다소간 다르다. 그러나 모든 불행한 가정들은 다소간 엇비슷하다.” 어느 것이 맞나요. 말장난이지 뭐. 행복한 가정도 비슷한 게 있고 다른 게 있고 불행한 가정도 비슷한 게 있고 다른 게 있지. 이헌태 정리 잘했다.

올해 여름은 기억도 하기 싫다. ‘찜통 여름’, ‘용광로 여름’이라고 불릴 정도로 불볕무더위였다. 기상청 기록상으로도 10년 만에 최고 더위라고 한다. 작년에는 유례없는 ‘비’의 해로 기록되더니 올해는 유례없는 ‘폭염’의 해로 기록되는구나. 날씨가 왜 이 모양이야. 환경파괴의 대가인가.

수

‘10년 만에 폭염’. 10. 이것은 ‘수’죠. 지금의 수는 아라비아의 수로 알려져 있지만 인도나 중국에서 숫자개념이 나와서 아라비아를 거쳐 서양으로 갔다고 해요. 지금은 동양으로 부터 배운 서양이 과학문명을 앞세워 동양을 앞서고 있죠. 고대 서양에서도 수와 철학을 연결시키려는 똑똑한 그리스 철학자 피타고라스라는 사람이 있었지만.

‘수’라는 개념이 참 기발한 창작물인 것 같아요. 일상생활에 수가 얼마나 자주 쓰이는 줄 아시죠. 아침 6시에 일어나고 점심값이 5천원이고 특정 사람의 상징인 핸드폰 번호를 하루에도 수십 번 보게 되고 외상술 값이 얼마나 밀려있고. 뭐야. 하루 종일 수의 연속이죠. 하루생활은 수로 풀어도 되는 ‘수의 집합’이라고 해도 과언이 아니죠. 심심한 차에 수에 대해 한번 정리하고 넘어가죠.

유독 불교에서 수가 많이 등장해요. 부처님은 45년 동안 8만4천여 개의 법문을 남겼다고 해요. 이것만 다 이해하면 거의 부처수준인데. 역대조사의 화두는 1700여개라고 하네요. 역시 이것만 다 이해하면 역대조사수준에 도달할 수 있을 것인데. 한 가지라도 제대로 이해하면 절반이상 이해한 것이나 마찬가지지만.

아함경에 따르면 부처가 입멸한 이후 正法 1000년(성불하는 이 많음), 象法 1000년(수행하는 이가 많으나 성불하는 이는 별로 없음), 末法 1000년(수행하는 이도 드뭄)으로 진행되고 도솔천에 들어간 말세구제의 미륵불은 56억 7천만년 뒤에 나타난다고 했다나요. 어떻게 그런 구체적인 수가 나오는지 나 원 참. 예전에는 종교도 굉장히 과학적인 것처럼 그럴듯하게 포장했구만.

'0'이란 수를 만들어 숫자개념을 획기적으로 발달시킨 똘똘한 민족 인도. 세계 최고 선진국 미국 IT분야에서 두각을 나타내고 있다고 해요. 기본적으로 머리가 좋구만, 그래서 인간의 최고정신인 종교도 창시 많이 했나. 인도에서 나온 종교들의 숫자개념은 상상초월. 한국의 부패 정치인들처럼 '억억'이 보통.

불교가 나왔으니 도교의 노자도 소개. 그래야 종교적 편향성을 막죠. 도교는 고구려 영류왕 7년(624년)에 한반도에 들어왔다고 해요. 보장왕 2년(643년)에 연개소문은 "솥에는 세 다리가 있고 나라에는 삼교가 있는 것입니다. 신이 나라 안을 보니 유고 불교만 있고 도교가 없습니다. 그래서 나라가 위태롭습니다." 말도 잘 갖다 붙인다. 무조건 삼각편대를 형성해야하나. 쌍벽 혹은 짝이 얼마나 중요한지 모르는 구만. 하여튼 도교 때문인지 고구려가 바로 망했죠.

노자의 탄생도 신비화되어있죠. 설화에 따르면. 기원전 604년, 한 여인이 오얏나무에 기대어 한 아이를 출산했다고 해요. 임신기간은 떨어지는 별을 찬미한 뒤 무려 62년간이었다고 해요. 그래서 얘기가 태어났을 때 이미 늙어서 노자로 했다나. 노자는 160세에 주나라를 떠나 은퇴하기로 결심하고 길을 가다가 5000자로 된 도덕경을 써주고 신선이 되어 사라졌다나. 믿거나 말거나. 중국 태평성대 요순시절의 요임금은 임신한지 14개월 만에 출생했다고 해요. 그럴 수 있나 모르겠다.

노자는 이 5000자 도덕경만 남겼는데도 김용옥 씨가 노자의 도덕경을 강의해서 선풍적인 인기를 끌었죠. 노자가 21세기 현대사회에까지 크게 영향을 끼치고 있죠. 지금도 이 도덕경 5천자를 가지고 연구하고 또 연구하고. 남의 해석이 틀리고 자기 해석이 맞다고 떠들고. 노자가 가장 주의시킨 것이 지식인들이 바로 지 잘 났다고 떠드는 것인데, 노자를 잘못 이해하고 있구만.

근대이후 한국 최고의 시인은 아무래도 한용운의 '님의 침묵'. 그러나 이육사의 시도 대단하죠. 애틋하고 비장하죠. 이육사가 남긴 시가 몇 편인 줄 아세요. 고작 36편이라고 해요. 유명한 시도 많죠. 경영학적으로 따지면 생산성이 좋은 시인이구만. 짧고 굵게 사셨네.

수 가운데 지구 한 가족을 생각하게 하고 서로를 이해하도록 하는 아이디어가 반짝 반짝이는 수. 이케다가 요코씨가 지은 책 '세계가 만일 100명의 마을이라면'. 도넬라 메도스 박사의 '마을의 현황보고'(세계가 만일 1천명의 마을이라면)가 원전. "63억명이 살고 있는 이 세계를 100명이 사는 마을로 축소해보면 어떻게 될까. 52명이 여자이고 48명이 남자, 90명이 이성애자이고 10명이 동성애자, 20명이 영양부족이고 15명이 비만, 33명이 기독교도이고 19명이 이슬람교도, 2명이 컴퓨터를 가지고 있고 단 1명이 대학교육을 받고……" 우리가 함께 하면서도 잊고 사는 지구 문제를 쉽게 다가서게 하는 '굿 아이디어'.

광복절이고 숫자얘기도 나왔으니. 역시 피천득의 '1945년 8월 15일'. "그때 그 얼굴들. 그 얼굴들은 기쁨이요 흥분이었다. 그 순간 살아 있다는 것은 축복이요, 보람이었다. 가슴에는 희망이요, 천한 욕심은 없었다. 누구나 정답고 믿음직스러웠다. 누구의 손이나 잡고 싶었다. 얼었던 심장이 녹고 막혔던 혈관이 뚫리는 것 같았다. 같은 피가 흐르고 있었다. 모두 다 '나'가 아니고 '우리'였다." 모두 다 나가 아니고 우리였다. 지금 경제도 어려운데 이런 애국심만이 나라를 살릴 수 있습니다. 외국으로 돈 가지고 튀는 사람들, 조국에서 번 돈 아닌가요. 그러지 맙시다. 광복절을 맞아 이 구절을 다시 힘차게 외치고 싶습니다. "모두 다 '나'가 아니고 '우리'였다."

비교

기왕지사. 기독교의 성서와 노자의 도덕경을 비교하면 참 유사한 것 같아요. 어느 책에서 잘 정리한 것을 인용하겠습니다. 도덕경도 종교의 경전 같기도 하네.

1) 누가복음 6:27 너희를 미워하는 자를 선하게 대하라. 도덕경 63장 원한을 덕으로 갚아라.

2) 마태오복음 5:39 너희에게 악을 행하는 사람에게 보복하지 말라. 도덕경 22장 이 세상 아무도 성인과 싸울 수 없는 것은 그가 싸우지 않기 때문이다.

3) 마태오복음 26 :52 검을 쓰는 자는 모두 검으로 망한다. 도덕경 42장 광포한 사람은 광포한 죽임을 당할 것이다.

4) 마태오복음 18:3 너희가 마음을 돌이켜 어린이와 같이 되지 않으면 결코 하늘나라에 들어가지 못할 것이다. 도덕경 10장 너의 생명력을 부드럽게 통제하여 간난아이처럼 될 수 있는가.

5) 마르코복음 1:19 세상의 죄를 짊어지고 가는 하느님의 어린 양을 보라. 도덕경 78장 세상의 죄를 스스로 짊어진 자가 세상의 왕이다.

6) 마르코 복음 9:35 첫째가 되고자 하면 뭇사람의 끝이 되어야 한다. 도덕경 7장 성인은 자신을 뒤에 두지만 가장 앞에 있게 된다.

7) 마태오복음 6:19 너희는 자신을 위하여 재물을 땅에 쌓아두지 말라. 도둑이 뚫고 들어와 훔쳐갈 것이다. 도덕경 9장 금과 옥이 너의 방에 가득 차 있으면 그것을 안전하게 지킬 수 없다.

8) 마태오복음 6 :28 10:29 들의 꽃이 어떻게 자라는 가를 살펴보라. 수고하지 않고 길쌈도 하지 않는다. 너희 아버지께서 허락하

지 않으시면 땅에 떨어지지 않을 것이다. 도덕경 34장 도는 만물을 덮어 기른다. 도덕경 73장 하늘의 그물은 넓고 넓다. 커다란 그물눈을 갖지만 아무것도 빠져나가게 하지 않는다.

9) 마태오복음 11:30 내가 너희에게 주는 멍에는 메기 편하고 내가 너희에게 지우는 짐은 가볍다. 도덕경 70장 나의 가름침은 매우 쉽고 알기 쉬우며 실행할 수 있다.

구구절절 좋은 말씀이네. 꼭 실천합시다. 10%라도. 10%는 문제가 많고 50%라도. 모두 노력합시다.

추가 하나. 공자 왈, "자기가 하고 싶지 않는 일을 남에게 베풀지 말라. 자기가 당하고 싶지 않은 일을 남에게 가해서는 안 된다." 500년 후 예수님께서 "너희가 대접받고자 하는 대로 남을 대접하라."라고 말씀하셨죠. 그리고 1800년이 지난 후 독일 철학자 칸트는 "타인을 목적으로 대접해야하며 수단으로 사용해서는 안 된다."고 말씀했죠. 똑같은 말씀이네. 시간과 공간을 떠나 인간이 사는 곳에는 진리가 있는 법이네.

종교가 나온 김에 예수님과 부처님의 공통점. 저술이 없다고 해요. 노자나 공자도 마찬가지로 책 한 권 쓰지 않았더라구요. 공자는 시, 서등 주나라 때 만들어진 책자를 가지고 제자들을 가르쳤다고 해요. 서양 철학의 아버지 소크라테스도 제자인 플라톤에 의해 사상과 철학이 전해진 케이스.

꿈

일본으로 1년간 연수를 떠나는 이원 선배님의 송별식이 겹해지면서 더욱 왁자지껄. 회자정리. 만나면 헤어지고 헤어지면 또 만나고. 원래 세 가지가 형제처럼 함께 놀죠. 생자필멸, 회자정리, 제행무상, 뭐야. '여름도 가고 이원도 가고 우정도 가고 사랑도 가고' 시가 되네.

시 가운데 친구 이름 죽 열거했는데도 멋진 시가 되는 시도 있더라구요. 잘난 친구들 많다고 자랑하시나. 누구 기 죽이시나. 그 친구들이 한국의 대표적인 시인이라서. 종마 이헌태의 친구들을 죽 나열하면 시가 되려나. 유명한 분들은 시를 쓰는 소재도 무궁무진이네.

박목월의 '일상사'. "청마는 가고/ 지훈도 가고/ 그리고 수영의 영결식/ 그날 아침에는 이상한 바람이 불었다./ 그들이 없는/ 서울의 거리/ 청마도 지훈도 수영도/ 꿈에서조차 나타나지 않았다./ 깨끗한 잠적/ 다만/ 종로이가에서 버스를 내리는 두진을 만나/ 백주노상에서/ 몇마디 이야기를 나누고/ 어느 젊은 시인의 출판기념회가 파한 밤거리를/ 남수와 거닐고/ 종길은 어느날 아침에/ 전화가 걸려왔다./ 그리고/ 어제 오늘은 차 값이 사십원/ 십오프로가 뛰었다." 이것도 시인가. 좋게 생각해야지 뭐.

이 선배 잘 갔다 오이소. 어차피 인생은 한낱 꿈인 것을. 불교에서는 인생을 육여(六如)라고 해요. 꿈이요 환(幻)이요 물거품이요 그림자요 이슬이요 번개요. 앞으로 이것들을 인생이라고 불러야지.

중국의 우무릉이란 시인의 표현, '花發多風雨 人生足別離'. '꽃이 피자 비바람이고 인생엔 이별이다.' 아, 슬프다!

조선시대 연산군도 왕위를 쫓겨나기 전날 불길했는지 장녹수와 술상 차려놓고 한잔하면서 '人生如草露會者不多時'라고 했어요. '인생은 풀잎에 이슬과 같아서 다시 만나는 날이 그리 많지 않을 것'이라고 눈물을 뚝뚝 흘렸다고 하네요. 눈물 흘리기 전에 좀 잘하지.

꿈이란 단어를 자유자재로 사용한 공초 오상순의 시 '꿈'. "꿈이로다 꿈이로다. 모두가 꿈이로다. 너도 나도 꿈속이요. 이것저것이 꿈이로다. 꿈 깨이니 또 꿈이요. 꿈에 나서 꿈에 살고 꿈에 죽어가는 인생 부질없다. 깨려는 꿈 꿈은 깨어 무엇하리." 꿈으로 도배를 한 시구만.

떠나시는 마당에 그런 소리 보다는. 논어, "자공이 물었다. '사람이 평생토록 실천할 만한 한마디 좌우명이 있습니까' 이에 공자께서 말씀하셨다. '그것은 사람들과 마음을 함께하는 것이다'."

북풍한설의 겨울바람으로 돌변하면서 너무 추워 앉았다가 또 일어났다를 반복했다. 일어서니 재미있고 오래 서있으니 추워서 견딜 수가 없고. 어제까지 서울에서 폭염과 싸웠는데 지금 한밤중 이 산골은 빠른 차 속력에 찬바람이 실리면서 강추위를 느끼게 했다. 여름과 겨울을 한 나절 만에 다 겪은 셈이다. 결국 여름이 가고 가을이 찾아오는 구나.

윤동주의 말처럼 "봄 여름 가을 겨울 순서로 돌아들고." 더운 공기를 맞다가 찬 공기를 맞으니 생각나서, 노자선생도 같은 말, "겨울가면 봄이 오듯 자연이 부리지 않아도" 김현승 시인의 '가을'을 마지막으로. "봄은/ 가까운 땅에서/ 숨결과 같이 일더니/ 가을은/

머나 먼 하늘에서/ 차가운 물결과 같이 밀려온다……"

매 산행 때마다 아침식사시간에 나타나는 공통현상 하나. 큰 생수통부터 서로 자기 배낭에서 짐을 하나라도 줄이기 위해 먼저 꺼내놓는 것. 경쟁이다, 경쟁. 죽기 살기 식으로. 농담이고요. 아침 식사를 하고 나면 모두들 배낭무게가 약간씩 줄어들게 된다.

이 음식들이 다 어디로 갔게요. 1) 기화되어 없어진다. 2) 무거워서 산에 버린다. 3) 각자의 뱃속으로 들어간다. 4) 서로 다른 사람의 배낭으로 옮긴다. 정답은 3번. 따라서 배낭에서 뱃속으로 들어가는 것이다.

뱃속에 들어가면 몸 안에 들어가서인지 등에 져서 어깨가 뻐근하고 힘이 드는 것보다는 한결 낫다. 나중에 응아로 나오겠지만. 질량불변의 법칙에다가 화학에너지가 발생하면서 힘이 솟는다. 이헌태, 별 것 아닌 것 가지고 신기한 것처럼 포장하네.

늘 이헌태의 사지선답형 질문의 내용이 수준 이하. 황당무계하기도 하고 깊은 뜻이 담겨있기도 하고. 황당무계하면서도 똘똘한 사람이 한 명있더라구요. 지난번 또라이열전에 포함시키려고 하다가 꼭 그런 것만은 아닌 것 같아서 아껴두었죠.

중국 한무제 때 재정관리총책임자 장탕. 하급관리였던 아버지가 어느 날 귀가해 보니 쥐 한 마리가 고기를 훔쳐 달아나고 있었다고 하네요. 이 아버지 이상한 사람이에요. 집을 보던 아들에게 화를 버럭 내며 두들겨 팼다고 해요. 이에 열 받은 장탕은 쥐구멍을 파헤쳐 먹다 남은 고기와 함께 쥐를 끄집어내어 취조를 했다고 해요. 물고문과 고춧가루고문을 했다나 말았다나, 전설따라 삼천리.

쥐 입장에서 보면 인간이 저 혼자 주절주절, 말을 걸고 황당하겠다. 차라리 죽이든지. 인격취급해주어서 고마운가. 어차피 죽이더라도.

장탕은 이어 영장을 만든 후 진술서를 작성하고 논고, 구형한 다음 판결서를 완성한 뒤 사지를 찢어 죽이는 책형에 처했다고 해요. 이 문서를 읽은 아버지는 숙달된 사법관이 작성한 것처럼 전혀 빈틈을 찾아볼 수 없는 훌륭한 문장이어서 그날 이후 재판공부를 시켰다고 해요. 그 이후 장탕은 결국 한무제의 재정 담당자가 되어 재정개혁에 앞장섰는데 한무제는 재정문제에 관한 이야기만 나오면 해가 지도록 식사를 잊어버릴 정도로 경청했다고 해요. 우리나라 판, 검사 중에 이같이 올바른 법집행 의지를 가진 사람이 과연 몇 명이나 될까. 앞으로 계속 지켜보겠습니다.

책

아침밥을 꼭꼭 씹어 먹으면 생각나는 이가 한 사람 있습니다. 프란시스 베이컨. 그의 '수상록'에는 "어떤 책은 맛보고 어떤 책은 삼키고 어떤 소수의 책은 잘 씹어서 소화해야한다.……독서는 충실한 사람을 만들고 담화는 기지 있는 사람을 만들고 글쓰기는 정확한 사람을 만든다."라고 적혀있습니다.

책에 대한 이빨을 한번 풀어보겠습니다. 책 잡히지는 않을까 모르겠습니다만. 우선 볼테르. "모든 책의 가치의 절반은 독자가 만든다."고 했죠. 같은 책을 읽더라도 영향이 사람마다 달라, 꼭꼭 씹어 먹는 사람은 소화도 잘되고 몸에 이득이 될 것이라는 말씀. 책과 관련된 무작위 소개.

1) 일단 책의 양부터. 종이가 없고 파피루스와 양피지가 있던 시절. 성경책 한 권 만드는데 수백마리의 양가죽이 필요했다고 해요. 성경책 읽고 싶어도 못 읽던 시절이구만. 또 두보의 시에 나오는 남아수독오거수, 즉 남자는 모름지기 다섯수레의 책을 읽어야 한다. 원래는 장자가 친구 혜시의 장서를 두고 한 말이라고 해요. 그때 대나무 죽간 한 권의 부피가 종이책 5백배이니 요즘으로 치면 다섯수레의 책 분량은 수십 내지 수백권의 분량. 그때 태어날 걸, 그러면 책이란 책은 거의 다보는 건데. 지금은 도서관에 가면 책이 산처럼 쌓여있으니. 남아수독오거수가 아니라 남아수독오만거수라고 해야 할 판.

그때는 읽을 책이 적으니 생각을 더 많이 더 깊게 했겠지. 지금은 '정보의 홍수'시대라 생각할 틈이 없죠. 특히 인터넷은 세계에서 가장 많은 책이 있는 세계최대도서관. 그것도 무한대의 책이죠. 양이 질로 전환하는 게 아니라 양이 더 짜증나는 양으로 더 늘어나는 판. 쓰레기장이 쌓이듯이. 이와 관련, 도스토예프스키는 "세상에는 인간을 다루는 방법에 관한 책만 있고 인간에 관한 책은 없다."고 통탄했죠. 서울 강북의 쓰레기매립지 난지도는 쾌적한 공원으로 질적 전환을 했네.

2) 그래도 우야노, 다독이 중요. 책을 많이 봅시다. 위편삼절. 공자는 주역을 읽고 또 읽어 죽간을 묶는 가죽끈이 세 번이나 끊어졌다고 해요. 외우고 또 외우고 무조건 외우고 그렇게 소리내어 읽

다보면 어느 순간 뜻이 통했다고 해요.

강박은 '국포집'에서 '구양독서법'이란 글을 소개하고 있습니다. "글자의 수를 헤아려 보았더니 효경은 1903자 논어는 1만 1750자 맹자는 3만 685자 주역은 2만 4107자 서전은 2만 5700자 시경은 3만9234자 예기는 9만 9010자 주례는 4만 5806자 춘추좌전은 19만 6845자였다. 날마다 300자씩 외우면 4년 반이면 다 마칠 수가 있다. 조금 우둔한 사람이라 반으로 줄여 외운다해도 9년이면 다 외울 수 가 있다." 참 대단하다. 아니고 참 심하다, 심해. 할 일이 그렇게 없나. 외우는데 장사 없다고 해요.

김득신은 '고문 36 수독수기'라는 책에서 자신이 즐겨 읽은 36편 옛 글의 읽은 횟수를 작품별로 자세히 기록. 스스로 노자를 2만 번 읽었고 사기의 백이열전은 무려 일억만천 번을 읽었다고 해요. 자신의 집이름을 '억만재'라고 했다고 해요. 묵독이 아니라 성독으로 했으면 입이 얼얼할 판. 지금 그렇게 하다가는 식구들 배 곪아 죽게 하기 딱 십상. 그 당시 지식의 수천배를 더 배워야 겨우 묵고 살 걸.

'채근담'의 글 하나, "책을 읽으면서 성현을 보지 못한다면 이는 글씨는 베끼는 필생(筆生)이요, 관직에 있으면서도 백성을 사랑하지 않는다면 이는 관복을 입은 도둑이다. 학문을 가르치면서도 몸소 실천하지 않는다면 이는 입을 선하는 것, 즉 구두선이며 사업을 세우고도 덕의 씨앗을 뿌리기를 생각하지 않는다면 이는 눈앞의 꽃에 지나지 않는다." 아하, 그렇구나.

3) 책 읽는 법에 대한 소고. 알베르토의 망구엘의 '독서의 역사'에서는 중세유럽에서도 책은 반드시 소리를 내서 읽어야 했다고

해요. 암브로시우스가 묵독하는 것을 본 아우구스티누스는 충격을 받았다고 해요. 묵독은 음험하고 요사스럽게 생각되었나 봐요. 경전을 읽으면서 신성함을 놓치지 않으려면 문장의 가락에 맞춰 몸을 흔들고 성스러운 단어들은 입을 크게 벌려 소리내어 읽어야 한다고 굳게 믿었죠. 그래야 책장에 쓰인 죽어있던 단어들이 날개를 달고 훨훨 날아올라 의미화된다고 여겼다고 하네요. 나 원 참.

4) 책이 얼마나 소중하고 필요한 줄 아세요. 책은 마음의 양식이죠. 그런데 도서관에 가면 공짜 책이 산더미처럼 쌓였는데 이를 이용할 줄 모르다니. 책맹 즉 책 읽는 능력은 있으나 책을 읽지 않는 의사문맹이 전체인구의 40%라고 하네요.

헤르만 헤세는 '책의 마법'에서 "인류가 자연으로부터 선물로 받지 않고 인간의 정신으로부터 창조해 낸 수많은 세계 가운데서 가장 위대한 것은 책의 세계."라고 찬미했죠. 맞습니다.

5) 책의 역사에 아픔도 많았죠. 고자가 되는 궁형이라는 모욕을 참으면서 사마천은 중국의 위대한 역사책 '사기'를 지었죠. 사기는 총 52만 6500자.

사마천은 치욕을 저술로 승화시킨 위대한 역사가죠. 친구에게 보낸 서한에서 군자의 삶에는 세 가지가 있다고. 덕을 세우는 입덕, 말을 세우는 입언, 즉 저술로 이름을 남기는 것이 공적을 세우는 일보다 더 앞선다고. 공적을 세우면 입공. 자기 일에 대한 긍지가 대단하구만.

책으로서 가장 슬픈 역사는 역시 중국 진시황 때의 분서갱유. 이와 비슷한 문화탄압사례로는 영국 청교도 혁명 하에서는 극장이 폐쇄되어 세익스피어의 작품도 상연되지 않았다죠. 칼뱅은 예술을 부정하였고 파스칼도 예술을 무용지물이라고 주장했다죠. 이 원조는 플라톤. 플라톤은 시가 이성이 아니라 인간의 감정에 호소한다고 판단하며 '시인추방론'을 외쳤죠. 시인협회에서 가장 싫어하는 인간이 플라톤인가.

에라스무스는 '루터주의가 팽배한 곳에 문예가 파괴되고 있다'고 한탄했죠. 루터의 신념은 '오직 성서, 오직 신앙, 오직 은총'. 그는 인간의 이성은 '악마의 매춘부'라고 했죠. 뭐 그렇게까지나. 자신의 이론에 어긋나는 서적은 물론 교회 성화나 성상도 모두 파괴했다고 하네요. 중국의 문화대혁명 때 공자, 맹자 등 전통유학서는 물론 문화예술품이 다 아작났죠. 아프카니스탄의 불교문화재가 다 박살이 났죠. 왜 그렇게까지 하나.

6) 책만 읽는다고 만사형통은 아닌 듯합니다. 위진남북조시대 . 14만권의 책을 모으고 중국 역대 황제가운데 가장 많이 수백권의 책을 썼던 남조 양나라의 마지막 황제인 원제. 패망을 목전에 두고 "이 책들이 (나라를 구하는데) 아무짝에도 쓸모가 없었던가."라며 탄식하며 모두 불태워버렸다고 하네요.

조선후기 실학자 이덕무는 신동으로 박학다식하였지만 너무 가난, 어머니와 누이가 영양실조로 사망했다고 해요. 겨울 찬 구들방에서 홑이불만 덮고 자다가 논어를 병풍처럼 세워 바람을 막고 한서 한 질을 이불로 덮고서야 얼어 죽기를 면했다고 해요. 참 딱한 분이네. 그는 스스로 책에 미쳤다고 해서 간서치(看書치)라고 했다고 해요. 자기 키높이 보다 많은 분량의 책을 썼다네요. 그 중에.

"가장 으뜸가는 것은 가난을 편안히 여기는 것이다. 그 다음은 가난을 아예 잊어버리는 것이다. 가장 낮은 것은 가난을 꺼리고 가난을 호소하며 가난에 짓눌리다가 가난에 부림을 당하는 것이다. 그보다 더 아래는 가난을 원수로 여기다가 가난에 죽는 것이다." 맞는 말씀. 너무 가난하면 안 되죠.

이덕무의 성격을 알 수 있는 대목 하나. 삼국지를 강력하게 비난했죠. 음모와 술수가 넘쳐 어린이에게 권하기 어렵다면서. 그런 순진무구 가치관이니 식구들 끼니 해결할 능력이 되었겠어요. 그런데 중국 옛 말에 젊어서 수호지를 읽지 말고 늙어서는 삼국지를 읽지 말라고 했다나요. 어떻게 하라는 것인가. 사람마다 얘기가 다 달라서. 읽고 좋게 생각하면 되지 뭐.

중국 명언. "가난은 부끄러워할 일이 아니다. 부끄러워할 것은 가난하면서도 소망이 없는 것이다. 지위가 낮은 것은 두려워할 일이 아니다. 두려워할 것은 지위가 낮으면서도 능력을 향상시키려고 하지 않는 것이다. 나이를 먹는 것은 슬퍼할 일이 아니다. 슬퍼할 것은 나이를 먹어가면서도 인생을 낭비하는 것이다. 죽는 것은 슬퍼할 일이 아니다. 슬퍼할 것은 아무도 모르게 죽는 일이다."

7) 별난 독서광들도 많았더라구요. '돈키호테'를 쓴 스페인 작가 세르반테스는 어린 시절부터 길가에 떨어진 종이조각이라도 글자가 적혀 있으면 반드시 주워서 읽어볼 만큼 대단한 독서광. 종이 줍던 넝마주의 선조네. 돈키호테 같은 사람이구만.

삼국지의 조조. 손에서 책을 놓지 않았고 낮에는 무책을 연구하고 밤에는 경전을 생각하며 높은 곳에 오르면 반드시 부(賦)를 짓는 문무겸비의 인물. 장군과 시인으로 유명하죠. 멀티 플레이어.

나폴레옹도 오로지 독서만 했다고 해요. 9살 때부터 28살 전쟁터에 나갈 때까지 친구도 거의 없고. 나중에 친구 왈, “나폴레옹의 전술 정책 전략 등의 모든 것은 독서에서 얻은 것이다.” 한 시대를 주름잡던 조조나 나폴레옹 역시 독서광이었네. 훌륭한 지도자는 책을 많이 읽어야 한다는 평범한 결론.

8) 책과 전혀 관계없으면서도 책 알기를 우습게 여기는 사례 하나. 중국 개혁개방의 견인차 역할을 했던 광동성의 한 간부는 개혁개방 25주년을 맞아 “경제는 책으로 하는 것이 아니다. 실천으로 하는 것임을 비로소 알았다.”고 말했죠. 책이 얼마나 좋은데.

작은 거인, 등소평. 1978년 12월 중국공산당 전당대회에서 중국 국가목표를 정치(계급투쟁)에서 경제로 옮길 것을 선언하고 광동성을 첫 시험무대로 선택. 등소평은 광동성을 찾아 “중앙 정부는 돈이 없다. 줄 것이라고는 정책뿐이다. 정책을 줄 테니 먼저 나가라. 그리고 죽도록 싸워 잘 살아보라.”고 호소했죠. 중국은 지도자를 중심으로 죽도록 싸웠죠. 경제특구1호는 홍콩과 가까운 작은 어촌 심천. 그 이후 광동성과 심천은 중국에서 가장 잘 사는 지역으로 변모했죠. 어느새 중국은 세계경제의 블랙홀이 되어 ‘세계경제강국’으로 바뀌고 있는 중입니다.

사자성어로 본 중국의 대외전략변화과정은 1) 힘이 없던 개혁개방초기시절에는 도광양회(때를 기다린다) 2) 지금 4세대 지도부가 등장한 이후에는 조용한 성장을 위해 화평굴기(평화롭게 전진) 3) 그 이후에는 유소작위(개입해 목적달성) 그리고 부국강병(경제국방 동시강화). 이를 한마디로 말하면 '잘 나간다고 대장질하겠다'는 뜻. 한국도 10여년 전만 해도 더 심했는데. 분명한 사실 하나, 서양의 로마제국과 동양의 대당제국은 다양한 민족과 문화의 공존에서 꽃을 피웠다는 사실.

북한 김일성 식, 따뜻한 이밥에 고기국을 먹는 배부르고 따뜻하면 만족하는 '원바오(溫飽)사회'는 넘어섰지만 등소평이 꿈꾸는 중산층 이상의 삶을 사는 웬만한 여유 있는 '샤오캉(小康)사회'의 실현을 꿈꾸고 있죠.

등소평. 150센티의 키로 이름이나 실제 키나 모두 작았지만 아이러니컬하게도 중국을 대국으로 만든 영웅. 잠자던 대국을 깨워 세계의 승천하는 용으로 만든 중국역사상 가장 뛰어나 정치인. 그런데 등소평 어록만 나오면 이헌태가 가장 괴로워하는 것 하나. "헛소리는 적게 하고 일은 알차게"란 말을 주변 수행원에게 늘 당부한다고 해요. 이헌태한테 딱이네. 내가 생각해도 그래.

나의 말

나폴레옹은 전쟁만 잘하는 줄 알았더니 독서도 잘했나 보네요. 여러분은 어떤 책을 좋아하시나요? 저는 추리소설을 즐겨 읽습니다. '히가시노 게이고'의 데뷔작 '방과 후'를 읽고서 추리소설의 세계에 빠지게 되었는데요. 추리소설의 묘미라면 역시 '범인은 누구인가' 이지만 더 나아가 '그래서 왜 죽였을까'를 음미하며 읽으면 재미가 배로 커지지요. 일상생활에서는 상상하기 힘든 일들이 추리소설에서는 가능하니까 언제나 저를 설레게 합니다. 제가 가장 좋아하는 작가를 꼽으라면 무라카미 하루키. 이 분 덕에 저의 삶이 풍요로워졌죠. 하루키와 동시대에 살고 있어서 기쁘네요!

동생의 말

와, 책 이야기들이 정말 다양하네요. 그러고 보니 부모님께서는 책을 좋아하시죠, 거실에는 항상 책이 빼곡 꽂힌 커다란 책장이 있었어요. 베란다 구석 쌓여있는 박스 안에는 온통 책뿐이었고요. 가까이에 많은 책이 있었으니 자연스럽게 오빠와 제가 다독하게 되었나봅니다. 저도 최근 SNS에 책 관련 글을 쓴 게 있는데 여기에 옮겨볼게요. 지극히 제 위주얘기지만요.

올해엔 오십 권쯤의 책을 읽었다. 평소 거의 읽지 않는 비문학 장르까지 찾아 읽은 게 제일 기쁘다. 박수짝짝. 전에는 빨리 적당한 가치관을 정립하고 나만의 취향을 만들고 싶어서 닥치는 대로 책을 읽었었는데, 이제 막상 틀이 잡히고 나니 나도 모르게 다른 걸 배척하게 되는 게 싫어졌다. 나는 내가 굳지 않고 말랑하고 따끈히 김이 폴폴 났으면 좋겠다.

사실, 아무래도 좋다. 허지웅씨도 어느 에세이에서 우리가 뜨거운 온도에만 집중하고 있다고 차가워서 버려지는 것들에 대해 격하게 논한 적이 있는데 곱씹을수록 그 내용이 좋았다. 어쩐지 얘기가 새버렸지만 이러나저러나 아직은, 책으로 남들의 세계를 훔쳐보고 실망하거나 감탄하거나 빨려 들어가거나 끌고 오거나 하는 것이 재밌다. 그렇게 빈틈을 채우고 시야를 넓히고 있다. 나도 내 세계를 적절한 말들로 표현한 책을 낼 거다. 십 년 안에?!

분심

앞으로도 나는 백두대간 종주가 아니라 전 세계 종주를 목표로 삼아야겠다는 각오를 다졌다. 김기림 시인의 글 가운데 "세계는 나의 학교, 여행이라는 과정에서 나는 수없는 신기로운 일을 배우는 유쾌한 소학생이다."라는 그 심정으로. 전 세계 다 구경하려면 오래 살아야하고 돈도 있어야 하는데 이 두 가지는 내 마음대로 되지 않으니. 이헌태의 철학. "생각은 높게, 생활은 단순하게." 잘 되겠지 뭐. 참 좋은 말인데 사실 영국의 시인 윌리엄 워즈워드의 말씀.

그런데 산행하면서 종마는 다리가 삐근, 부석사로 하산하고픈 마음이 굴뚝같지만 그러나 따라가지 못하고 목표지점을 향해 이유불문하고 가야하는 슬픈 인생.

노천명의 사슴이 생각난다. "모가지가 길어서 슬픈 짐승이여,/ 언제나 점잖은 편 말이 없구나./ 관(冠)이 향기로운 너는/ 무척 높은 족속이었나 보다./ 물 속의 제 그림자를 들여다보고/ 잃었던 전설을 생각해 내고는/ 어찌할 수 없는 향수에/ 슬픈 모가지를 하고/ 먼 데 산을 바라본다."

진짜 출발하기 전에 먼데 산을 바라보았습니다. 가슴이 막히네요. "종마라서 슬픈 짐승이여,/ 언제나 시끄러워 주변에 짜증을 주지만 / 이빨이 구수한 너는/ 사람들을 웃기게 하는 개그맨출신이었나보다." 뭐야.

'슬픈 인생'을 탓하기 전에 현실적으로 가장 필요한 것은 전에 유대장이 말씀하신 무념무상. 마음을 비우는 것이죠. 마음을 비우면 어떻게 되나. 속을 비우면 배고픈데. 마음을 비우면 마음이 고픈

가. 아닙니다. 오히려 더 좋다고 하네요. 참 이상하네.

불교에서 진공묘유(眞空妙有), 즉 참으로 텅 빈 곳에 오묘한 진리가 있다. 주의 사항, 머리가 텅텅 빈 것하고는 전혀 관계없습니다. 노자 왈, "도는 텅 비어있지만 그 힘은 끝이 없다. 깊기도 하여라.……신비롭도다.……" 성현들은 일단 빈 것을 좋아하는 구만. 그래야 순수한 것으로 채울 수 있기 때문인가. 하기사 더러운 것으로 채워져 있으면 바꾸기가 새로 만드는 것보다 더 어려울 터.

쓸데없는 추가. 이형기시인의 시 '불행'. "텅텅비어 있는 여기저기에/ 누구에게나 처럼 벌레는 운다/ 행복하고 싶었던 그 시절이/ 실은 행복한 시절이었다" 끝 대목이 가슴에 와닿네. 행복하고 싶었던 그 시절이 실은 행복한 시절이었다고.

본격 선달산 오르막. 북쪽으로 거의 한 시간 가량을 급경사 오르막을 쉬지 않고 나아갔다. 이헌태의 오기가 발동. 뒤쳐지지 않기 위해 이를 악물고 뒤따라갔다. 여러분, 한 시간 가량을 내쳐 올라가 보세요. 기가 막혀 말이 나오지 않네요. 다리가 후들후들, 호흡이 쌕쌕.

그러나 우리의 종마 이헌태. 오기가 생겼죠. 오기와 분노가 성취나 득도에 결정적으로 작용하는 것 아세요.

장탕이 아버지에게 꾸지람 듣고 열 받아 연구해서 높은 벼슬에 올랐듯이. 공부나 사업이나 독기가 있어야 결실이 있어요. 불교에서 분한 마음, 분심이 중요하죠. "부처님이나 역대조사처럼 견성오도하는데 나라고 못할 거냐."라는 하면 된다는 의지와 분심(憤心)이 필요하죠. 여기서 밑줄 쫙, 분심.

불교 조계종 종정인 법전스님은 한번 자리에 앉으면 눈 한번 깜

박이지 않은 채 18시간을 움직이지 않았다고 해요. 삼매에 들어가서는 "공부는 산을 뽑아 버릴 듯한 분심을 일으켜야한다."고 말했다고 하네요.

이처럼 분노해서 그런지 성현들도 미움의 마음도 있더라구요. 공자는 "군자도 미워하는 것이 있습니까?"라는 자공의 질문에 "미워하는 것이 있다. 남의 악한 점을 들춰내 말하는 것을 미워하고 아랫자리에 있으면서 윗사람을 비방하는 것을 미워하고 용기는 있으면서 예의가 없는 자를 미워하고 과감하면서 막힌 것을 미워한다." 난 또 뭐라고.

공자가 늙어서 총기가 잃었는지 화를 불같이 내기도 했더라구요. 공자가 일흔이 되어 노나라로 귀국하고 노나라 대부 계강자 측에 제자 염구가 주례법에 어긋난 세금을 도입하려하자 제자들에게 "염구는 더 이상 내 제자가 아니다. 너희들은 깃발을 날리며 그를 공격해도 된다."고 말했다고 하네요.

이상한 게 그냥 공격하면 되지 북을 울리며 '깃발'을 날리며 공격하는 것은 또 뭐예요. 성인치고는 단어 선정에 문제가 있네. 그리고 '한번 해병은 영원한 해병'이듯이 '한번 공자제자면 영원한 공자제자'지. 너무 하시네. 공자님도 속이 꽁해서. 꽁해서 공자구나. 어머님이 맹모삼천해서 겨우 정신차리고 공부한 '맹'한 맹자나. 아니면 말고.

사실 성인들이라고 무조건 물이 물 탄 듯이 넘어갈 수는 없죠. 화낼 때는 화내고. 공자 선생님도 어떤 사람이 "모욕을 친절로 갚는 것은 어떠합니까?"라고 물으니 "모욕을 친절로 갚는다면 장차 무엇으로 친절을 보상받겠는가? 모욕은 정의로 갚아야 하며 친절은 친절로써 갚아야 한다."고 답했다. 정답이네요. 무조건 '헤헤헤'는 안 된다는 말씀.

약수터

오전 약수터에는 약수물을 받기위해 물통이 쭉 늘어섰다. 기다릴 시간이 없어서 대원 모두는 약수물을 한 바가지씩 마시고 이내 떠야했다. 오전 약수물은 한마디로 톡 쏘는 철분함유의 '탄산사이다'. 맛이 일품이다. 속병이 다 없어지는 느낌이다. 어릴 때는 도저히 마실 수 없어서 설탕에 타서 마신 기억이 난다.

한국에서 가장 좋은 약수물도 마시고. 백두대간 산행에서 행복을 느끼고 오전약수터의 물맛에서 행복을 또 느끼고. 이게 바로 '더블 행복'이야. 행복은 이렇게 가까운데 있는데. 행복도 그렇지만 진리도 가까운 곳에 있어요. 학교 담벼락에 사는 학생이 가장 지각한다면서요. 이것은 가까운 게 좋지 않네.

모 선사 왈, "눈썹은 바로 눈 위에 있다(眉毛在眼上)" 눈이 눈썹을 보지 못하듯이 가까운 거리에 와 있는 행복과 진리를 놓치지 맙시다.

이헌태가 백두대간 종주기를 쓰면서 너무 잡글을 많이 쓰는 경향이 있다고 해요. 죄송합니다. 저에게 가장 해당되는 글을 하나 반성문겸, 채택했습니다. 정약용의 '다산논총'에 있죠. 구절마다 옳은 말씀입니다.

1) 맡은 일이 작은데 재주가 넘치면 간사해진다. 2) 지위가 낮은

데 지식이 높으면 3) 수고한 것은 적은데 소득이 높으면 4) 나는 제자리에 있는데 나를 감독하는 사람이 자주 바뀌면 5) 나를 감독하는 사람이 정직하지 않으면 6) 내 패거리가 아래에 많은데 윗사람이 외롭고 어리석으면 7) 나를 미워하는 사람이 나보다 약해서 내 잘못을 고발하지 않으면 8) 다 같이 법을 어겼는데도 서로 버티면서 고발하지 않으면 9) 염치를 모를 정도로 형벌이 가벼우면 10) 간사한 것을 하지 않았는데 간사하다 보면 정말로 간사해진다.

나온 김에 나라가 걱정되고 마침 중국의 고구려사 왜곡도 있고 해서 정약용 하나 더. 정약용선생의 글은 약용으로 그만이죠.

"아! 우리 민족이여/ 마치 자루속에 든 듯 답답하구나/ 삼면은 바다로 막혔고/ 북방은 높은 산악으로 가리웠으니/ 사지는 항상 오므라지고 뒤틀려/ 기지를 어디에 펴 볼꼬/ 만리 저곳에 성현이 있으려만/ 누가 능히 이 어둠을 밝혀 주려나// 고개 들어 사람들을 바라보니/ 견문은 좁고 정은 흐릿하도다/ 남의것을 모방하기에 급급하다가/ 제 것을 갈고 닦을 겨를이 없었구나/ 어리석은 것 하나만 받들게 하여/ 백성들의 입에는 자갈을 물리우네/ 차라리 단군시대의/ 질박한 고풍이 그리워라"

단군시절이 그리워라. 만주 벌판까지 다 우리땅이었는데. 동북아 대륙을 휘어잡았는데. 게다가 착한 백의민족이었고. 평화와 번영의 세월. 곧 다시 오겠지 뭐. 요즘 가장 어려운 상황을 맞고 있지만 희망을 갖고 삽시다. 우리민족이 워낙 부지런하고 똘똘해서, 안녕.

제4장 가을

조용필

9월 4일(토), 5일(일). 백두대간 종주를 향한 31번째 산행에 나섰다. 입추도 벌써 지나고 처서도 지나고 이제는 백로(7일)를 며칠 앞두고 있다. 백로는 완연한 가을로 접어들어 선선하고 차가운 기운이 돌며, 특히 만곡이 무르익는 시기이다.

아직도 대낮에는 더운 여름의 기운이 여전하지만 아침, 저녁으로는 초가을의 선선한 기운이 완연하다. 두 계절이 상존하고 있다.

이번 산행 코스는 박달령에서 곰넘이재까지. 근래 백두대간 산행 가운데 가장 짧은 코스다. 고 총무가 대간팀 사이트에 '이번에는 한결 수월한 코스'라고 유인했다. 사실 13.2킬로미터로 짧은 축에 속해기는 한다. 나는 '많이 참석하라고 거짓말하는 것 아니냐'며 리플을 달았다.

사실, 산행하다 보면 거짓말도 필요한 것 같아요. "힘들지 않다." 고 해도 또 속지만 그래도 속는 편이 마음 편하거든요. 선의의 거짓말, 하얀 거짓말은 가끔 필요하죠.

나폴레옹도 그랬고 당나라 때 처음으로 실크로드를 휘어잡은 고구려유민 고선지 장군도 그랬고 삼국지의 조조도 그랬고. 전쟁터의 장수들은 특히 역사에 남는 기라성 같은 장수들은 어려운 고비를 맞으면 꼭 한번 씩은 병졸들의 사기를 올리는 '속임수' 식 내지는 '사탕발림' 식의 말을 써 먹었더라구요. 이 험한 산만 넘으면 마실 물이 있다든지 또 일부러 부하를 시켜 항복하는 적군인 것처럼 위장시켜 사기를 충천하게 한다든지.

이탈리아 로마 앞까지 진격, 간담을 서늘하게 만들었던 카르타고의 한니발 장군도 셀 수 없는 동사자가 생기는 알프스 산맥을 넘으면서 군졸들의 사기가 땅에 떨어지자 "저 곳이 이탈리아다. 이탈리아에 들어가기만 하면 로마 성문 앞에 선 것이나 마찬가지다. 여기서부터는 이제 내리막길뿐이다. 알프스를 다 넘은 뒤에 한두 번만 전투를 치르면 우리는 이탈리아 전체의 주인이 될 수 있다." 말은 잘해.

이번 백두대간 종주기도 좋은 말씀으로 시작해야지. 만해 한용운의 득도송, 오도송. '남아도처시고향(男兒到處時故鄕)', 즉 "대장부란 있는 곳 어디에나 다 고향인 것을."

"대장부란 그 있는 곳 어디에나 고향인 것을/ 나그네 시름에 잠긴 사람 그 얼마인가/ 한마디 버럭 질러 온 세상 뒤흔드노니/ 눈 속에 복숭아꽃 펄펄 흩날리로다" 설악산 오세암에서 좌선 중에 홀연 바람에 날려 물건 떨어지는 소리를 듣고 오랫동안 의심하던 것들에 대해 문득 깨우치면서 이 오도송을 읊었다고 하네요.

이헌태가 가는 곳 어디에나 다 기쁨이 넘치는 것을. 백두대간 능선마다 계곡마다 다 나의 고향인 것을. 비슷한 선불교 시도 있네. "나 도착했네. 궁극의 진리에 머무르리." 한시나 선시를 종합분석하면 비슷한 내용이 너무 많더라구요. 다 그게 그거지 뭐.

화정동 집을 나섰다. 지하철 플랫폼에서 전철을 기다리다보니 벽에 좋은 구절이 눈에 띄어 얼른 몇 자 베껴 적었다. "꽃 향기는 바람을 거스르지 못해도, 덕행을 쌓은 사람의 향기는 바람을 거슬러 멀리멀리 시방 세계 퍼진다."(아함경) 좋은 글 감사합니다. 불빛 조명이 어둑하고 공기도 탁한 지하철역 안에 좋은 향기가 날리고 있구만.

지하철을 타고 오면서 시집 한 권을 독파하느라 시세계에 몰두했는지 이날따라 전세버스 타는 곳에 일찍 도착했다. 서울 도심도 가을이 찾아온 모양이다. 거리가 청량하고 선선한 바람으로 가득 차 있다. '선선한 바람'. 바다에서 막 건진 선도 높은 신선한 바람이냐, 착하디 착한 바람이냐. 다 맞네. 여름의 폭염도 아닌 것이 겨울의 혹한도 아닌 것이 인간에 딱 적당한 바람이다. '적당 바람'이다. '중도의 미학'이라고나 할까. 유가에서 말한 '중용'의 사상과 극한 고행과 극한 쾌락을 거부한 싯다르타의 '중도의 철학'이라고나 할까. 석가모니 부처님의 '중도'의 철학이, 스님 즉 중의 철학이라서 그런가. 아니면 말고. 하여튼 '적당'과 '중도'는 완전 다르다구요. 알겠습니다.

서울 도심의 네온사인 불빛이 오늘 따라 화려하다. 한때 노래방에 가면 나의 '18번 노래'. 조용필의 '꿈'이 생각난다. 제가 조용필의 열렬한 팬이죠.

그런데 무진장 많은 조용필의 명곡들 가운데 대게 본인 작사로 되어 있더라구요. 진짜로 본인이 작사를 했는지 참 궁금해요. 진짜

라면 참, 대단한 시인인데. 고명하신 시인협회에서는 딴따라라고 무시하려나. 그러면 안 되지. 조용필을 '내 마음속의 시인'으로 인정합니다.

가을

"오동잎 지는 소리가 천하의 가을을 알린다." 반대도 있더라구요. "제비 한 마리가 여름을 만들지 않는다." 뭐야. 넘어가고.

가을을 맞이하여 '시'로 가을 특집을 꾸몄습니다. 가을이 어떤 계절인지는 제가 정리를 하지 않겠습니다. 알아서 느껴보세요.

제가 지구에 나온 지 43년 동안 살아오면서 한 번도 사계절의 질서가 깨뜨려진 적은 없습니다. 봄 다음에 건너뛰고 바로 겨울이 온다든지, 또 겨울을 빼먹는다든지, 이런 불규칙 흐름은 단 한 번도 없었습니다. 각 계절이 특히 봄과 가을이 짧아진 적은 있습니다만. 4계절은 저를 단 한 번도 속이지 않았습니다. 인간들도 4계절처럼 속이지 맙시다. 좋은 결론 하나, '자연은 절대로 속이지 않는다'. 인간이 자연을 파괴할 때 간혹 성질을 내는 경우는 있어도. 왕창 성질내면 답이 없는 거지만.

'자연'에 대한 멋진 표현 하나. '자연'하면 그래도 예수님, 부처님, 공자, 맹자보다는 노자가 더 어울리죠. "겨울가면 봄이 오듯 부르지 않아도 밝은 이치는 오게 되어 있다. 사람들은 초조하게 수확을 기다리지만 자연은 조급히 서두르지 않고도 일을 이뤄낸다. 천지의 그물은 넓고 성기지만 무엇 하나 빠뜨림이 없다."

이헌태의 결론, '자연을 배우자'. '자연으로 돌아가자'가 아니고. 이미 노자 선생께서 주장했죠. 그래서 나온 게 '무위자연설'이라고. 그렇겠죠. 이헌태가 뭘 압니까.

먼저 조병화시인의 '가을'. "어려운 학업을 마친 소년처럼/ 가을이 의젓하게 돌아오고 있습니다// 푸른 모자를 높게 쓰고/ 맑은 눈을 하고 청초한 얼굴로/ 인사를 하러 오고 있습니다// "그동안 참으로 더웠었지요"하며// 먼 곳을 돌아 돌아/ 어려운 학업을 마친 소년처럼/ 가을이 의젓하게 높은 구름의 고개를 넘어오고 있습니다"

또 조병화시인의 '가을'. '가을'에 흠뻑 빠졌구만, '가을' 전문시인이네. "전투는 끝났다/ 이제 스스로 물러날 뿐이다/ 긴 그 어리석은 싸움에서/ 서서히, 서서히, 돌아서는/ 이 허허로움// 아, 얼마나 세상사 인간 관계처럼/ 부끄러운 나날이었던가/ 실로 살려고 기를 쓰는 것들을 보는 것처럼/ 애절한 일이 또 있으랴// 가을이 접어들며 훤히 열리는/ 외길, 이 혼자/ 이제 전투는 끝났다/ 돌아갈 뿐이다" 조병화 시인님은 늘 재기가 넘쳐요.

또 조병화시인의 '가을' 또 가을. "가을은 하늘에 우물을 판다/ 파란 물로/ 그리운 사람의 눈을 적시기 위하여// 깊고 깊은 하늘의 우물/ 그곳에/ 어린 시절의 고향이 돈다// 그립다는 거, 그건 차라리/ 절실한 생존 같은 거/ 가을은 구름밭에 파란 우물을 판다// 그리운 얼굴을 비치기 위하여"

안도현 시인의 '가을엽서'. "한 잎 두 잎 나뭇잎이/ 낮은 곳으로/ 자꾸 내려앉습니다/ 세상에 나누어줄 것이 많다는 듯이// 나도 그대에게 무엇을 좀 나눠주고 싶습니다// 내가 가진 게 너무 없다 할지라도/ 그대여 / 가을 저녁 한때/ 낙엽이 지거든 물어보십시오 / 사랑은 왜/ 낮은 곳에 있는지를" 안도현 시인다운 시구만요.

고은시인의 '가을상업'. "가을은 가면서/ 노인을 남긴다/ 그리고 노인의 죽음을/ 그 뒤에 남긴다/ 하나씩 둘씩// 저문 참나무 숲에서/ 지는 잎들을 팔고 있다/ 그러나 사는 자 없다/ 어리석은 고독이로다// 노인 한 개는 열까지 헤인다/ 지난날에 버린 것을/ 그리고 자기자신을/ 그리고 죽어간다 어리석도다" 승려 출신 시인이라 다르네요.

이해인 시인의 '가을노래'. "가을엔 물이 되고 싶어요/ 소리를 내면 비어 오는/ 사랑한다는 말을/ 흐르며 속삭이는 물이 되고 싶어요// 가을엔 바람이고 싶어요/ 서걱이는 풀잎의 이마를 쓰다듬다/ 깔깔대는 꽃 웃음에 취해도 보는/ 연한 바람으로 살고 싶어요// 가을엔 감이 되고 싶어요/ 가지 끝에 매달린 그리움 익혀/ 당신의 것으로 바쳐 드리는/ 불을 먹은 감이 되고 싶어요"

오세영시인의 '가을에'. "너와 나/ 가까이 있는 까닭에/ 우리는 봄이라 한다./ 서로 마주하며 바라보는 눈빛,/ 꽃과 꽃이 그러하듯……// 너와 나/ 함께 있는 까닭에/ 우리는 여름이라 한다./ 부벼대는 살과 살 그리고 입술,/ 무성한 잎들이 그러하듯……// 아, 그러나 시방 우리는/ 각각 홀로 있다./ 홀로 있다는 것은/ 멀리서 혼자 바라만 본다는 것,/ 허공을 지키는 빈 가지처럼……// 가을은 / 멀리 있는 것이 아름다운/ 계절이다."

주요한시인의 '가을은 아름답다'. "빗소리 그쳤다 잇는/ 가을은 아름답다./ 빛 맑은 국화송이에/ 맺힌 이슬 빛나고/ 꿩 우는 소리에 해 저무는/ 가을은 아름답다.// 곡식 익어 거두기에 바쁘고/ 은하수에 흰 돛대 한가할 때/ 절 아래 높은 나무에/ 까마귀 소리치고/ 피묻은 단풍잎 바람에 날리는/ 가을은 아름답다.// 물 없는 물레방아 돌지 않고/ 무너진 섬돌 틈에서/ 달 그리운 귀뚜라미 우지짖는/ 멀리 있는 님생각 간절한/ 한 많은 철이여!/ 아름다운 가을이여!" 아름다운 것 이제 아셨어요.

김현승시인의 '가을의 기도'. "가을에는/ 祈禱하게 하소서....../ 落葉들이 지는 때를 기다려 내게 주신/ 謙虛한 母國語로 나를 채우소서.// 가을에는/ 사랑하게 하소서......// 오직 한 사람을 택하게 하소서,/ 가장 아름다운 열매를 위하여 이 肥沃한/ 時間을 가꾸게 하소서.// 가을에는/ 호올로 있게 하소서....../ 나의 영혼,/ 굽이치는 바다와/ 百合의 골짜기를 지나,/ 마른 나뭇가지 위에 다다른 까마귀같이."

이헌태, 질린다 그만해라. 딱 하나만 더. 박인환시인의 '목마와 숙녀'. "한 잔의 술을 마시고/ 우리는 버어지니아 울프의 생애와/ 목마를 타고 떠난 숙녀의 옷자락을 이야기한다./ 목마는 주인을 버리고 거저 방울 소리만 울리며/ 가을 속으로 떠났다 술병에서 별이 떨어진다./ 상심한 별은 내 가슴에 가볍게 부서진다./ 그러던 잠시 내가 알던 소녀는/ 정원의 초목 옆에서 자라고/ 문학이 죽고 인생이 죽고/ 사랑의 진리마저 애증의 그림자를 버릴 때/ 목마를 탄 사랑의 사람은 보이지 않는다./ 세월은 가고 오는 것/ 한때는 고독을 피하여 시들어가고/ 이제 우리는 작별하여야 한다./ 술병이 바람에 쓰러지는 소리를 들으며/ 늙은 여류작가의 눈을 바라다보아야 한다./ ......등대....../ 불이 보이지 않아도/ 그저 간직한 페시미즘의 미래를 위하여/ 우리는 처량한 목마 소리를 기억하여야 한다./ 모든 것이 떠나든 죽든/ 그저 가슴에 남은 희미한 의식을 붙잡고/ 우리는 버어지니아 울프의 서러운 이야기를 들어야 한다./ 두 개의 바위 틈을 지나 청춘을 찾은 뱀과 같이/ 눈을 뜨고 한 잔의 술을 마셔야 한다./ 인생은 외롭지도 않고/ 그저 잡지의 표지처럼 통속하거늘/ 한탄할 그 무엇이 무서워서 우리는 떠나는 것일까./ 목마는 하늘에 있고/ 방울 소리는 귓전에 철렁거리는데/ 가을 바람 소리는/ 내 쓰러진 술병 속에서 목메어 우는데-."

진짜 하나 더. 윤동주 시인의 '별헤는 밤'. "계절이 지나가는 하늘에는/ 가을로 가득차 있습니다.// 나는 아무 걱정도 없이/ 가을 속의 별들을 다 헤일 듯합니다// 가슴 속에 하나 둘 새겨지는 별을/ 이제 다 못헤는 것은/ 쉬이 아침이 오는 까닭이요,/ 내일 밤이 남은 까닭이요,/ 아직 나의 청춘이 다하지 않은 까닭입니다.// 별 하나에 추억과/ 별 하나에 사랑과/ 별 하나에 쓸쓸함과/ 별 하나에 동경과/ 별 하나에 시와/ 별 하나에 어머니, 어머니// 어머님 나는 별 하나에 아름다운 말 한마디씩 불러봅니다. 소학교 때 책상을 같이 했던 아이들의 이름과 패, 경, 옥 이런 이국소녀들의 이름과 벌써 애기 어머니된 계집애들의 이름과, 가난한 이웃 사람들의 이름과, 비둘기, 강아지, 토끼, 노새, 노루, 푸랑시스·쨤, 라이넬·마리아·릴케 이런 시인의 이름을 불러봅니다./ 이네들은 너무나 멀리 있습니다./ 별이 아슬히 멀 듯이// 어머님,/ 그리고 당신은 멀리

북간도에 계십니다.// 나는 무엇인지 그리워/ 이 많은 별빛이 나린 언덕 우에/ 내 이름자를 써보고,/ 흙으로 덮어 버리었습니다.// 따는 밤을 새워 우는 벌레는/ 부끄러운 이름을 슬퍼하는 까닭입니다.// 그러나 겨울이 지나고 나의 별에도 봄이 오면/ 무덤 우에 파란 잔디가 피어나듯이/ 내 이름자 묻힌 언덕 우에도/ 자랑처럼 풀이 무성할게외다."

동생의 말

아주 질린 김에 하나 더. 무라카미 하루키 에세이 '샐러드를 좋아하는 사자'에서 본 시예요. 기야마 쇼헤이의 〈가을〉이라는 단시입니다.

"새 나막신을 샀다며/ 친구가 불쑥 찾아왔다./ 나는 마침 면도를 다 끝낸 참이었다./ 두 사람은 교외로/ 가을을 툭툭 차며 걸어갔다."

학창시절엔 날 좋은 때, 친구를 불쑥 찾아가 공원 벤치에 같이 가만히 앉아 있기도 했는데 이제는 전부 자기 생활 하느라 바빠서 만나기도 어려워요. 시처럼 친구와 가을을 툭툭 차며 걸어 다니면 얼마나 좋을까요?

무념무상

중요한 포인트. 야간 산행의 이점. 초기에는 늘 빠른 속도를 낸다. 초반에 힘이 넘치는데다 캄캄해서 주변을 둘러 구경할 틈이 없기 때문에 유 대장이 늘 말씀하신 '무념무상', 그냥 '무념무상'의 산행이 저절로 이루어진다. 대장님, 제 마음대로 저희들 백두대간 팀의 산행 철학을 '무념무상'으로 정해도 되나요. 쉽게 얘기해서 생각없이 멧돼지처럼 앞만 보고 가는 것. 해석이 너무 무식했나.

'무념무상'은 어디에서 오는지 아세요. 바로 육체노동에서 나오죠. 백두대간 산행도 마찬가지이고요. 육체노동은 잡생각 없이 그 일에 힘쓰다 보면 그 일에만 정신이 집중되면서 시간이 화살처럼 지나가죠. 그래서 간혹 도 닦는 차원에서 땀만 흘리는 육체노동도 인간에게 꼭 필요한 것이라고 생각합니다. '육체노동'만 강조한 문화대혁명 때의 '하방'은 심한 케이스였지만 '인간의 완성은 정신노동과 육체노동의 조화'라고 생각해요. 현대에 오면서 정신노동에만 치중하고 있으니. 부작용도 만만치 않죠. 그래서 태어나서 농촌에서 한 번 살지 않고, 농사 한 번 해보지 않고 죽으면 그것도 슬픈 일. 양보해서 전원주택에 텃밭이라도.

백두대간 산행을 통해 얻을 수 있는 교훈. 인생의 진리는 '무사무욕'에서 나오고 백두대간의 산행은 '무념무상'에서 나온다. 이헌태, 정리 잘 하네.

'무사무욕', '무념무상'이 나오면 당연 노자의 '무위'도 나와야죠. 이헌태가 붙인 '5무'죠. '5무' 처음 들어보셨다고요. 하여튼 이헌태는 '5무'라고 정리했습니다. 좋은 '무'가 나오면 또 더 붙이면 되고. 좋은 무는 아무런 이상이 없는 '이상 무'이고 '고랭지 무-우'인데.

노자에 따르면 진정한 통치자는 이렇게 말하죠. "나는 아무것도 한 일이 없으니 사람들이 스스로 변화하고 내가 고요함을 즐기니 사람들이 스스로 올바로 되며 내가 공평무사하니 사람들이 스스로 부유해진다. 그리고 내가 욕심이 없으니 사람들이 스스로 질박해진다." 지금 무한 경쟁시대의 현대 인류에게는 참 먼 다른 별나라 얘기 같네요. 그래도 우짜겠습니까. 새겨들어야죠. '무위정치론'의 현대화.

사실 지식과 지식인에 대한 노자의 거부감을 감안하면 '무지'도 넣으면 '6무'도 되는 구만. 이헌태의 '무식'까지 추가하면 '7무'. 끝도 없구만. '무사안일', '무대포' 등등. 제일 중요한 것을 빼놓았구만. '무아'. 석가모니 부처님의 핵심 사상이 바로 '연기(緣起)'. 이것이 바로 '무아'로 귀착되죠. 이것저것 따지니 '多無'네. 없던 것으로 하겠습니다.

일행 모두 다 일제히 부지런히 산행을 하다가 문득 생각해 보면 '나 혼자, 침묵 중'이다. 각자 다 침묵 중이겠지만. 정신없이 길을 간다는 것은 어떤 면에서는 아무 생각없이 앞으로 나아가는 것이다. 그 자체도 좋지만 결국 무잡념 속에 적은 고통으로 가장 먼 길을 가게 된다. 이것이 바로 '침묵의 미학'이 아닐까. 도를 닦는 분도 잡생각이 없으니 득도에 가장 가깝게 다가서는 것은 아닐까.

참고. 현대 인도의 신비가로서는 국내에도 소개된 바 있는 세 분이 유명하죠. 1) 라마나 마하르쉬. '진아만이 유일한 실재'라며 진아의 깨달음을 강조한 그는 침묵으로 제자들을 가르친 '침묵의 대가'. 2) '삶이야말로 가장 위대한 스승이고 가장 중요한 경전'이라고 설파한 끄리쉬나무르띠. 3) '무심이란 사랑을 의미한다 사랑이 곧 나의 메시지다'라며 '성에너지'를 부르짖은 오쇼 라즈니쉬. 이

세 분들의 책이 우리나라에서는 널리 퍼져있죠. 다 맞는 말이지요. 침묵도 중요하고 삶도 중요하고 사랑도 중요하고. 우리나라 사상가보다는 외국 사상가들이 더 유명하니. 참 이상하네. 사상도 외국 것을 좋아하나.

멀고도 먼 인도 나라의 사상가들이 우리들을 잘 인도하고 있구만. 우리를 잘 인도해 주고 있으니 '인도'라는 국명 값을 제대로 하고 있구만. 하기사 세계문화를 합리주의와 과학적 정신을 핵심으로 하는 헬레니즘과 유일신에 대한 복종과 믿음이 특징인 헤브라이즘의 서양문화, 중국의 한문문화 그리고 인도의 범어문화로 3등분할 수 있을 정도로 '인도'는 대단한 나라죠. 한국의 '백두민족문화' 꼽사리 못 끼나. 아무리 민족을 사랑하는 민족주의자라고 해도 거기까지는. 알겠습니다. 100년 후에는 '백두민족문화'가 세계만방에 활짝 꽃피기를.

나의 말

한류(韓流)가 전 세계로 뻗어 나가고 있죠! 그중에서도 특히 K-Pop, 즉 한국대중가요가 인기를 많이 받고 있습니다. 최근 7인조 남성그룹 방탄소년단(BTS)은 유튜브 뮤직비디오 조회 수 100억회를 돌파하며 미국에서 선풍적인 인기를 끌고 있는데요. 그 외에도 화장품, 음식 등 다양한 분야의 한국문화가 알려졌습니다.

'뉴욕을 알면 영어가 보인다'라는 책에서, 외국인에게 한국 음식점에 간다고 하면 외국인이 "반찬은 뭐가 나와?"라고 물어보면서 "어떤 반찬이 맛있었다"라고 말한대요. 우리는 음식을 시키면 당연히 밑반찬이 나오고 심지어 리필도 가능한데 외국인에게 이런 한국 음식 문화가 신기하게 다가온다고 합니다. 이런 게 진짜 한국문화 아닐까요? 우리만 모르는 진짜 한국문화를 찾아보아요!

대중가요

임도 바로 위에 놓인 박달령에 도착했다. 깃털마냥 가볍게 살랑거리는 시원한 바람이 불고 있었다. 땅이 탁 트여있으니 하늘도 탁 트여있는 것 같다. 오리온별부터 많은 별들이 사방에서 흩어져 빛나고 있다. 모두 다 정답고 손만 닿으면 닿을 듯 가깝게 놓여있는 착각에 빠진다. 오스카 와일드께서 "우리는 모두 시궁창에 있지, 하지만 우리 가운데 몇은 별을 바라고 보고 있다네." 캬, 나보고 하는 말이네. 이헌태는 제외라고요. 넘어갑시다.

친숙한 대중가요 하나. 유심초의 '어디서 무엇이 되어 다시 만나랴'. 김광섭시인의 '저녁에'라는 가사에서 따왔죠. "저렇게 많은 별 중에서 별 하나가 나를 내려다본다/ 이렇게 많은 사람 중에서 그 별 하나를 쳐다본다// 밤이 깊을수록 별은 밝음 속에 사라지고 나는 어둠속에 사라진다/ 이렇게 정다운 너 하나 나 하나는 어디서 무엇이 되어 다시 만나랴" 가사 좋다.

앞에서 말씀드렸다시피 대중가수 조용필은 '가수 조용필'보다는 '시인 조용필'로 불러도 아무런 하자가 없다고 생각합니다. 여러분은 어떻게 생각하십니까. 가슴속 깊게 와닿고 희로애락의 감정에 파고들어가고 잔잔한 감동을 주면 뭐 좋은 시이고, 좋은 시인이지.

사실 알게 모르게 '대중가요와 시인' 간의 만남도 많죠. 사이트 지식검색란에 잘 정리된 게 있어서 소개합니다.

1) 김동환 '산너머 남촌에는', 박재란 노래, (산 너머 남촌에는 누가 살길래 해마다 봄바람이 남으로 오네/ 꽃피는 사월이면 진달래 향기 밀익는 오월이면 보릿 내음새)

2) 박두진 '해', 마그마 (조하문) 노래 '해야', (해야 솟아라, 해야 솟아라, 말갛게 씻은 얼굴 고은 해야 솟아라/ 달밤이 싫여, 달밤이 싫여, 눈물같은 골짜기에 달밤이 싫여)

3) 박인환 '세월이 가면', 박인희 노래, (지금 그 사람의 이름은 잊었지만 그의 눈동자 입술은 내 가슴에 있네/ 바람이 불고 비가 올 때도 나는 저 유리창 밖/ 가로등 그늘의 밤을 잊지 못하지)

4) 김소월 '못잊어', 최승원 노래, (못 잊어 생각이 나겠지요/ 그런 대로 한 세상 지내시구려/ 사노라면 잊힐 날 있으리라)

5) 김소월 '부모', 양희은 노래 (낙엽이 우수수 떨어질 때, 겨울의 기나긴 밤,/ 어머님하고 둘이 앉아 옛 이야기 들어라/ 나는 어쩌면 생겨나와 이 이야기 듣는가?)

6) 김소월 '개여울', 정미조 노래, (당신은 무슨 일로 그리합니까?/ 홀로이 개여울에 주저앉아서/ 가도 아주 가지는 않노라 심은 굳이 잊지 말라는 부탁인지요)

7) 김소월 '나는 세상 모르고 살았노라', 송골매 노래, (가고 오지 못한다는 말을 철없던 내 귀로 들었노라/ 만수산(萬壽山)을 나서서 옛날에 갈라선 그 내 님도 오늘날 뵈올 수 있었으면)

8) 고은 '가을 편지', 최양숙 노래, (가을엔 편지를 하겠어요 누구라도 그대가 되어 받아 주셔요/ 낙엽이 쌓이는 날 외로운 여자가 아름다워요)

9) 서정주 '푸르른 날', 송창식 노래, (눈이 부시게 푸르른 날은 그리운 사람을 그리워하자)
10) 정지용 '향수', 이동원, 박인수 노래, (넓은 벌 동쪽 끝으로 옛이야기 지줄대는 실개천이 휘돌아 나가고, 얼룩백이 황소가 해설피 금빛 게으른 울음을 우는 곳/ 그 곳이 차마 꿈엔들 잊힐리야)
그래도 한국에서 내로라하는 시인들의 가사라서 그런지 다 주옥같이 좋은 노래들이구만.

별 얘기로 돌아가서. 하늘에 별이 반짝이지만 무슨 별인지 알 도리가 없어요. 제가 별자리공부가 특히 취약하거든요. 우리나라의 경우 가을철 별자리는 페가수스자리, 안드로메다자리, 페르세우스자리, 도마뱀자리, 삼각형자리, 양자리, 물고기자리, 조랑말자리, 남쪽물고기자리, 물병자리, 염소자리, 고래자리가 있다고 해요. 가을철에는 그다지 밝은 별이 없다고 하네요. 그래서 눈부신 별빛이 없었구나.
이헌태는 '별 볼일 없는 사람'이 아니고 '별 볼일 있는 사람'이구만. 별도 나를 유혹하고 있지만 달도 훤히 비춘다. 나를 좋아하는 듯한 표정으로. 니 왕자병있나. 아니면 말고.

나의 말

별 이야기를 하니 생각나는 노래가 있네요. 제가 요즘 꽂힌 헤이즈! 헤이즈의 '저 별', "혹시 저 별도 나를 보고 있을까/ 아니 날 보고 있지 않을까/ 저 별도 나를 보고 있을까/ 아니 날"
자신이 사랑하는 남자를 별에 비유한 게 인상적이죠. 이 노래는 뮤직비디오를 보는 것을 추천합니다. 우주에서 바라보는 별이 굉장히 아름답거든요. 그 외에도 '널 너무 모르고'나 'And July'도 좋아요. 쓰다 보면 끝이 없지만, 확실한 건 음색이 너무 좋으신.

나무

이 지역은 봉화군 춘양면. 질 좋은 송이가 나는 곳으로 유명하죠. 하산할 때 자세히 둘러보니 주변 능선에는 쭉 빠진 황금 '금강송'으로 장관을 이루고 있었다. 쳐다보는 것만으로 내 마음속에 향기 나는 금강송 한 그루가 심어있는 듯하다. 이번 산행의 최고 별미네. '춘양목'으로 지칭되는 춘양의 금강송.

나무 가운데 으뜸 나무가 무엇인지 아세요. 소나무 송(松) 한자를 풀어보세요. 목(木)자와 공(公)자. 나무의 귀족. 그 가운데 '금강송'이 황제 소나무죠. 황금빛이 더욱 나니까. 소나무의 평균 수명이 대략 50년이라고 해요. 물론 500년 이상 소나무도 있지만. 이에 비해 춘양목은 평균 60년쯤 된다고 해요. 인간세상으로 치면 '장수촌'이네.

소나무가 나온 김에. 소나무는 한국 중국 일본 만주 즉 동북아시아지역에 주로 자란다고 해요. 한국에서는 전체산림면적의 42%가 소나무라고 하네요. 그렇게 많나. '소나무 천국'이네. 사실 백두대간을 산행하다보면 '참나무 공화국'인데. 참나무는 한창 열매가 지천에 늘려있죠.

모양이 둥근 게 상수리열매이고 타원형으로 된 게 도토리열매라고 하네요. 맛은 상수리열매가 더 있다고 해요. '도토리묵'으로 와

전된 거죠. '상수리묵'이 더 맛있다는 것이죠. 떡갈나무, 갈참나무, 신갈나무, 졸참나무 열매를 '도토리'라고 부르고 상수리나무, 굴참나무 열매를 '상수리'라고 부른다고 해요.

도래기재에서 봉화방면으로 도로를 따라 약간 내려 왔다. 하늘에는 허연 눈썹을 휘날리며 늙어버린 백발의 달이 사라지지 않고 여전히 떠 있다. 이 세상에 무슨 미련이 남았는지. 해가 나타나면 사라져라. 눈치도 없이.

그래도 다 우주가족. 박희진 시인의 '우주가족'이 압권. "해님 아버지, 달님 어머니, 산 형님, 물 누님/ 바람 동생 별 삼촌……우리 가족, 우주가족/ 비록 아무리 떨어져 있어도 눈짓 하나로 통할 수 있고/ 비록 아무리 가까이 있어도 우리는 서로 더없이 존중하네"

인디언들하고 조금 다르네. 어머니 대지, 아버지 태양, 할머니 달. 예전에는 한국은 물론 동서양을 막론하고 다 같은 종교였다고 해요. "전 세계 모든 원주민들이 아버지 태양과 어머니 대지에서 나온 하나의 자연종교를 믿었던 때가 있었다."

태양하니 생각나는 소설가 이청준의 단편소설 '눈길'. 한국의 전통적 어머니상이 오롯이 담겨져 있는 훌륭한 작품이죠. 큰 아들의 술벽으로 풍비박살난 고향집을 떠나는 작은 아들을 배웅하고 돌아오면서 팔아버린 옛 가옥을 동산위에서 바라보는 어머니의 심정. 이 소설의 대미를 장식했죠.

"울기만 했겄냐. 오목조목 딛어논 그 아그 발자국마다 한도 없는 눈물을 뿌리며 돌아왔제. 내 자석아 내자석아 부디 몸이나 성하게 지내거라. 부디부디 니라도 좋은 운 타서 복받고 살거라……"

"……그때 내가 뒷산 잿등에서 동네를 바로 들어가지 못하고 있었던 일 말이다. 그건 내가 갈 데가 없어 그랬던 것 아니란다.……갈 데가 없어서가 아니라 아침 햇살이 너무 눈에 시리더구나.……그렇게 시린 눈을 해 갖고 그 햇살이 부끄러워 차마 어떻게 동네 골목을 들어설 수가 있더냐.……시린 눈이라도 좀 가라앉히자고 그래 그러고 앉아 있었더니라.……"

'햇살이 부끄러워'가 나온 김에 하나 더. 윤동주의 시 '쉽게 쓰여진 시' 가운데. "인생은 살기 어렵다는데/ 시가 이렇게 쉽게 쓰여진다는 것은/ 부끄러운 일이다."

마음이 순수한 분은 햇살을 보면서도 부끄러워하시네. 또 어떤 분은 시가 쉽게 쓰여진다고 부끄러워하시고. 너무 하시는 것 같습니다. 인간이 아니고 천사. 순수하고 착하신 분들은 '민감성 피부'가 아니라 '민감성 순수마음'을 가지고 있구만.

이헌태가 부끄럽다. 햇살을 보면서 그런 것을 전혀 못 느끼니까. 그건 확실히 맞는 것 같습니다. (이헌태 분위기 침울)

질문하나. 여러분은 어떻게 생각하세요. 누가 아버지이고 누가 어머니이고 누가 할아버지이고 누가 할머니인가요. 태양과 땅이 기본이니, 어머니 대지와 아버지 태양이 그래도 가장 설득력있을 듯합니다. 그럼 호수는 고종사촌이고 나무는 이종사촌인가. 자연물을 다 가족으로 엮어보세요. 누가 가장 그럴 듯한지.

도래기지 고개에는 남부지방 산림관리청에서 내붙인 "숲에 우리의 미래가 있다. 희망이 있다."라는 홍보간판이 걸려있다. 맞다, 맞아.

산림청이 중앙부처가운데 가장 핵심부처가 될 날을 기약하면서. 그런 날이 올진 모르겠지만 '자연이 좋다'면서 공무원들의 희망부처가 될 날은 오지 않을까, 곰곰이 생각해봅니다.

도래기재에는 전형적인 가을 날씨가 선을 보이고 있다. 푸르고 높은 하늘, 따가울 정도의 싱싱하고 따사로운 햇살, 한가로운 흰 구름, 선선한 바람. 맑고 깨끗한 공기. 완벽한 오박자. 따사로운 햇살은 들판의 오곡을 익게 하고 이를 보면서 이헌태도 익어가겠지. 이헌태, 니 삶이 익어가기 위해서는 노력해야지 오곡과 달리 가만 있는다고 되는 일이 아니고. 알겠습니다. 감자 고구마 옥수수 잘 익게 하는 사람이 인생도 잘 익게 하는 것은 아닌지.

좋은 말장난 하나 소개할게요. 근래처럼 경제가 어려울 때는 이를 극복할 수 있다는 희망찬 자신감이 필요해요. "두려움을 빼면 두려울 것이 하나도 없습니다." 미국대공황 때 미국의 프랭클린 루즈벨트 대통령이 한 말씀이래요. 참 좋은 말씀이지만 나 원 참. 말장난 같은데 좋은 말장난이네.

이날 고총무의 말이 히트. "가을이 온 모양이야."라고 운을 뗀다. 너무나 깜짝 놀랐다. 와, 이제 고총무도 감성적으로 바뀌었구나. 역시 산과 자연을 벗하다 보면 마음도 그렇게 바뀌는 모양이다. 유유상종. 그러나 그 다음 말에 실망으로. "김밥이 변하지 않는 것을 보니." 뭐야. 가을의 변화를 김밥의 유지상태로 평가하다니. 너무 한다, 고총무.

팔각정을 출발. 나는 배낭을 차안에 놓아둔 채 물병만 하나 달랑

들고 산행에 나섰다. 그것도 무거워, 고총무 배낭 옆에 슬쩍 끼어 두고.

불필요한 것은 과감하게 버려라. 어느 날 석가모니 부처께서 제자들에게 말씀하셨죠. “손수 만든 뗏목으로 매우 물살이 빠른 강물을 건넌 사나이가 있었다. 그는 강을 건너고도 들인 공이 아까웠다. 그래서 그는 뗏목을 짊어지고 갔다. 이 사나이의 행동이 옳은가, 그른가?”라고 묻자 한 제자가 답했다. “뗏목을 두고 가면 다른 사람이 이용할 수 있으나 지고 가면 고통스런 짐만 될 뿐 무슨 이로움이 있겠습니까.” 이에 석가모니께서 “그렇다. 버릴 것은 일찌감치 버릴 줄 알아야 하느니라.”

이헌태의 생각으로 제자들이 답하기 너무 쉬운 질문을 하신 것 같아요. 아무리 자기가 힘들게 만들었다고 뗏목을 어떻게 들고 갑니까. 놔두고 가야지요. 석가모니 부처님의 말씀의 뜻은 잘 알겠는데요, 어느 제자가 그래도 들고 가야 한다고 말하겠습니까. 이헌태 그만해라. 부처님의 말씀은 ‘쓸데없는 것은 과감하게 버려라’는 뜻. 이사 갈 때 과감하게 버립시다. 뭐야.

물

다시 돌아온 시낭송 시간. ‘맨발'과 '강’. 이번 산행과 아무런 관계도 없는 시. 앞으로 선정 좀 잘 하세요. 산은 모든 것을 포용한다고요. 알겠습니다.

문태준 시인의 ‘맨발’. “어물전 개조개 한 마리가 움막 같은 몸 바깥으로 맨발을 내밀어 보이고 있다/ 죽은 부처가 슬피 우는 제자를 위해 관 밖으로 잠깐 발을 내밀어 보이듯이 맨발을 내밀어 보이고 있다/ 펄과 물 속에 오래 잠겨 있어 부르튼 맨발/ 내가 조문하듯 그 맨발을 건드리자 개조개는/ 최초의 궁리인 듯 가장 오래하는 궁리인 듯 천천히 발을 거두어 갔다/ 저 속도로 시간도 길도 흘러왔을 것이다/ 누군가를 만나러 가고 또 헤어져서는 저렇게 천천히 돌아왔을 것이다/ 늘 맨발 이었을 것이다/ 사랑을 잃고서는 새가 부리를 가슴에 묻고 밤을 견디듯이 맨발을 가슴에 묻고 슬픔을 견디었으리라/ 아-, 하고 집이 울 때/ 부르튼 맨발로 양식을 탁발하러 거리로 나왔을 것이다/ 맨발로 하로 종일 거리를 나섰다가/ 가난의 냄새가 벌벌법벌 풍기는 움막 같은 집으로 돌아오면/ 아-, 하고 울던 것들이 배를 채워/ 저렇게 캄캄하게 울음도 멎었으리라"

허선배가 부처 열반시, 슬퍼하는 제자들에게 내민 부처님의 맨발에 대한 설명이 계셨고 또 모두들 '벌벌법벌'이 무슨 뜻이냐, 오자냐 등등 얘기꽃을 피운다.

도종환 시인의 '강'. "가장 낮은 곳을 택하여 우리는 간다/ 가장 더러운 것들을 싸안고 우리는 간다/ 너희는 우리를 천하다 하겠느냐/ 너희는 우리를 더럽다 하겠느냐/ 우리가 지나간 어느 기슭에 몰래 손을 씻는 사람들아/ 언제나 당신들보다 낮은 곳을 택하여 우리는 간다"

이헌태도 한마디했죠. 우리나라 강에 대한 시를 보면 노자와 공자가 말한 물에 대한 정리에서 거의 벗어나지 못하고 있다고. 손오공이 부처님 손안에, 그리고 '강'을 주제로 한 시는 노자와 공자의 손안에.

물을 다시 정리. 노자의 물은 부드러우면서도 강하다. 낮은 데로 흐른다. 또 정관정요에도 물이 나오죠. 물이 다양하네. 정관정요에 따르면 당태종시절 신하 위징이 올린 상소문에는 "물은 배를 띄울 수도 있고 뒤집을 수도 있다."면서 백성들을 겁낼 것을 간청했죠.

정관정요에는 인재를 균형있게 써야한다는 뜻으로 "그릇에 담긴 물은 평평하다." 즉 공평무사의 내용도 있어요. '정관의 치'를 열었던 당태종 이세민 왈 "더 없이 공평하다는 말이 있다. 요임과 순임금은 아들이 있었지만 자기 아들을 폐하고 천하의 지위를 주지 않았다. 관숙과 채숙은 주공의 형제들이었지만 주왕실의 평안과 안정을 위해 그 두 사람을 죽였다. 제갈공명은 자그마한 촉나라의 승상에 불과했지만. 나의 마음은 저울과 같다. 저울은 물건의 경중을 공평하게 다는 것이지 남을 위해 마음대로 가볍게 무겁게 달 수 없다. 하물며 당의 대 제국이 그럴 수 있나."

여기서 뱀 다리 즉 사족. 공자가 꿈에서도 오매불망 추종했던 주공이 형제들까지 죽였네. 그럴 필요까지야. 그렇게까지 해서 주공이 역사적으로 사나, 태평성대를 연다는 것은 참으로 어려운 일이야.

당태종은 인사부탁을 받자 "짐은 천하로써 한집안을 삼았기 때문에 한 개인으로 사사로이 할 수 없다. 재주와 행동이 있으면 그 직책에 임명할 것."이라고 말했다고 하네요. 실제로 당태종은 "짐은 반드시 재능을 보아 관직에 임명한다. 재능만 있으면 비록 과거에 원수였던 위징과 같은 사람이라도 저버리지 않고 중용하였다."고 말했죠. 중국의 가장 성공한 시대가운데 하나였던 '정관의 치'가 이렇게 해서 탄생했구만.

위징의 대표 명언 "천하가 전란에 휩쓸린 격동기에는 인재등용에서 재능을 우선시키며 덕행은 생각하지 않습니다. 그러나 평화가 이룩된 다음에는 재능과 덕행이 겸비하지 않으면 등용하지 말 것입니다." 지금 한국사회는 격동기인가 평화정착지인가. 세계무한경제전쟁시기에 황금만능주의와 개인이기주의가 판을 치는 시기이지. 격동기이네. 머리 아프고 더러운 격동기이네.

이헌태의 반짝 아이디어. 물과 산이 얼마나 좋은지는 잘 아시겠죠. 노자께서 '가장 좋은 것은 물과 같다'는 상선약수(上善若水).

이렇게 물이 좋은 뜻이 많은데 '물적 사고와 행동'이라는 것은 보편화가 되지 않았더라구요. 게다가 '산적 사고와 행동'도 좋은데. 이렇게 좋은 뜻을 국민 모두가 이해하고 흔하게 쓸 때까지 노력하겠습니다. 가칭 '물과 산적 사고와 행동보급 국민추진운동 본부' 본부장 이헌태. 얼마나 많은 본부장을 하려고. 넘어가고.

더 깊게 생각해보면 '자연적 사고와 행동'이란 표현도 나올 수 있겠네요. 하기사 자연스럽게라는 말은 있기는 하네. '이헌태적 사고와 행동'은 아시죠. '시끄러운' 대명사. 이헌태가 겸손하구만. 성인들도 겸손했더라구요. 부처님께서 인류 중생들을 위해 많은 말씀을 하시어 놓고서도 마지막에는 "나는 한마디도 한 게 없다."고 시치미를 떼셨다고 하네요.

공자 아시죠. 중국의 유교문명을 만든 분. 중국 사람들에 따르면 공자의 출현은 중국의 큰 행운이었다고 하더라구요. 실제로 키 크고 잘 생겼으며 목소리도 구수하고 술 잘 마시고 사람 좋아하고 솔직담백하셨다고 해요. 성격이 고집불통이라서 그렇지 학문정진은 그렇게 정성이었다고 해요. 쉽게 얘기해서 키도 크고 얼굴도 잘생기고 공부도 잘하고. 신언서판(身言書判). 얼짱, 키짱, 목소리짱, 머리짱, 말짱, 글짱, 술짱, 성격짱, 지식짱이네. 짱이 아홉이나, 그럼 짱구네.

그런데 그분도 "옛 사람의 말을 옮겼을 뿐 창조하지 않았다."고 겸손한 모습을 보였다고 하네요. 부처님과 공자님도 다 겸손했네. 나처럼. 뭐야. 니 겸손을 어디다가 비유하나, 물타기 하지마라.

오늘

물과 강과 바다가 나온 김에. 다 섞은 너무 좋은 시 하나. 얼마 전에 작고하신 구상 시인의 '오늘'.

"오늘도 신비의 샘인 하루를 맞는다/ 이 하루는 저 강물의 한 방울이/ 어느 산골짝 옹달샘에서 이어져 있고/ 아득한 푸른 바다에 이어져 있듯/ 과거와 미래와 현재가 하나다// 이렇듯 나의 오늘은 영원 속에 이어져 바로 시방 나는 그 영원을 살고 있다// 그래서 나는 죽고 나서부터가 아니라/ 오늘서부터 영원을 살아야 하고/ 영원에 합당한 삶을 살아야 한다// 마음이 가난한 삶을 살아야 한다/ 마음을 비우는 삶을 살아야 한다"

로마 티투스 황제도 좋은 말씀. "좋은 일을 하나도 하지 않는 날은 하루를 손해본 듯한 기분이 든다." 좋은 말씀하셨네요.

로마제국의 마르티알리스라는 사람도, "인생을 즐기는 것은 내일부터 하자고. 그러면 너무 늦다네. 즐기는 것은 오늘부터 해야 돼.

아니 그보다 현명한 건 어제부터 이미 인생을 즐기고 있는 사람이라네." '노세 노세 젊어서 노세' 이헌태 뭐야. 같은 인간이라도 우째 이렇게 다 다르노.

놀아야 하나, 지식인들이 고민이 많아요. 배운 것은 있어 가지고 마음 한구석에 찝찝하죠. 중국 고대 민요모음집인 시경(詩經)에 '귀뚜라미'. 이 분은 흘러가는 세월에서 즐겨야 되나 말아야 되나 고민이 깊더라구요.
"마루엔 귀뚜라미, 올해도 저무는 구나/ 지금 즐기지 않으면 세월은 그대로 흘러/ 아니 너무 즐기는 게 아닌가, 집안일도 생각해야지/ 지나치게 즐기지 않는 게 미래를 걱정하는 선비라네// 마루엔 귀뚜라미, 올해도 다 가는 구나/ 지금 즐기지 않으면 세월은 그대로 흘러/ 아니 너무 즐기는 게 아닌가, 밖의 일도 생각해야지/ 지나치게 즐기지 않는 게 민첩한 선비라네// 마루엔 귀뚜라미, 짐수레도 쉬겠구나/ 지금 즐기지 않으면 세월은 그대로 흘러/ 아니 너무 편안하지 않는가, 장래도 걱정해야지/ 지나치게 즐기지 않는 게 여유있는 선배라네"

이헌태의 반성 겸, 감동적인 명언을 하나 소개. "오늘 우리가 의미 없이 보낸 하루는 어제 죽었던 사람이 그렇게 보고 싶어 하던 내일입니다. 우리는 그런 오늘을 살고 있습니다." 이래도 오늘을 열심히 살지 않겠나요. 참 좋은 얘기야.

현재만 열심히 살아도 골치아파요. 근대 중국의 탁월한 계몽사상가였던 양계초는 현재를 열심히 살다가 다소간의 사상노선이 변하자 고백을 했죠. "부단히도 오늘의 나는 어제의 나를 어렵게 만든다." 요새 여당이든 야당이든 청년시절부터 행보를 보면 이건 거의 다 해당될 것 같아요. 굴곡의 한국의 근, 현대사를 걸어온 분들은 거의 다 그렇고. 정치인으로서 세상살기가, 처신하기가 어렵구나. 오늘을 열심히 살아야 하나 말아야 하나. 백두대간은 한결 같은데.

나의 말

욜로(YOLO)라고 들어보셨겠죠? 'You Only Live Once'를 줄인 말로 '현재 자신의 행복을 가장 중시하고 소비하는 태도'라고 하네요. 저를 포함해 요즘 제 또래가 중시하는 삶의 철학이죠. 그런데 몇몇 어른들은 이 생활을 보며 불만 섞인 얘기를 합니다. "요즘 젊은이들은 열심히 일해서 돈 모을 생각은 안하고 말이야, 쓰기만 잘 써요. 힘들다는 거 다 어리광이지."

드라마 '응답하라 1988'을 보니 은행금리가 15%였던 시절도 있었더라고요. 그때는 집값도 지금처럼 비싸지 않아 열심히 일해서 저축하면 내 집 마련할 수 있다는 희망이라도 있었죠. 그에 비해 지금은 없는 돈 아껴도 내 집 마련하기는 꿈도 꾸기 힘든 상황. 그러니까 한 평 남짓한 자취방에 살더라도 지금의 나의 행복을 위해 쓰고 살겠다는 거죠. 이런 마음 이해하실 수 있나요?

가족

개인에게는 사실 '가족'은 전부나 마찬가지죠. 그래서 국가(國家)

는 가족이 모여 만든 가국(家國)이라고 해도 틀린 말이 아니죠. 요즘처럼 가족이기주의가 기승을 부리고 있는 상황에서는 더더욱 딱 맞네.

각종 사고 및 이산가족, 그리고 최근 세계의 골칫거리인 테러. 이 모든 것이 가족의 희생과 이별에서 오는 아픔이 아니겠어요. 이를 일거에 해소하는 방법 하나.

서양철학의 아버지 플라톤의 공산주의 국가론. "아이들은 저마다 출생과 동시에 부모에게서 데려가며 어느 부모도 어느 아이가 자기 자식인지 알 수 없도록 하고 어느 아이도 누가 자기 부모인지 모르도록 해야 한다." 그러면 누가 죽어도 슬픔이 덜 하지 않겠어요. 이헌태 그만해라. 제가 무슨 죄가 있겠어요. 플라톤 아저씨보고 따지세요.

나온 김에. 동양문화의 대표격인 중국문화 즉 황화문화. 중국문화는 인문학적 전통에서 태동했다고 해요. 신의 나라와 신의 세계에 대한 동경과 찬양에서 발달된 헬레니즘문화, 심원한 상상력으로 신화의 세계를 추구했던 인도문화와 근본차이가 있죠. 중국인들은 신의 형상을 논하기 전에 가족 공동체의 소중함을 노래했고 거대한 신화를 구축하기보다는 고통 받는 민중을 위해서 '주역'을 지었다고 해요. 이 황화문명의 기본은 가족공동체라고 하네요.

그래서 그런지 가족주의는 공자와 맹자에서도 뚜렷하게 나타나요. 중국의 꽌시문화, 정실주의도 이와 무관치 않죠. 삼국지의 도원결의가 대표적 사례.

공자와 맹자가 말하는 도덕적 원리는 가족관계를 근거로 한 것이라고 하네요. 그들은 항상 '자기와 친한 자를 친하게 대하고 현명한 자를 현명하게 대하는 것이 인륜'이라고 생각했으며 이 도리는 사람이면 누구나 가지고 있는 인정이라고 생각하였다고 해요.

특히 공자와 맹자는 자신의 부모와 남의 부모를 동일한 애정으로 섬길 수 있다고 생각하지 않았으며 자신의 형보다 남의 어른을 먼저 보살피는 것을 인정을 거스르는 행위로 간주했다고 해요.

이에 맹자는 친소와 차등의 잣대를 저버린 양주와 묵자를 비판했죠. "양씨는 자기만을 위하니 이것은 임금이 없는 것이요, 묵씨는 겸애만을 주장하니 이것은 아비가 없는 것이다. 아비도 없고 임금도 없으면 짐승과 다름없다."

초나라 사람이 노나라 사람인 공자에게 "자기 마을에 직궁이라는 사람이 자기 아버지가 이웃의 양을 훔치니까 관가에 고발했다."면서 "자기네 나라에서는 법대로 시행하고 있다."고 자랑을 했다나요. 아버지를 고발하는 북한처럼. 나라의 법이 우선이냐 자식된 도리의 효가 우선이냐. 참 곤란하다. 그러나 이에 대한 공자의 생각은 간단명료. 공자께서 "오당(吾黨, 우리공동체)에서는 그렇게 하지 않는다."고 잘라 말했다고 해요. 공자님이나 맹자님도 요즘 시대 잣대로 보면 완벽하지가 않아. 공자님 맹자님, 만약 요즘 대한민국의 대통령이 되시면 가족이나 친인척문제로 사고를 치겠구만. 공자님 맹자님은 그럴 분이 아니라고요. 그러면 다행이고.

이런 얘기가 있어요. '한국은 정의 나라, 중국의 효의 나라, 일본은 의의 나라'라고. 한국은 이제 모두 다 하나도 없어지고 있죠. 정도 없고 효도 없고 의도 없고. 노자의 무위철학으로 가나. 아니면 말고.

말조심

그건 그렇고. 입 잘못 놀리다가, 글 잘못 굴리다가 모가지 날아간 사람이 부지기수라는 것을 모르고 있구만.

대표적 케이스가 바로 명나라 건국 주원장. 가난하고 비천한 농민의 아들로 태어나 원나라 말기 가뭄과 돌림병으로 고아가 된 소년이 절에 들어가 탁발승이 되고 도적의 무리에 끼고 나중에는 홍건의 난에 가담해서 혁혁한 공을 세워 결국, 명제국을 건설한 태조 홍무제 주원장.

10만명의 지주와 관료들을 죽인 희대의 살인마. 너무 심했나. 그의 통치철학은 '以猛治國'(준엄함으로 나라를 다스린다)이라고 하네요. 즉, 군주독재체제.

콤플렉스가 극에 달해 싫어하는 말과 글을 쓰면 가차 없이 처단. 동서양을 막론하고 가장 극심한 언론탄압 케이스. 교수와 훈도들이 대량으로 살육을 당했다고 해요. 글 좀 안다는 사람들이 다 당했구만. 이름하여 '文字의 獄'.

금기어가 있더라구요. 일단 빛광(光)과 대머리독(禿), 중승(僧). 승려의 빛나는 머리, 대머리라는 뜻. 그리고 생(生). 승과 비슷하니까. 너무 심하네. 또 도적 적(賊). 홍건적이니까. 법칙 칙(則)은 적과 비슷하니까. 사례 몇 가지만.

1) 국가에 경사가 있을 때 신하가 임금에게 올리던 축하의 글 가운데 '聖德作則'(성덕으로 법칙을 만들다)라는 표현이 황제를 욕보였다는 것.

2) '光天地下天生聖人爲世作則'(빛나는 하늘아래 하늘이 성인을 내시어 세상을 위하여 법칙을 만드셨네). 금기어가 무려 세자나 들어가 있어 황제가 미친 듯 화내며 사형에 처했다고 하네요.

3) '천하에 도가 있다'고 했다가 도와 도둑도가 비슷하다고 처형했죠.

4) 진양호라는 사람이 "성남에 과부가 된 누이 있어 밤마다 전쟁터에 나가 죽은 남편을 생각하며 눈물짓네."라는 시를 지었는데 병사들의 사기를 저하하는 반전시라고 해서 익사시켰다고 해요.

완전 미치광이구만. 그래도 명제국을 연 황제인 만큼 장점도 있었더라구요. 5만 명의 가신을 죽인 잔혹 황제이지만 한족의 입장에서는 몽고족의 원나라를 무너뜨린 영웅이었죠. 특히 농본주의를 바탕으로 소박하고 솔직하고 유능했다고 하네요. 장, 단점이 섞여 있었구만. 전체적으로 보면 잔인무도한 인간이지 뭐. 죽은 사람 입장에서 보면 철천지원수고. 그에 대한 얘기 조금 더.

1) 항상 짧게 자른 메모용지를 손에 들고 식사할 때도 메모용지를 준비하고 있어서 무언가 생각나면 곧바로 젓가락 내려놓고 종이에 메모를 하여 옷에 꿰매었다고 해요. 이것이 점차 많아지자 의복이 마치 거지의 기워 입은 옷처럼 보였다고 해요. 이 종이를 정리한 사람이 배우자 마황후. 비천한 시절부터 끝까지 신뢰한 사람은 오직 이 한사람. 마황후가 죽자 주원장도 통곡했으며 그 뒤 황후를 정하는 일이 없었다고 해요. 메모습관과 의리는 있구만.

2) 청대의 학자 조익은 주원장에 대해 '혼자서 성현호걸 도적의 성격을 겸비한 인물'이라고 표현했다죠. 한국의 해방 후 거물주먹 김두환도 "애국하면 애국자, 의로우면 협객, 더러우면 불한당이 된다."고 했다죠. 이 세 가지가 한 몸에 있었다는 건가.

그래도 주원장은 비천한 신분은 한고조와 비슷한데, 한고조는 무식했지만 주원장은 스스로 노력해서 학문을 습득했다고 해요. 잘못 배우면 더 큰 악인이 되는 모양.

하기사 왕조를 처음 열 때는 거의 피바람. 당제국의 기초를 닦았던 당 태종도 마찬가지. 형인 황태자 이건성과 동생인 제왕 이원길을 죽이고 일족은 간난 아이까지 남김없이 참살하고 아버지인 고조 이연을 감금하고 결국 왕위를 넘겨받았죠. 일명 '현무문의 정변'.

세종대왕의 성군시대를 열게 한 태종 이방원도 마찬가지. 세종의 어머니를 유폐시키고 세종의 장인 장모 처남들을 모두 죽였죠. 이유는 처가 쪽 입김을 차단하기위해. 세종은 한 평생 우울했죠. 세조도 조카인 단종을 죽이고 동생 안평대군 금성대군 등 고관 70여명을 포함 총 206명을 학살했죠. 왕은 무서운 자리야.

연산군도 자나 깨나 늘 말조심하라고 신하들에게 겁을 주었죠. '입과 혀는 재앙과 화를 불러들이는 문'(口舌者禍患之門)이라는 신(愼)언패를 만들어 가슴에 달게 했죠. 나쁜 왕들이 늘 말조심, 입조심, 글조심시키네.

말장난인가, 심오한 말인가. 장자와 명가에 속하는 친구 혜자 간의 대화. 혜자가 장자에게 "자네의 말은 다 쓸데없는 말이야."라고 반박하자 이에 장자는 "자네가 쓸데없음을 알기에 내 얘기는 쓸데있는 것이네." 결국 쓸모있음은 쓸모없음의 기초위에 세워지는 것. 즉 '無用의 用'이라고나 할까.

분위기를 전환. 체로키 인디언 치료사 '구르는 천둥'의 책에서 인디언의 좋은 말씀. "눈에 보이는 것마다 먹을 필요가 없듯이 떠오른 생각을 모두 말할 필요가 없는 법이다. 그래서 사람은 자신의 생각에 책임을 져야하며 생각을 다스리는 법을 배우지 않으면 안 된다. 인디언은 자신이 하는 말을 잘 관찰하며 오직 좋은 목적을 위해서만 말을 한다. 누구나 원하지 않는 생각을 비우고 마음을 맑게 가져야할 때가 있다. 그때를 위해 우리는 꾸준히 자신을 훈련시켜야한다. 우리는 원하지 않는 생각이나 말을 하지 않을 수 있어야 한다. 우리는 그것을 선택할 수 있으며 따라서 그 점을 깨닫고 선택하는 연습을 해야한다." 이헌태가 새겨 들어야할 말이네.

밥 묵자가 아니고 사상가 묵자. 묵자 왈, "말하는 데에는 세 가지 방법이 있다. 생각해서 말하는 경우, 추측해서 말하는 경우, 실행할 때 말하는 경우다. 생각한다는 것은 이 말이 과연 옛 성인의 말이나 행동에 모순되는 점은 없는가를 생각하고 거기에 어긋나지 않을 경우엔 입으로 낸다. 추측해서 말한다는 것은 이런 말을 한다면 듣는 사람이 어떤 기분으로 이 말을 받아들일까를 생각한 후에 발언하는 것이다. 실행할 때란 내가 말한 것을 어떻게 실행할 것인가를 생각하고 나라를 위하고 백성의 실정에 비추어 보고 전망을 세운 후에 말하는 것이다." 옳소.

불교에서도 "말이 많고 생각이 많으면 도리어 서로 통하지 못하고 말과 생각이 끊어지면 통하지 않는 곳이 없다." 그래서 고승들이 묵언수행, 면벽수행. 노자는 '지자무언 언자무지'(知者無言 言者無知). 옛 속담에도 "말 많은 집 장맛 쓰다." 뭐야. 깔끔한 정리. 공자 왈, "군자는 행동으로 말하고 소인은 혀로 말한다."

가을향기

깃대배기봉으로 가는 도중 선선한 가을바람에 우아한 자태의 참나무, 노랗고 빨갛게 진행되고 있는 단풍잎, 여기에 산을 뒤덮고 있는 산죽군락을 헤치고 나가는 그 기분. 가을의 색깔과 향기가 가득 찬 숲길, 가을의 풍치, 너무 멋졌다. 등산길이 천국으로 가는 신나는 길이었다. 이번 산행은 '가을향기' 산행.

나뭇잎들이 하나씩 하나씩 나무에서 탈출하여 허공을 휘휘 맴돌다 툭 떨어진다. 아직 나뭇잎이 나무에 많이 붙어있는 것으로 보아서 대량탈출행렬을 리더하는 대장 격 나뭇잎인 모양이다. 성질이 급한 나뭇잎인가. 고공비행, 재주를 부리는 듯하다. 까부는 것 같기도 하고.

이성선 시인의 노래, "나뭇잎 하나가/ 아무 기척도 없이/ 어깨에 내려앉는다/ 내 몸에 우주가 손을 얹었다/ 너무 가볍다" 나뭇잎과 우주, 과대망상이 아닐까. 하기사 시인들은 '초민감성 가슴의 소유자'이니 이해가 간다.

이번 산행에서 야생화는 거의 사라졌다. 불과 몇 종류만 고개를 내밀고 있었다. 투구모양 같다고 해서 이름 붙여진 투구꽃이 흔했다. 허 선배에 따르면 독초라고. 또 나팔꽃과 무궁화를 닮은 둥근이질꽃도 간혹 눈에 띈다. 야생화도 날씨가 추워지니 별 수 없구만. 꽃은 결국 진다는 말이 맞구만.

센티하게, 유대장이 산행 도중에 "가을철은 사람을 슬프게 한다." 고 말씀 하신다. 대장님 모르십니까. 봄은 즐거울 樂, 여름은 뜨거운 情熱, 가을은 슬픈 悲, 겨울은 차가울 冷.

가을에는 소슬한 바람이 부는 탓도 있지만 쓸쓸하고 외롭게 느껴지는 것은 겨울과 죽음 즉 종착역으로 치닫기 때문이 아닐까요. 재생과 윤회가 있는지는 몰라도.

가을과 슬픔에 관한 시하나 소개. 당나라에서 이백과 두보와 함께 3대 문인으로 이름을 날렸던 왕유는 '화자강'이란 시에서 "나는 새 끝없이 날아가고/ 산들도 가을빛 뚜렷하다/ 화자강을 오르내리노라면/ 슬픔겨워 생각은 다함없다" 무지 슬프다는 뜻.

천하의 권력을 거머쥔 중국 대황제도 가을이 되니 슬픈 모양이에요. 한무제 아시죠. 오늘날 중국 영토개념의 기초를 만든 이죠. 정치 경제적으로도 역대 중국 왕조의 골격을 만들고. 우리나라로 봐서는 나쁜놈이죠. 위만조선을 무너뜨리고 낙랑, 현도, 임둔, 진번 등 한사군을 설치한 왕이니까.

한무제는 '추풍사(秋風辭)'를 통해 "가을바람 분다 흰구름 날아간다/ 초목은 시들어 떨어지고 기러기떼 남쪽으로 돌아온다/ 그러나 난초꽃 아름답고 국화향기 그윽하다/ 미녀들(佳人) 생각난다 잊을 수가 없구나/ 누선 (이층배) 을 띄워서 분하를 건너며/ 강 한가운데 세우니 뱃기슭에 흰물결 부딪친다/ 피리소리 북소리 울리며 선원들의 뱃노래 시작된다/ 환락(歡樂)이 절정에 이르자 오히려 슬픔의 정이 몸에 스민다/ 젊은 날이 그 얼마리!/ 늙음이 오는 것을 어찌하리오"

한무제가 나온 김에. 아시죠, 한무제는 신하 장건을 시켜 '저 은하수 건너 뭐가 있는지' 가보라고 해서 실크로드를 처음으로 열도록 한 인물이죠.

또 한무제는 중국역사에서 공자의 유교를 처음으로 나라의 통치 이념으로 삼은 군주죠. 동중서라는 신하가 유가를 강력 건의했죠. 그래서 사라질 뻔한 공자가 화려한 부활을 하고 다시 송나라 때 주희라는 분을 통해 동북아시아에서는 거의 종교처럼 자리 잡았죠. 이 유가가 2천년간 중국을 비롯해 인근 국가들의 사상과 철학을 지배해왔죠.

요순 - 우왕(하왕조 개국) 탕왕(은왕조 개국) - 문왕(주왕조 개국) 무왕(주왕조 사실 개국) - 성왕(무왕아들), 주공(무왕동생) - 공자, 맹자 - 동중서 - 한유 - 주희. 이것이 유가의 계보라고 하네요. 계보정치가 아니고 계보철학이네. 계보를 없애자. 이런 계보는 괜찮다고요.

한유는 한나라 사마천 이후 가장 뛰어나 문장가로서 공자맹자의 계승자를 자부했다고 해요. 그런데도 겸손했더라구요. "나 한유는 이른바 공자의 대문과 담장만 보았을 뿐 아직 그 집안에 들어가 보지도 못한 사람인데 어찌 무엇이 옳고 그른지를 알겠습니까." 너무 겸손한 것 아닌가요.

공자의 가르침을 하늘같이 받들고 산 민족이 있더라구요. 소개하겠습니다, 둥둥둥. 놀라지 마세요. 대한민국. 남의 나라 사상을 신주단지처럼 모셨죠. 중국 본토에서는 인기가 없었는데 무려 그것도 5백년이상. 하기사 중국에서는 문화혁명 때 아주 작살이 났다가 요새 다시 공자붐이 인다고 해요.

조선이 어느 정도 유교를 신봉한 집단이었냐 하면요. 강화도 조약이 있었던 1876년, 일본을 방문했던 제1차 수신사 김기수의 사행문 '일동기유'를 보면.

일본문부대신 구키 류이치가 “귀국의 학문은 오로지 주자만을 숭상합니까. 그 밖의 것은 아무것도 없습니까?”라고 물은데 대해 “우리나라 학문은 500년 동안 오로지 주자를 알뿐 주자를 배반하는 자는 난적으로 처단합니다. 과거응시하는 문자에도 불교나 노자의 말을 쓰는 자는 귀양을 보내어 용서하지 않았습니다.”라고 대답했다죠. 이에 류이치는 머리를 끄떡이며 차를 마시고 있었을 뿐이라고 하네요. 일본 메이지유신(明治維新)이 그때부터 8년 후에 시작되었죠. 근대화를 향한 기적을 울린 거죠. 조선은 통한의 식민지로 들어가고.

한국도 이제는 세계에 내놓아도 전혀 손색없는 전자제품을 만드는 세계일등국가. 이제 우리교육도 세계를 향해 돌리자. 이제 모든 회사나 학교는 사훈과 가훈을 바꾸어야겠네. ‘세계는 나의 것’ 너무 오버했나. 우리나라에서도 ‘세계경영’을 처음 부르짖었던 대우의 김우중 회장은 어디 갔나. 하기사 ‘세계는 나의 것’은 너무 정복적 개념이네. 인류는 나라와 민족과 종교를 떠나 오순도순 살아야지. 따라서 ‘세계는 우리 모두의 것’.

보너스. 가을이 슬픈 계절이라는 얘기가 너무 길었는데요, 반대로 가을철에 애상에 젖자 이에 반기를 든 시가 있죠.
당나라 유우석(劉禹錫)은 ‘秋思’는 시에서 “사람들은 예부터 가을이 오면 쓸쓸함을 슬퍼하지만/ 나는 말하리니 가을날은 봄날 아침보다 나으리라/ 맑은 하늘에 한마리 학이 구름 헤치며 올라가나니 / 곧 詩情을 끌고 푸른 하늘에 이르는 것, 이것이 가을이 아니겠는가”

산2

울창한 숲속을 빠져 나오니 광활한 하늘, 하늘을 떠받치고 있는 백두대간과 그 주변산의 지칠 줄 모르고 뻗어 있는 웅장하고 호쾌한 모습이 한눈에 들어왔다. 그 거친 숨결이 가슴 깊숙이 전해져 오는 듯하다.

조금 덥네. 장서언 시인의 '가을날'. "따사로워라/ 바람도 햇볕도 연주암도 그리고 나도/ 모다 알록진 단풍잎과 더불어/ 익어가는 가을날/ 샘물앞 손 씻는 시악씨 흰 치마 흰 적삼 하얀 비녀 흰 고무신 모다 눈처럼 차거우나/ 물 한 그릇 청하는 나에게 한그릇 가득 부어주는 마음/ 따사로워라"

옥빛, 비취색, 코발트빛, 눈이 시리도록 시퍼런 하늘에는 하얀 흰 구름이 가을 여행하는지 한가롭게 떠다니고 있고 노랗고 붉은 가을색이 온 산에 번지기 시작했다. 또 드문드문 '살아 천년 죽어 천년'의 신령스러운 주목군락이 제왕의 모습으로 뽐내고 있었다. 너무나 아름답구나.

태백산의 푸른 하늘과 순백의 뭉게구름, '환상의 콤비'네요. 그러고 보니 셰익스피어가 엉뚱한 소리를 했더라구요. 역사극 '리처드 2세'에서 "하늘이 수정같이 맑으면 맑을수록 그 속에 떠다니는 구름은 더욱 흉하게 보입니다." 볼링브록이 리처드왕 앞에서 노퍽공작을 고발하면서 한 말. 무슨 뜻인지는 알겠지만 구름을 그런 식으로 함부로 폄하해서는 안 되죠. 이헌태는 유명한 분들 무시하는 데 도사네.

하여튼, 태백산의 전경. 조물주가 창조한 이 아름다운 자연. 계절의 신비. 조물주가 감탄한 자연. 신도 마음대로 못한다는 자연. 특히 자연가운데 산이 최고.

전에도 말씀드렸지만 동양에서는 역시 바다보다는 산, 물보다는 산이죠. 그래서 도 닦고 수양하고. 이에 비해 서양은 해양문화죠. 개척하고 정복하고.

공자도 "지혜로운 자는 물을 좋아하고 어진자는 산을 좋아한다/ 지혜로운 자는 움직이길 좋아하나 어진 자는 조용함을 좋아한다/ 지혜로운 자는 즐기길 좋아하나 어진자는 침잔한다"(知者樂水 仁者樂山 知者動 仁者靜 知者樂 仁者壽)고 말씀하셨죠.

이에 공자의 충성파들이 설명을 달아 놓았더라구요. 공자의 제1 충성제자인 주자는 이런 공자의 말에 대해 설명을 붙였죠. "지혜로운 사람은 사리에 통달하여 두루 통하고 막힘이 없는 것이 물과 같은 점이 있으므로 물을 좋아하고, 어진 사람은 의리에 편안하여 중후하여 옮기지 않는 것이 산과 같은 점이 있는 까닭에 산을 좋아하는 것."이라고 풀이했죠. 말 참 잘하네.

한나라 때 유향이란 사람이 또 부연설명을 했더라구요. '설원(說苑)'의 한 대목. 특히 인자요산에 대해.

"대저 산은 높으면서도 면면히 이어져 만민이 우러러보는 바이다. 초목이 그 위에서 생장하고 온갖 생물이 그 위에 서 있으며 나는 새가 거기로 모여들고 들짐승이 그곳에 깃들이며 온갖 보배로운 것이 그곳에서 자라나고 기이한 선비가 거기에 산다. 온갖 만물을 기르면서도 싫증내지 아니하고 사방에서 모두 취하여도 한정하지 않는다. 구름과 바람을 내어 천지사이의 기운을 소통시켜 나라를 이룬다. 이것이 어진 사람이 산을 좋아하는 까닭이다." 주자와 유향 두 분 설명하시느라 고생하셨습니다. 구구절절 옳은 말씀입니다.

그런데 이헌태는요, 산이 바다보다도 좋지만 회도 좋아하고 물이 흐르는 강과 계곡도 좋아요. 잘 났다, 잘 났어.

이 고귀하고 보배스러운 자연은 우리 인류 모두의 것. 노자는 "천지자연은 만물을 이루면서도 힘들어 하지 않으며 만물을 생육하게 하고도 소유하지 않는다." 캬, 맞습니다.

소동파 선생 왈, "저 천지간에 펼쳐져 있는 온갖 물건들은 제각기 주인이 따로 있으리니, 참말로 나의 소유가 아니거든 한 털끝만한 것이라도 가져서는 안 되리라. 하지만 강물위에 서서히 불어오는 맑은 바람과 동산위에 뜬 저 밝은 달만은 임자가 따로 없으리니 누구든 그 맑은 바람소리 듣고서 귀를 실컷 즐겁게 할 것이며 누구든 밝은 달을 바라보고 눈을 실컷 아름답게 빛낼 일이로다. 강물위의 맑은 바람과 동산에 뜬 밝은 달이야 아무리 듣고 보아도 하지 말라 금하는 이 없을 것이요. 그것은 아무리 많이 듣고 보아도 닳아서 없어지는 일이 없는 것이다. 이야말로 써도 써도 다함이 없는 조물주의 무진장한 곳집이오. 그대와 나 다 같이 좋아하는 것이니 우리 함께 싫도록 즐겨 볼일이로다." '자연의 無주인 선언문', 즉 '자연 공짜 선언문'. 결론, '내 소유는 하나도 없지만 내 것 아닌 것이 없다.'

저 산을 옮겨다 우리 집 앞에 갖다 놓을 수는 없을까. 욕심을 버리라고 했는데도 정신 못 차리고. 아름다운 산은 이용만 하면 자기 것이나 마찬가지죠. 관리비도 전혀 들지 않고. 산을 옮긴다는 얘기가 나온 김에.

1) 열자에 나오는 愚公移山. 아흔 살에 가까운 우공이란 노인이 산의 북쪽이 막혀 왕래가 고생스러워 산을 치우려하자 주변의 사람들이 또라이라고 모두 반대. 그 노인은 '자자손손'이란 무기를 들이대자 산신이 이 말을 엿듣고 그가 멈추지 않고 파내려갈 것을 두려워한 나머지 천제에게 알렸고 천제는 우공의 정성에 감동되어 힘센 신의 두 아들에게 명하여 두 산을 짊어지고 옮기게 했다는 것. 말도 안 돼.

2) 베네치아 상인 마르코 폴로 아시죠. 1271년에 길을 나서 중국, 인도, 실크로드를 경우해서 25년 뒤 고향으로 돌아갔죠. 마르코폴로의 '동방견문록'에는 '바우다스(바그다드)에 생긴 산의 대기적'이란 내용이 있어요. 동방견문록은 철저히 기독교적 시각에서 쓰여 졌더라구요. 내용인 즉.

1225년, 이 지역 이슬람교신자들은 기독교인을 싫어했고 영내 기독교인을 개종시키기 위해 마태복음 구절을 실천해 옮길 것을 요구했죠. "너희가 만일 믿음이 한 겨자씨만큼만 있으면 이 산을 명하여 여기서 저기로 옮기라 하여도 옮길 것이요." 그래서 전 기독교인이 소집되어서 8일 밤, 낮을 기도하니 신의 사자가 나타나 신실한 신자인 애꾸눈 구두장이에게 가서 기도하라고 하면 반드시 이루어질 것이라고 했다고 해요. 결국 이슬람신자들이 보는 앞에서 산이 진동하여 1마일 가량을 이동했다고 해요. 마르코 폴로 선생, 완전 거짓말 아닌가 몰라.

3) 또 하나. 이슬람교의 창시자 마호메트가 포교를 하면서 기적을 요구받자 멀리 있는 산을 향해 "저 산을 이리로 오게 하겠다."고

주문을 했다고 해요. 끄떡도 하지 않자 엄숙하게 "그대들이여, 신을 찬양하라. 만약 산이 온다면 그대들과 나는 깔려 죽으리라. 이것이 알라신의 자비이니라. 산이 안 오니 내가 가리라."그리고 산을 향해 뚜벅뚜벅 걸어갔다고 해요. 물론 사람들은 어이가 없는 표정을 지으며 바라보았다고 해요.

'산이 안 오니 내가 가리라' 참 멋진 표현이네. 그런데 마호메트 성인이시여, 질문 있습니다. 산을 앞으로 데리고 오면 깔려죽지만 뒤로 옮기면 괜찮지 않나요. 저 뒤쪽에 있는 사람이 깔려 죽을라나. 하여튼 넘어가고.

이날 하늘과 땅, 천지는 아름다움의 극치였다. 하늘에는 구름이 둥실둥실 떠다니고 땅에는 노랗고 붉은 단풍이 물들기 시작했다. 어떤 기독교 목사님이 말씀하셨죠. "성경은 푸른 하늘과 구름과 바위에 담겨있다. 그것을 읽는 법을 배울 수 있다면 말이다."

구름을 보니 생각난다. 유학을 일으켜 세운 한나라 동중서. 동중서는 천지의 작용을 보면서 충의 덕목을 설명했죠. 억지로 갖다 붙인 것인가, 견강부회인가.

"땅이 구름을 내어서 비가 되며 기를 일으켜서 바람이 된다. 바람과 비는 땅이 행한 것이다. 그러나 땅은 감히 자신에게 공명이 있다고 하지 않고 반드시 하늘에게 그것을 바친다. 이는 천명을 따라 이루어지는 것과 같다. 그러므로 하늘의 바람, 하늘의 비라고 말하지 땅의 바람, 땅의 비라고 말하지 않는다. 힘쓰는 것은 땅이지만 명성은 줄곧 하늘에 돌려지니 지극한 의리가 있지 않다면 어떻게 이것을 행할 수 있겠는가. 그러므로 아랫사람이 윗사람 섬기기를 땅이 하늘을 섬기는 것과 같이 하면 위대한 충이라고 할 수 있다."

앞에서 언급했듯이 공자맹자이후 유학은 한대에 들어와서 동중서에 의해 그리고 송대에는 주자에 의해 업그레이드되었죠. 한대유학은 동중서의 음양론에 근거하여 유학이론을 국가제도 정비에 적합하도록 변용시킨 것입니다. 따라서 이때는 충효가 중요한 덕목, 일단 정치윤리에 더 큰 비중을 두었죠.

이에 비해 송대유학 즉, 성리학의 경우는 유학적 가치를 내면화한 도덕군자에 의해서 다스려지는 이상국가를 염원한다는 측면에서 기존 유학과 같지만 이론전개의 중심은 통치철학보다는 개인의 수양에 두었다고 해요. 따라서 교화의 단위가 국가라기보다는 향촌사회에 놓이게 되고 따라서 '충'보다는 '효'에 더 무게를 실었습니다. 가정의례 즉, 관혼상제에 더 관심을 두었다고 해요. 성리학의 체계를 완성한 주희가 관직에 있을 때 이 분야에 심혈을 기울였다고 해요.

각설하고, 다시 돌아와서 노자께서 하신 말. "사람은 땅을 본받고 땅은 하늘을 본받고 하늘은 도를 본받는다. 도는 스스로 그러하다."

가난

중국 수필가 린위탕은 '우리나라, 우리민족'이란 글에서 "환경이 넉넉할 때의 모든 중국인은 공자의 신봉자였고 환경이 불우했을 때의 모든 중국인은 노자의 신봉자가 되었으니 도가는 소요와 유희의 자세를 유가는 행위와 건설의 자세를 세워주었다."

한국은 어떨까. 얼마 전 세계적 대기업 휴렛팩커드의 칼리 피오리나 회장은 한국의 IT사회를 보고 "오늘날 이처럼 국제화한 한국이 4천6백년 동안 세계적으로 고립되고 은둔했던 나라였다는 것이 놀랍기만 하다."라고 밝혔더라구요. 한국은 세계에서 유일하게 원조를 받는 가난한 나라에서 원조를 주는 나라로 바뀌었다고 합니다. 불과 30년 사이에 세계를 깜짝 놀라게 했구만.

가난이 나온 김에. 가난에 쪼들려 고생스럽게 사는 살림살이를 '애옥살이'라고 한다네요. 현대인들이 바로 애옥살이가 아닐까. 참고로 '죽살이'(생사), 죽기 아니면 살기. 또 '다살이'(공생), 다 같이 더불어 살기. '살린살이'(금살생), 죽이지 말자. '모음살이'(상생), 서로 다투지 말고 도우며 살기. 이것은 다 좋은 삶이네.

러시아 문호 푸슈킨은 가난으로 고통을 받자 "오, 가난이여, 가난이여, 나를 얼마나 더 괴롭히려는 것이냐."며 절규했다고 해요. 로마철학자 세네카는 "가난은 부정을 가르친다."고 했네요. 너무 가난하면 안 되겠네.

한국 민주주의 이론의 대가인 고려대 최장집교수가 서민이 경제가 어려워지면 민주화세력도 약화되고 민주주의도 후퇴한다고 대강 그렇게 얘기했더라구요.

가난으로 힘들 때 가장 효과있는 대처방법. 제 오마니의 잔소리. "위를 쳐다보지 말고 아래를 쳐다보고 살아라." 폴 고갱도 "고통스러울 때에는 자기보다 더욱 불행한 사람이 있다는 것을 생각하라."고 했죠. 가난한 분들에게 도움이 됐나, 안 되면 안 되는데. 좋은 날이 오기를 기도하겠습니다. 하나 더, 소설가 세르반테스는 '돈키호테'에서 "생명이 있는 한 희망은 있다."고 했습니다.

이헌태의 생각. 가난은 '애이부비(哀而不悲)', 애석해하기는 하나 지나치게 슬퍼하지 맙시다. 이헌태의 주장. "없으면 없는 대로 부족하면 부족한대로 불편하면 불편한대로."

왜 이런 얘기를 하느냐면요. 요새 어디가든 경제가 어렵다고 해서요. 큰 틀에서 보면 나라경제가 그럭저럭 살아나야 국민들이 행복해질 수 있죠.

관자(BC 720-645년). 관중 아시죠. 석가모니 부처님과 공자보다 150년이 앞섰고 아리스토텔레스보다 350년이 앞선 인물로 동아시아 문명의 아버지라고 말할 수 있죠. 제환공을 도와 제나라가 천하의 패권을 장악하도록 한 인물이죠.

관자의 '목민편'. "백성은 고생하는 것을 싫어하므로 즐겁게 해주어야 한다. 즐겁게 해주는 주군으로 신뢰한다면 백성은 주군을 위해서 어떠한 고생도 감수할 것이다. 백성은 가난을 싫어하므로 풍요하게 해주어야 한다. 풍요하게 해주는 주군으로 신뢰한다면 백성은 어떠한 가난도 참아 낼 것이다. 백성은 위험을 싫어하므로 안정하게 해주어야 한다. 삶의 안정을 주는 주군으로 신뢰한다면 백성은 어떠한 위험도 견디어 낸다. 백성은 자손이 끊어지는 것과 같은 재난을 싫어하므로 번성하게 해주어야 한다. 번성을 주는 주군으로 신뢰한다면 백성은 목숨을 바칠 것이다. 백성의 마음을 얻지 못하면 아무리 형벌이 엄하다 해도 백성들은 두려워하지 않는다. 그러므로 받으려면 먼저 주라. 이것을 아는 것이 정치의 요체다."

사실 관중도 약점이 있죠. 관중이 죽자 제나라가 바로 무너져버린 거죠. 그래서 '법가'의 한비자는 '보통 사람이 정치를 해도 같은 결과를 가져올 수 있을 것'이라고 비판했죠. 덕치나 인치보다는 법치가 중요하다는 말씀. 제일 좋은 것은 덕치와 법치를 함께. 이헌태는 늘 정리를 잘하네.

하나 더. '보민이왕(保民而王, 백성을 보호할 줄 알아야 왕 노릇을 할 수 있다)'. 중국 '전국책'에 나오는 얘기.

"제나라 왕 왕건이 조나라로 사자를 보내 위후에게 문안편지를 올렸다. 그러자 위후는 편지를 뜯어보지도 않고 먼저 물었다. '금년에 흉년은 들지 않았는가. 백성들은 모두 별 탈 없는가. 왕도 역시 안녕하신가.' 사신은 약간 불쾌해하며 대꾸했다. '제가 우리 왕의 사명을 띠고 왕후께 왔는데 우리 왕 안부는 묻지 않으시고 먼저 곡식과 백성을 물으시니, 어찌 천한 것을 먼저 물으시고 귀한 것은 미루십니까' 위후가 대답했다. '그렇지 않다. 만약 흉년이 든다면 어찌 백성이 있겠으며 또 백성이 없다면 어떻게 왕이 존재할 수 있겠는가. 그럴진대 本을 버리고 末을 취하는 물음이 어디 말이나 되는가'"

성군 주위에는 훌륭한 신하들이 있었더라구요. 가령 세종대왕 때는 左황희 右맹사성. 조선왕조실록에 따르면, "황희가 분명하고 강직한 성격이었다면 맹사성은 어질고 부드럽고 섬세했다. 또 황희가 학자적 인물이었다면 맹사성은 예술가적 인물이었다. 그래서 황희는 주로 병조, 이조 등 과단성이 필요한 업무에 맹사성은 예조, 공조 등 유연성이 필요한 업무에 능했다. 따라서 세종은 부드러움이 필요한 일은 맹사성에게 맡기고 정확성이 요구되는 일은 황희에게 맡겼다. 이들의 이 같은 다른 일면은 세종의 왕도정치 구현에 큰 도움이 되었다.……세종은 이들 두 재상의 성격을 십분 활용하여

때로는 강력한 정치를 펴기도 했고 때로는 부드럽고 온유한 정치를 펴기도 했다. 이러한 왕의 중용적인 태도는 세종시대를 성종시대와 더불어 조선 역사상 가장 평화롭고 영화로운 시대로 만드는 원동력이 되었다."

나의 말

세종대왕님을 보니 흡사 잘되는 기업의 CEO를 보는 것 같아요. 황희는 기업의 살림살이인 재무를 담당하는 CFO로 맹사성은 기업의 제품을 창의적으로 알리는 마케팅 총괄책임자 CMO로 임명하면 딱 이겠네! 전문가들은 사업에서 가장 중요한 것을 시장, 니즈, 팀이라고 말하더라고요. 창업을 꿈꾼다면 이 세 가지는 꼭 생각해 봐야겠죠?

창업하면서 자주 하는 실수모음(개인적으로 꼽은)

1. '이건 세계 최초야'(구글에게 물어보면 세계 어딘가에는 있습니다. 빨리 알려서 피드백을 받으세요. 아! 아무도 안 따라합니다.)

2. '완벽한 제품을 만들어야해'(최소 기능만으로 출시하여 진짜 고객의 반응을 보세요. 돈을 내는 것은 고객. SIMPLE IS BEST)

3. '이 시장에 아무도 없어'(대신 대체제가 있을 수 있습니다. 어쩌면 그 시장이 너무 작을 수도. 당신은 스티브 잡스가 아닙니다.)

4. '지분을 나눠주면 나중에 문제가 되지 않을까'(우선 피자를 크

게 키울 생각부터 하세요. 핵심인재라면 지분을 줘서라도 데리고 와야지. 그리고 Exit할 확률보다 망할 확률이 더 높다는 사실.)

5. '대기업이 따라하면 어떻게 하지'(대기업이 신경 못 쓰는 틈새 시장에서 시작하세요. 고객이 열광하는 제품을 만든다면 대기업은 상관 안 해도 됩니다. 돈으로는 열렬한 고객을 살 수 없거든요.)

결론은, 아이디어보다는 실행력. 말이 쉽지. 그게 잘 되냐. (죄송합니다.)

즐거움

태백산 정상은 한국의 산 가운데 바람이 세차게 부는 곳으로 유명하다. 그래서 늘 오는 겨울철에는 능선에서 잠시라도 서 있지를 못한다. 체온이 뚝 떨어지기 때문에. 이날은 당초 예상과 달리 선선한 바람이 불어 너무 상쾌했다.

시 낭송회도 가졌다. 기형도의 '장미빛 인생'. 자신의 시처럼 돌아가셨지만 기형도다운 시다. 이시는 결론은 명쾌한데 내용은 무슨 말인지.

"문을 열고 사내가 들어온다/ 모자를 벗자 그의 남루한 외투처럼 / 희끗희끗한 반백의 머리카락이 드러난다/ 삐걱이는 나무의자에 자신의 모든 것을 밀어넣고/ 그는 건강하고 탐욕스러운 두 손으로 / 우스꽝스럽게도 작은 컵을 움켜쥔다/ 단 한번이라도 저 커다란 손으로 그는/ 그럴듯한 상대의 목덜미를 쥐어본 적이 있었을까/

사내는 말이 없다. 그는 함부로 자신의 시선을 사용하지 않는 대신 / 한 곳을 향해 그 어떤 체험들을 착취하고 있다/ 숱한 사건들의 매듭을 풀기 위해 얼마나 가혹한 많은 방문객들을/ 저 시선은 노려보았을까, 여러 차례 거듭되는/ 의혹과 유혹을 맛본 자들의 그것처럼/ 그 어떤 육체의 무질서도 단호히 거부하는 어깨/ 어찌 보면 그 어떤 질투심에 스스로 감격하는 듯한 입술/ 분명 우두머리를 꿈꾸었을 머리카락에 가리워진 귀/ 그러나 누가 감히 저 사내의 책임을 뒤집어쓰랴/ 사내는 여전히 말이 없다, 비로소 생각났다는 듯이/ 그는 두툼한 외투 속에서 무엇인가 끄집어낸다/ 고독의 완강한 저항을 뿌리치며 어떤 대결도 각오하겠다는 듯이/ 사내는 주위를 두리번거린다, 얼굴 위를 걸어다니는 저 표정/ 삐걱이는 나무의자에 자신의 모든 것을 밀어넣고/ 사내는 그것으로 탁자위를 파내기 시작한다/ 긴장한 덩치를 굽힌 채, 느릿느릿/ 그러나 허겁지겁, 스스로의 명령에 힘을 넣어가// 나는 인생을 증오한다"

정상 마루금에 앉아 주위를 휘 돌아보니 즐거움이 한이 없고 더 이상 부러울 게 없다. 너스레 하나. 낭만에 대하여가 아니라 즐거움에 대하여.

1) 공자의 '논어' 첫 머리 '학이'편. "배우고 때로 익히면 즐겁지 아니한가. 친구가 멀리서 찾아오니 또한 즐겁지 아니한가."

또 논어 속, "사람의 삶에는 유익한 즐거움이 셋. 해로운 즐거움이 셋이 있다. 전자는 예악을 조절하는 것을 좋아하고 다른 사람의 착한 행실을 칭찬하는 것을 좋아하고 어진 벗이 많은 것을 좋아하는 것이고, 후자는 교만과 향락을 즐기고 안일한 생활을 즐기고 유흥을 즐기는 것이다." 교만과 향락을 즐기는 것은 몰라도 안일한 생활과 유흥을 즐기는 것은 좀 봐주지.

2) 맹자 왈, "부모님이 생존해 계시고 형제와 더불어 화목하게 사는 것이 첫째 즐거움이고 고개 들어 하늘을 보아 부끄러울 것 없고 고개 숙여 사람에게 두려울 것이 없는 것이 두 번째 즐거움이고 천하의 영재를 얻어 이들을 교육시키는 것이 세 번째 즐거움이다." 딩동댕, 정답.

3) 부처님이 주로 사업가로 이루어진 재가불자에게 한 설법에서 사업가의 네 가지 즐거움을 언급하셨죠. '물질적 부를 지닌 즐거움(육류, 주류, 독극물, 무기, 노예직업은 피하고), 재산을 누리는 즐거움(사치는 육신을 쾌락의 도구, 균형 잡힌 건전한 소비생활 권유), 빚이 없는 즐거움, 비난받을 일이 없는 즐거움.' 맞나요.

4) '영계기'는 항상 음악을 즐기고 기쁜 마음으로 사는 사람. 어느 날 공자는 거문고 뜯으면서 노래를 부르고 그에게 "뭐가 그렇게 즐거우냐?"고 묻자 그는 "만물 가운데 사람으로 태어난 것이 첫 번째 즐거움이고 남자로 태어난 것이 두 번째 즐거움이고 인생을 살면서 강보도 면하지 못한 자가 수두룩한데 내 나이 이미 95세가 되었으니 세 번째 즐거움이다. 선비가 가난한 것은 당연한 일이고 사람이 죽는 것 또한 거역할 수 없는 진실인데 무슨 걱정이 있겠습니까."라고 대답.

서양에도 비슷한 얘기가 있네요. 사람 사는 게 똑같지 뭐. 철인 소크라테스 왈, "하늘이 나에게 준 세 가지 복은 야만인으로 태어나지 않고 희랍인으로 태어났다는 것, 또 아테네에서 태어났다는 것, 그리고 여자가 아닌 남자로 태어났다는 것." 소크라테스도 한계가 분명하구만. 수준이 조금 떨어지네. 여자로 태어나는 게 어떻다고 그러시나. 우리나라 여성인권이 예전보다는 좋아졌지만 아직도 부족한 게 많죠. 양성이 평등한 사회를 꿈꾸며!

즐거움에 대한 결론 하나. "가장 소박한 즐거움을 누리는 사람이 가장 부유하다." 헨리 데이비드 소로우의 일기에서(1886년)
'늘 즐겁다'는 나사빠진 듯한 분도 계시죠. 이헌태와 비슷한 부류네. "봄에도 즐겁고/ 여름에도 즐겁고/ 갈색으로 물든 가을의 숲 사이로 바람이 노래해도 즐겁고/ 거칠고 추운 겨울에도/ 즐겁고 또 즐겁다" 윌리엄 호위트 '사시사철 언제나'(1850년)
또 하나. "로마의 가장 뛰어난 집정관들은 도시와 공무에는 아홉째 날밖에 할애하지 않았고 나머지는 시골의 채마밭에서 보냈다. 물론 당시에는 요즘에 비해 재판을 요하는 일이 더 적었지만 그때처럼 위대한 정의가 실현되고 뛰어난 판사와 대변자들이 있었던 적이 없었다." 존이블린 '채소'(1699년)
마지막. "채마밭이 있고 집 가까이에서는 샘물이 끊임없이 솟아오르고 약간의 숲이 딸려있는 그리 크지 않은 땅, 이것이 내가 기도한 것이다." 호라티우스 '풍자'(BC 30년) 그것은 이헌태도 기도하는 것입니다. 2천년 전에도 도시가 있고 시골생활을 그리워하는 사람들이 있었구나. 안녕.

나의 말

여성인권이 나와서 말인데 '82년생 김지영'이라는 책을 한번 읽어보시길 추천 드려요. 저도 남자로서 몰랐던 사실들을 알게 되었습니다. 다 읽고서 이 책을 읽은 여동생과 대화도 했는데 동생은 많이 공감했다고 하네요. 여동생이 그리고 훗날 내 딸아이가 여자라는 이유로 차별받지 않고, 자신이 하고 싶은 일을 당당하게 할 수 있는 세상을 만들기 위해 모두 다 같이 노력해야 할 것 같아요.

동생의 말

즐거움에 대해라면 저는 인상파 프랑스화가 피에르 오귀스트 르누아르가 떠올라요. 제가 아주 오랫동안 열렬히 좋아했거든요. 거의 모든 인터넷아이디가 'renoir'로 시작한다면 믿으시겠어요? 대다수가 읽질 못해서 이메일로는 실패했지만요.

르누아르는 "그림은 즐겁고 유쾌하며 예뻐야 한다."고 '행복을 그리는 화가'로 유명하죠. 안 그래도 인생에 불행이 넘치는데 그림만큼은 즐거움을 그리고 싶다고요. "The pain passes, but the beauty ramains."(고통은 지나가지만 아름다움은 영원하다)라는 말도 잘 알려져 있습니다. 탐미주의자인가 봐요.

저도 빠지게 된 이유가 별 것 없이 그저 그림이 너무 너무 예뻤기 때문이에요. 또 인상파의 특징, 햇빛이 비춘 듯 따사롭게 그려진 게 마음에 들었어요. 권위적이었던 당시로는 상상도 못할 일이었잖아요. '인상파'라는 말도 어떤 비평가가 비꼰 단어라는 것 아시나요? 모네의 '인상-해돋이'를 보고 '인상주의 전시'라고 조롱했는데 그 후 인상파 화가들이 보라는 듯 정식호칭으로 사용했다고 합니다. 저런 패기는 배워야겠어요. 시대를 바꾸는 사람들이 다르긴 다르네요.

여성인권, 아버지께서 십년도 더 전에 쓰신 글인데 아직도 갈 길이 머네요. 페미니즘이 수면위로 떠오르면서 엄청난 돌풍이 불었는데 일부분은 여성혐오를 혐오하는 것을 벗어나 남성혐오로 변질되어 인터넷에서 남녀가 싸우고 난리났었습니다. 이제는 혐오라는 단어만 봐도 진저리가 나요.

페미니스트는 뭔가 특별하거나 어려운 게 아니죠. 여성도 남성과 같이 동등한 존재이고 평등한 권리를 갖는다고 믿는 겁니다. 이건 성별을 떠나 모든 사람으로 생각해도 옳은 말이잖아요. 그런 의미에서 "너 페미니스트야?"라는 질문은 정말 이상한 질문인거죠. 관련 도서를 추천해드릴게요. 유명한 이유가 있는 '나쁜 페미니스트', 오빠도 추천한 '82년생 김지영', 고착된 성역할을 뒤집은 '이갈리아의 딸들', 일상생활 속 겪는 성추행을 그린 '악어프로젝트', 남자의 시선으로 쓴 '그 남자는 왜 이상해졌을까?', 역시 남자의 시선으로 쓴 '맨박스'. '공평'보다는 '형평'으로, 더 나은 사회로 발전하기를 진심으로 바랍니다.

가을산

백두대간 종주를 향한 33번째 산행에 나섰다. 이번 코스는 지리산에서 시작된 백두대간의 준령이 한반도 내부를 쭉 관통하다가 동해 쪽으로 바짝 붙기 직전의 태백산 바로 윗 지역으로 그 나름대로 백두대간의 위용과 기세를 한껏 자랑할 만한 곳이다. 이번 산행부터는 시작도 강원도, 끝도 강원도, 완전 강원도 지역에 들어섰다. 꾸역꾸역, 흘러흘러 참으로 많이 올라 왔구나.

이번 주는 한로(8일)와 상강(23일)사이에 있네. 인터넷 검색란을 치니. 한로에 대해서는 "이 시기는 오곡백과를 수확하는 시기로, 이슬이 찬 공기를 만나서 서리로 변하기 직전이다. 또한 단풍이 짙어지고, 제비 등 여름새와 기러기 등 겨울새가 교체되는 시기이다. 한국에서는 이 시기에 국화전(菊花煎)을 지지고 국화술을 담그는 풍습이 있다." 그렇구나. 계절이 바뀌는 중이구나. 가을에서 겨울로. 상강도 비슷하겠지 뭐. 실제로 설명이 대동소이하더라구요.

창옥봉을 지나 산죽군락을 거쳐 부지런히 나아가니 가장 높은 능선길에 들어섰다. 어슴푸레 여명이 비추면서 산천이 서서히 모습을 드러내고 있었다. 안개구름이 백만대군의 조조군대처럼 거센 바람에 휩쓸리면서 산봉우리를 덮은 채 이리저리 몰려다니고 있었다. 야, 멋지다.

고려 때 최고시인 이규보. "한조각 흰구름 한가한데/ 바람에 따라 산으로 밀여오나/ 동서 어느 곳에도 본래 메이지 않으니/ 잘 갔다 잘 돌아오시게" 구름처럼 정처 없이 떠돌고 싶구나.

여름은 녹음방초, 겨울은 백색설경, 가을은 갈색향연. 낙엽이 떨어진 휑한 나무들의 풍광도 운치를 더했다. 멋진 산책길이다. 이번 산행은 '늦가을 아니 초겨울의 산행' 같았다. 산은 도시보다 더 빨리 겨울이 찾아온 것이다. 등산을 하면 이처럼 계절을 먼저 느낍니다. 부지런한 자여 그대에게 영광이 있어라!

송대 유명한 화가인 곽희는 "진짜 산수의 안개와 이내는 네 계절이 같지 않다./ 봄 산은 담박하고 아름다워 마치 웃는 듯하고/ 여름 산은 자욱이 푸르러 물방울이 듣는 듯하며/ 가을산은 맑고 깨끗하여 단장한 듯하고/ 겨울 산은 어두침침하고 엷어 잠자는 듯하다." 맞습니다. 가을산은 맑고 깨끗하고 단장했습니다.

가을산은 울긋불긋 노란 낙엽 때문에 알록달록 화려한 비단 같다. 산은 비단베개. 하늘을 이불 삼아 산을 베개 삼아 한숨 자고 싶구나. 그리고 일제히 '갈색 축제'를 벌이고 있었다. 황금빛 물결이 출렁이는 황금빛 바다. 이번 산행에서 특히 이 색깔은 적막하고 슬프고 고즈넉한 모습이 아니라 뭔가 추억과 낭만이 생길 것 같은 상큼한 기분을 자아내게 한다. 이헌태 기분이 좋은 가봐. 자연도 마음 상태에 따라 다르게 보인다고 하네요. 계절은 맞지 않지만 몇 사례.

고려 때 대각국가 의천. "영명사(평양의 절) 경치가 뛰어나다고 하기에/ 몇 해를 그리다가 이제사 찾아왔지만/ 이 아침 산하의 모습은 슬픔으로 변해 있으니/ 비로서 경치란 내 마음 갖기 나름임을 알겠구나" 이 시는 어머니가 사망한 직후에 나온 시니 당연히 슬프죠.

중국 원매의 '봄날에'란 시를 썼죠. 나이 늙어 서러운 시죠. "어깨 위에 백발을 서리처럼 드리우고/ 이 봄 보내는 쓸쓸한 마음/ 밤 이슥토록 모란꽃 지켜보는 것은/ 반은 꽃 서러워 반은 나 서러워 서라네"

산행 도중 백선배가 대간 길 옆길로 벗어나 주춤거린다. 큰일을 보기 위해서다. 냄새난다고요. 너무 그렇게 생각하지 마세요.

나온 김에. 화장실의 품격 높은 다른 이름 아세요. 절에서는 뒷간을 해우소(解憂所)라고 하죠. 근심을 풀어버리는 곳. 또 다른 이름, 오곡윤회지처(五穀輪回之處). 설명 안 해도 아시겠죠. 하나 더. 정랑(淨廊).

박희진 시인의 삼행시. "불가에선 화장실을 정랑이라 한다/ 그 곳에 들어가 세념을 잊으면/ 탐진치 삼독 덩어리가 쑤욱 빠져/ 심신이 날아갈 듯 개운해지기 때문" 산에서 응아하고 나면 왜 그렇게 몸이 날아갈 듯하는지, 탐진치가 빠진 고승들의 기분도 마찬가지겠죠.

중국 당나라 시인 왕범지의 '누구나 다'라는 시 한수. "제 아무리 높은 사람이라 하여도/ 끝은 모두 하나의 죽음이오/ 제 아무리 산해진미 차려 먹어도/ 결국은 다 같은 똥이로다/ 석가모니는 평생 여덟 글자를 궁구하였고 노자는 하나의 이치를 지켰더라네/ 삶과 죽음의 미혹에서 벗어나려면/ 서둘러 이 점을 깊이 생각하여야 하리" 똥 누는 것에도 이런 깊은 철학이 있을 수 있네요. 하기사 산해진미도 똥으로 가죠. 허무하다.

왕범지의 시 가운데 하나 더. "저 사람 멋진 말 타는데/ 나만 나귀에 앉아 있네/ 땔나무 짐꾼 돌아보니/ 마음이 조금 좋아지네"

우리 오마니 말씀처럼 늘 위 쳐다보지 말고 아래 쳐다보며 살면 행복하죠. TV에서 나오는 병원프로그램을 보면 멀쩡히 살아있는 것만 해도 행복하죠. 모두 건강합시다.

소설

바위에 걸터앉아 주변을 보았다. 백두대간과 그 주변의 중첩된 산악지대, 천진난만한 하얀 뭉게구름이 파란 하늘에 떠다니고 있는 가운데 찬 겨울바람이 불지만 주변은 온통 갈색의 향연이다. 햇살을 받은 산 쪽은 눈부시게 빛나고 있다. '갈색나라'. 모두들 탄성을 내지른다. 한 폭의 동양화를 연출한다. 이번 산행도 너무 멋진 산행이다.

한 폭의 동양화, 산수화. 명나라 동기창은 "산수화는 가짜 산수요. 산수는 진짜 산수화이니라."(山水畵 假山水 山水 眞山水畵)

그리고 보니 이헌태가 진짜 산수를 산수화처럼 격하시켰네. 아이고 죄송합니다. 앞으로 아름다운 자연을 보고 한 폭의 동양화라고 얘기하는 분들 보면 제가 나무라겠습니다. "진짜 산수보고 가짜 산수화라고 말하지 마세요."라고. 하여튼 꼬투리잡기 실력은 대단하네.

미리 도착해 있던 박 선배는 안개에 쌓여있는 함백산과 그 밑 중함백을 비롯한 능선을 쳐다보면서 "함백산은 자태나 위용이 단순한 맛이 난다."며 평가를 내린다. 오, 대단한 발견.

능선과 봉우리를 쭉 이어서 보니. 소식 '서림의 벽에 제하다'의 시 한 수가 생각나요. "가로로 보면 山嶺이요 세로로 보면 봉우리라/ 멀고 가깝고 높고 낮고 제 각각이구나/ 여산 진면목을 알지 못함은/ 다만 내 몸이 이 산속에 있기때문이네" 좋다.

이럴 때 이헌태도 시 한수 쫙 나와야 하는데. 그런데 제가, 시하고 소설은 취급을 하지 않는답니다. 시는 시시해서 그렇고요. 농담이고 사실은요, 대략 3천년 동안 동서양을 막론하고 수많은 인걸들이 시를 다 지어놓았더라구요. 제가 더 이상 지을 게 없어요. 자연에 대해서, 낙엽에 대해서, 단풍에 대해서, 산에 대해서, 물에 대해서, 달에 대해서, 인생에 대해서, 가족에 대해서, 술에 대해서 등등. 시대적 배경을 업은 시 빼고는 거의 다 썼더라구요. 그래서 제가 시를 왜 씁니까. 있는 좋은 시를 읽고 기분내면 그만이지. 제가 억지로 머리를 돌려서 써 봐야 그게 그거고.

그래서 그런지. 요즘 우리나라에서 나오는 시를 보면 어디서 많이 본 것 같고 또 머리가 아플 정도로 말장난도 많고.

아시다시피, 소설은 한문 小說에서 보여주다시피 작은 글이잖아요. 실제로 소설의 역사를 봐도 근대 이후 각광을 받았지, 그 전에 지식인이나 양반사회에서는 인정을 못 받았죠. 저잣거리를 얘기를 모은 패관들이나 썼지.

장자가 小說에 대해 무슨 말을 했는지 아세요. 小說과 관련, "하찮은 의견을 치장하여 높은 명성과 훌륭한 명예를 얻으려한다. 그것은 크게 통달하는 것과는 거리가 먼 일이 될 것이다." 이것은 대도와 무관한 말을 가리키는 것이지 문학양식을 가리키는 것은 아니라고요. 지금 소설과 다르다고요. 알겠습니다.

그 뒤 중국 환담(BC ?-56)이란 사람은 新論에서 "소설가와 같은 무리들은 자질구레하고 짧은 말들을 모아 가까운 것에서 비유적인 표현을 취해 짧은 글을 만들었으니 자기 한 몸을 수양하고 집안을 건사하는데 볼만한 말이 있었다."고 말했다고 해요. 최근 소설개념하고 비슷하다고 하네요.

춘추전국시대 제자백가 아시죠. 거기서는 小說을 "머리에서, 입에서 나오는 대로다."라고 주장했죠. 반고(32-92)의 한서에는 "볼만한 것은 九家뿐이다."라면서 10家가운데 유독 小說家만 뺐습니다.

제자백가. 이 가운데 큰 줄기로 따져 10가로 정리되죠. 일각에서는 백가가 특별한 사상이 아니라 관직에서 비롯되었다는 주장도 있어요. 유가는 司徒(교육관리), 도가는 史官(사관), 음양가는 羲和(희화와 천문담당관리), 법가는 理官(재판관), 명가는 禮官(의전 인

사담당관), 묵가는 淸廟(지킴이), 종횡가는 行人(외교관), 잡가는 議官(의론담당관), 농가는 農稷의 관리, 소설가는 稗官(패관과 민간의 이야기를 전달하는 관직).

이 가운데 그래도 당시 잘 나간 게 바로 유가와 묵가였다고 해요. 전국시대 후반에 가서는 유가와 묵가가 한때 우열을 다투기도 했다고 해요. 공자가 유가를 일으켰지만 처음에는 별 볼일 없다가 맹자 때 불경기였던 유가를 옹호하면서 당시 호경기를 누리고 있던 묵가와 도가일파를 맹공격했다고 해요.

역시 한서, '예문지'에 "소설이라고 하는 것은 길거리와 골목의 이야기다." 내지는 "소설가의 무리는 대게 패관에서 나왔다."고 적혀있죠.

하여튼 예전에 한국이나 중국에서 잘 나가는 학자나 사상가가 소설을 썼다는 얘기를 들어보지 못했죠. 소설가도 예전에 태어났으면 이야기꾼 노릇밖에 더 했겠어요. 그렇지만 세상이 완전히 바뀌었죠. 요즘 소설가의 인기가 어마어마해요. 스타 소설가의 탄생. 옛사람들을 알았으려나, 이야기라고 무시한 小說이 이렇게 뜨게 될 줄을. 자 결론, 이헌태의 잡글도 언제가 빛을 볼 날이 올 텐데. 뭐야.

나의 말

그래서 제가 열심히 아버지의 글을 편집하고 있죠. 이 글을 읽으면서 자연의 아름다움과 옛사람의 지혜를, 시인의 감성을 느낄 수 있었습니다. 그리고 아버지의 '혼자 놀기'의 진수도 맛볼 수 있다는 사실. 저 혼자 보기가 너무 너무 아까운 거죠. 저는 이 책을 많은 사람이 읽는 것도 좋지만 한 사람이라도 이 책에서 자신만의 무언가를 찾는다면 이 책의 목적을 충분히 달성했다고 생각합니다.

벽

시가 나온 김에. 그래도 시에 목숨을 건 사람들이 있더라구요. 환자처럼 병 걸린 사람도 있고요.

고려 때 이규보의 '시벽(詩癖)' "나이 이미 칠십을 지나 보냈고/ 지위 또한 삼공에 올라보았네/ 이제는 시 짓는 일 놓을 만도 하건만/ 어찌하여 능히 그만두지 못하는가/ 아침엔 귀뚜라미처럼 읊조려대고/ 저녁에도 올빼미인양 노래부르네/ 어찌할 수 없는 시마란 놈이/ 아침저녁 남몰래 따라와서는/ 한번 붙어 잠시도 놓아주지 않아/ 나를 이 지경에 이르게했네/ 날이면 날마다 심간을 도려내/ 몇 편의 시를 쥐어짜내지/ 내 몸의 기름기와 진액일랑은/ 다 빠져 살에는 남아 있질 않다오/ 뼈만 남아 괴롭게 읊조리나니/ 이 모습 정말로 우스웁구나/ 그렇다고 놀랄 만한 시를 지어서/ 천년 뒤에 남길 만한 것도 없다네/ 손바닥을 부비며 홀로 크게 웃다가/ 웃음을 그치고는 다시 읊조려본다/ 살고 죽는 것이 필시 시 때문일 터이니/ 이 병은 의원도 고치기 어렵도다"

이규보의 '驅(구)詩魔文'을 소개. 내용인 즉, 시에 빠진 뒤에 몸과 마음을 나쁘게 한 시마의 죄상을 지적했죠. 그러자 꿈에 시마가 찾아와 '어려서부터 그대와 함께 하고 출세를 시켜주었는데'라며 비난했다고 해요. 이규보가 지적한 시마의 죄상은 다음과 같아요. 참

고로 이규보는 三魔로 색마 주마 시마를 들었죠.

1) 세상 사람들이 알아주지도 않는데 시인으로 하여금 붓만 믿고 까불게 만드는 죄다.

2) 하늘의 이치를 파헤쳐 천기를 누설하면서도 당돌하여 그칠 줄 모르고 사람들의 마음을 꿰뚫어 세상을 놀라게 하는 죄다.

3) 삼라만상의 천만가지 형상을 닥치는 대로 하나도 남김없이 붓끝으로 옮겨내어 겸손할 줄 모르게 하는 죄다.

4) 상주고 벌주기를 제멋대로 하고 정치를 평론하고 만물을 조롱하고 뽐내며 거만하게 만드는 죄다.

5) 목욕을 싫어하게 하고 머리 빗기를 게으르게 하며 괜스레 신음소리를 내고 이맛살을 찌푸리게 만들어 온갖 근심을 불러들이는 죄다.

시가 詩魔에 의하지 않고 흥얼흥얼 줄줄 시가 나오면 좋지. 소동파 왈, "아름다운 시구가 끊임없이 솟아나네/ 어찌 남의 호감을 사기 위해 일부러 꾸며 쓸 수 있으리요/ 원숭이나 학도 본래 아무 생각없이 우는 것이니/ 언덕 아래로 사람이 지나가든지 않든지 상관치 않네" 캬, 좋다.

그런데 소동파 시 때문에 여러 집구석이 망가졌다고 하네요. 소동파의 인기가 높았나 봐요. 동파가 쓰던 모자도 유행을 했다고 하니. 어떤 부인은 밤새도록 소동파의 시를 탐독하다가 "나보다 소동파가 더 좋으냐?"며 남편으로부터 이혼을 당했다고 해요. 나 원 참. 가정파괴범이네.

나온 김에. 어느 날 소동파가 주변사람에게 "내 배속에 뭐가 있나?"라고 물었나 봐요. '아름다운 글' 운운하며 아부를 했나 봐요.

동파는 "모두 틀렸다."고 했죠. 이에 조언이 "세상 사람들과는 다른 생각들로 가득 차 있을 듯합니다."라고 답하자 "맞다."고 했다고 해요. 벌써 현대교육에서 가장 필요한 창의성이 예전에도 필요했구만.

시벽(詩癖). 벽이 나온 김에. 불광불급(不狂不及). '미치지 않으면 미치지 못한다'라는 말 아시죠. 남이 미치지 못할 경지에 도달하려면 미치지 않으면 안 된다는 뜻이죠.

청나라 때 장조는 '유몽영'에서 "꽃에 나비가 없을 수 없고 산에 샘이 없어서는 안 된다. 돌에 이끼가 있어야 제격이고 물에는 물품이 없을 수 없다. 교목엔 덩굴이 없어서는 안 되고 사람은 벽(癖)이 없어서는 안 된다." 진짜로 21세기는 벽이 있어야 살아남을 수 있는 세상 같아요. 남들이 따라 오지 못하는 장기하나.

조선시대 18, 19세기 한 가지 일에 몰두하는 마니아가 등장했다고 하네요. 정민 교수에 따르면 그 전에는 선비가 어떤 벽에 바치는 것을 두려워했는데 18세기에는 '벽이 없는 사람과는 사귀지도 말라'라는 얘기도 나왔다고 해요. 이덕무는 비둘기를 연구했고, 이서구는 앵무새를 연구했고, 정약전은 흑산도 어종을 연구했죠. 하여튼 할 일이 그렇게도 없었나.

표구에 미친 방효량에 대한 글 하나. "벽이란 병이다. 어떤 물건이든 좋아하는 사람이 있게 마련이다. 좋아함이 지나치면 '즐긴다(樂)'고 한다. 즐기는 사람이 즐김이 지나치면 이를 '벽'이라고 한다. 동중서나 두예는 학문에 벽이 있던 사람이고 왕발과 이하는 시에 벽이 있던 사람이다. 사령운은 유람에 벽이 있었고 미불은 돌에 벽이 있었으며 왕휘지는 대나무에 벽이 있었던 사람이다."

엉뚱한 시 하나. 요즘 하도 국가가 분열이 심하길래. 신석정 시인의 '벽(壁)의 노래'.
"너와 날 차단(遮斷)하는 것은/ 벽(壁)이었다.// 차가운 바람이/ 스쳐오고 가는구나!// 그러기에/ 체온(體溫)을 차단(遮斷)하는 것도/ 벽(壁)이었다.// 까르르/ 소리조차 검은/ 까마귀가 울고 간다.// 이웃과 이웃을 차단(遮斷)하고,/ 겨레와 겨레를 차단(遮斷)하고,/ 나라와 나라를 차단(遮斷)하고,// 인젠 하늘도 질려/ 파아랗게 끊어진 절정(絶頂).// 끝내는/ 서성대는/ 나와 나를 차단(遮斷)하는/ 벽(壁).// 뽀오얀 햇볕 속에/ 아득한 꽃그늘이 흔들린다.// 이 벽(壁)을 넘어서/ 이 무서운 벽(壁)을 넘어서/ 이 어두운 벽(壁)을 넘어서// 오는 날 永住할 우리들의 住所는/ 決定되는 것이다."

나의 말

예전에는 하나에 빠진 사람을 오타쿠, 한국어로는 오덕후라고 부르며 안 좋게 본 것도 사실이거든요. 그런데 확실히 요즘은 어느 분야든 한 분야에 깊이 빠진 사람은 인정해주죠. 분야도 애니뿐만 아니라 게임, 음악, 드론까지. 이제는 개인방송을 통해 자신의 취미를 여러 사람과도 즐길 수 있으니 세상 참 많이 좋아졌어요.
미국에서도 한 분야의 전문가를 긱(geek)이라고 부르죠. 특히, IT 같은 기술 분야에서 이 말이 자주 쓰는데 대표적인 '긱'이라고 하면 페이스북 창업자 '마크 주커버그'가 생각나네요. 저에게 긱은 청바지에 후드를 둘러쓰고 즐겁게 코딩하는 이미지랄까? 저는 이

런 '긱'이야말로 진짜 세상을 바꾼다고 생각해요. 오타쿠 만세! 오덕후 만세! 긱 만세! (아버지 따라함)

동생의 말

조선시대에도 여러 마니아가 있었네요! 아무 명사에 마니아를 붙이면 말이 되죠. 아버지께서 '등산 마니아'인 것처럼 말이에요. 요즘에는 어떤 것에 몰두하는 걸 '판다'고 합니다. '물건을 판다'가 아니고 개가 땅을 파듯이 '나 이 드라마 파고 있어', '나 그 작가 파고 있어' 이렇게요. 생각해보면 저는 항상 무언가를 파고 있었습니다. 애니메이션, 영화감독, 동물, 그림 등등 다 말하지 못할 정도로 갖가지가 있었죠. 호기심많은 제 기질이 여기서 나타나나봅니다. 끈기는 부족해 보이지만요.

최근엔 남자아이돌 프로젝트 프로그램에서 데뷔한 아이돌그룹을 파고 있는데 오래전부터 아주 큰 문제인 '사생팬'에 화가 나더라고요. '사생(활)+팬', '死生팬' 뜻의 사생팬은 사생활 일거수일투족을 알기 위해 스토킹하고 극단적인 방법을 가리지 않는 악질적인 마니아입니다. 주민등록번호와 핸드폰번호를 알아내고 집에 무단 침입까지 하는 심각한 범죄행위를 저질러요. 당하는 사람은 정말 지옥인거죠. 이에 맞서 깨끗한 팬 문화를 만들자는 목소리가 높아져 많은 사람들이 동참하고 있습니다. 저도 제가 응원하는 아이돌이 괴로워하지 않고 마음껏 노래해준다면 좋겠어요. 하긴 저런 집단은 마니아라고 불릴 자격도 없네요.

나뭇잎

일행은 능선을 따라 은대봉을 향해 다시 치고 올라가기 시작했다. 능선길에 있는 숲길은 파계승이 나오는 '만다라' 같은 영화를 찍기에는 안성맞춤 장소 같았다. 잎이 다 떨어진 앙상하고 을씨년스러운 나무들, 산길에 차곡차곡 쌓여있는 허망한 낙엽과 적막한 산을 휘몰아치는 거센 겨울바람, 옷자락을 날리며 가는 이의 고독하고 쓸쓸한 뒷모습, 아들이 먼저 앞질러 가길래 불러 파계하고 속세로 가는 뒷모습 같다고 놀렸다.

맹호연의 시 한 수. "한해의 조락이 산속에도 찾아와/ 마냥 쓸쓸한 감흥 속에 젖어있는 산객 앞에/ 휘휘 소리내는 스산한 겨울바람소리가/ 나뭇잎이 또 얼마나 떨어지게 했을까"

휘휘 바람소리를 들으면서 나뭇잎이 또 떨어지는 것을 걱정하는 분이시네. 참 대단하시다. 하나는 알고 하나는 모르시는 분들이야. 나무가 나뭇잎을 떨어뜨려야 영양분을 덜 뺏겨 겨울을 무사히 지낼 수 있다는 것 모르시는 구만. 하여튼 시인들은 생물공부를 더 해야 한다니까요.

부모들도 자식 먹여 살릴 여력이 없으면 가족이 뿔뿔이 흩어져야 하나. 뭐야. 아니고요, 가족은 죽어나 싫어나 죽을 때까지 함께 붙어살아야지. 풍이 좀 센가. 단지, 불가피하게 헤어질 사람은 헤어지고. 그렇지 않으면 꼭 헤어져야할 사람에게나 자신에게나 미안하니까.

나뭇잎이 떨어지는 계절이지만 붙이려고 노력한 사람들도 있지요. 미국의 단편소설 오헨리의 '마지막 잎새' 아시죠.

인터넷 검색. "1905년 작. 뉴욕 그리니치 빌리지의 아파트에 사는 무명의 여류화가 존시가 심한 폐렴에 걸려서 사경을 헤맨다. 그녀는 삶에 대한 희망을 잃고 친구의 격려도 아랑곳없이 창문 너머로 보이는 담쟁이덩굴 잎이 다 떨어질 때 자기의 생명도 끝난다고 생각한다. 같은 집에 사는 친절한 노화가가 나뭇잎 하나를 벽에 그려 심한 비바람에도 견디어낸 진짜 나뭇잎처럼 보이게 하여 존시에게 삶에 대한 희망을 준다는 이야기이다."

장애인 시인 박진식은 '희망'이란 시에서 "오 헨리의 '마지막 잎새'처럼/ 나뭇가지에 잎을 묶는다." 진짜로 잎을 묶는 실천에 박수. 행동하는 양심(良心)이 아니고 행동하는 선심(善心).

거대한 왕릉 같은 산의 꼭대기에 도달하니 금대봉이다. 앞뒤 쪽은 숲에 가려 좌우양쪽으로만 경치가 보였지만, 백운산을 비롯해 지나온 함백산과 태백산, 그 주변의 백운산등 천하의 내로라하는 장군들이 위용을 자랑하고 있다. 금대봉은 은대봉과 마주보고 있다. 한 쌍의 원앙처럼. 왜 금대봉, 은대봉인가. 정암사를 세울 때 조성된 금탑, 은탑에서 금대봉과 은대봉이라는 이름이 생겨났다고 하네요.

시가 절로 떠오른다. 이백, "오로봉을 붓 삼고/ 삼상물을 연지 삼아/ 푸른 하늘 한 장 종이위에/ 내 마음에 품은 시를 써보리라"니 그래도 시를 쓰고 싶은 욕구는 있구만. 솔직하게 말해서요, 시가 시시해서 그런 것도 아니고요, 3천년동안 문인들이 다 써버려서도 아니고요, 사실은요, 사실은요, 제가 아직 시를 쓸 내공이 없어서요.

높은 하늘만이 홀로 고요한 가운데 대지에 내리쬐는 따뜻한 햇살을 받으면서 금대봉 정상에서 술도 마시고 과일도 먹고 시낭송회를 가졌다. 누구 시인가. '인간과 자연', 별의별 인생도 많다.

"……그리하여 산지사방의 세상들을 거쳐 온 바람 같거나 물결 같은 이, 어떤 인생- 유동적인 끊임없는 시험, 주문을 당하면서 가는 중인 이 인생, 저 인생, 또는, 그 인생-/ 이 외모, 저 외형, 그 성품, 누구, 어떤 사람으로의 몇 십년, 냉혹한 무자비한 운명 숙명 속의 이런 인생 저런 인생들-……그리하여 인생 이 창구 저 창문을 통해 열려지고 닫혀 질수 밖에 없는 것들이 또한 이, 저, 그, 지상의 모든 정경들이었으니까/ ……그래서 결국 인간이 필수과목은 인생이요 선택과목중엔 자연도 무엇 무엇도 있다는 것-……이것이 인간이었다.……이것이 인생이다."

이(理)와 기(氣)

금대봉을 출발했다. 야, 이제부터 하산길이다. 그런데 나중에 알고 보니 큰 착각이었더라구요. 하여튼 끝은 없어. 와도 와도, 가도 가도 끝이 없어. 인생은 끝이 없어.

조선시대 독학으로 당대 최고 철학을 세웠던 서경덕. 그의 철학, 사상을 잘 보여주는 시가 있어요. '유물음(有物吟)'.

"사물이란 와도 와도/ 다 왔다는게 없다./ 옴이 이제 다왔다 싶은 곳에서/ 다시 따라 나온다/ 오고 옴이 본래 스스로한테 비롯되므로/ 첫 시작이라는게 없으니/ 물어보자, 그대는/ 애당초 어디에서 왔는가/ 사물이란 돌아가도 돌아가도/ 다 돌아갔다는게 없다/ 돌아감이 이제 다했다 싶은 곳으로/ 여전히 돌아간다/ 돌아가고 돌아가고/ 돌아감이 끝이 없는데/ 물어보자, 그대는/ 어디로 돌아가는가”

서경덕, 호는 화담. ‘이(理)’보다는 ‘기(氣)’를 중시하는 주기철학의 입장. 북한은 유물론의 원류라고 높게 평가. 그는 인간의 죽음도 우주의 기에 환원된다는 사생일여(死生一如)를 주장하여 기의 불멸성을 강조하고, 불교의 인간 생명이 적멸한다는 논리를 배격.

이에 비해 조선성리학의 거봉 이퇴계는 기보다는 이를 더욱 중시했죠. 그는 주자의 주장을 따라 우주의 현상을 이(理)·기(氣) 이원(二元)으로 설명하면서 이는 기를 움직이게 하는 근본 법칙을 의미하고 기는 형질을 갖춘 형이하적(形而下的) 존재로서 이의 법칙을 따라 구상화되는 것이라고 주장했죠. 이것이 바로 이기이원론(理氣二元論).

이를 모두 아우르고자 한 인물이 있으니 바로 율곡 이이. 그는 이와 기는 논리적으로는 구별할 수 있지만 현실적으로 분리시킬 수 있는 것이 아니며, 모든 사물에 있어 이는 기의 주재(主宰)역할을 하고 기는 이의 재료가 된다는 점에서 양자를 불리(不離)의 관계에서 파악하고, 하나이며 둘이고 둘이면서 하나인 이들의 관계를 ‘이기지묘(理氣之妙)’라고 표현하였다고 해요. 역시 현실주의자의 답네.

율곡은 서인에 속하면서도 죽으라고 싸우는 동인과 서인 간의 당파싸움에 크게 휩쓸리지 않았죠. 사실 예전이나 지금이나 정치싸움이 치열할 때는 어중간하게 처신하는 게 힘든데 이이 선생님 하여튼 고생하셨습니다. 얼마나 잘하셨으면 후세에까지 이름이 남았겠습니까. 얍삽하게 처신하시지는 않은 모양입니다.

그런데 무식한 이헌태의 소감 한마디. 理면 어떻고 氣면 어떻고 理氣면 어떠냐.

서화담에 대해서 하나만 더. 그의 일화. 그가 어렸을 때 나무캐러 갔다가 약간밖에 해오지 않은데 대해 어머니가 묻자 "새가 땅에서 날아오르는 것을 보고 그 이유를 생각하다가 그만 나무 캐는 일을 잊어버렸다."고 대답했다고 해요. 와, 대단하다. 어릴 때 특이한 분들이 나중에 큰일을 하더라구요. 이헌태는 평범하게 커서 나중에 별로.

서화담도 평생을 가난하게 사신 분인데 제자가 "쌀이 없어서 어찌합니까?"라고 하자 "마실 물은 있지 않는가."라고 답했다고 해요. 참 답답한 양반이네. 하기사 요즘은 "쌀이 없다."고 하면 "라면으로 살면 된다."고 하는 세상이니.

비단봉에 이르렀다. 비단봉에서 하산하니 건너편 매봉산 자락은 온통 고랭지 채소밭으로 산을 뒤덮었다. 산을 대규모 개간한 것이다. 수십만 평 되지 않나. 돌산을 배추밭으로. 상전벽해가 아니고 산이 초록빛 바다 내지 평원으로 둔갑. 멀리서 보면 온통 푸른빛이다. 수확하고 휑한 밭이지만 푸른 잡초가 자라서 그런가. 백두대간 위에 왜 이런 밭이. 할 수 없지. 먹고 사는 게 중요하니까. 그래도 이런 일이.

농민들이 전혀 보이지 않는다. 고랭지채소 값은 잘 받으셨는지 모르겠습니다. 하여튼 지난 봄여름가을 동안 고생하셨습니다. 진정한 영웅, 호걸은 농민이십니다.

백성들만을 생각하신 다산 정약용 선생이 '호걸=농민'이라는 농민

예찬시를 지으셨더라구요. "청양현 버드나무 나그네 먼지 씻어주고 / 기러기떼 줄을 지어 바닷가에 날아드네/ 새벽녘 햇살받아 골짜기 구름 희고/ 산골에 여린 잎 새봄이 돌아온 듯/ 이내 몸 운이 없어 산 구경이나 하면서/ 조정떠나 방황하는 신세 되었네/ 아내는 참깨 털고 남편은 타작하는/ 이 세상 호걸이 바로 농민이라"

산을 도배한 배추밭의 경치가 이국적이다. 까마득히 저 멀리, 두 사람의 일행이 다정스레 걷는 모습이 하늘과 산과 넓은 배추밭과 어울려 너무 멋지다. 한 폭의 풍경화, 자연보다 못한 동양화, 또 자연을 욕보이는 말씀을 하시네. 죄송합니다.

제5장 다시 겨울

입동

11월 들어 첫 주말인 6일(토), 7(일)을 맞아 백두대간 종주를 향한 34번째 산행에 나섰다. 가을의 끝자락을 떠나 겨울 문턱에 막 들어선 산행이다.

공교롭게도 일요일인 7일은 24절기 가운데 열아홉째 절기인 입동(立冬). 이제 한 해도 끝을 향해 치닫고 있구만. 검색사이트에 들어가 보니.

"상강(霜降) 후 약 15일, 소설(小雪) 전 약 15일에 해당한다. 이날부터 겨울이라는 뜻에서 입동이라 부르고, 동양에서는 입동 후 3개월(음력 10~12월)을 겨울이라고 한다. 늦가을을 지나 낙엽이 쌓이고 찬바람이 분다. 김장시기는 입동 전후 1주일간이 적당하다고 전해 내려오지만 근래에는 김장철이 늦어져 가고 있다. 옛날 중국에서는 입동기간을 5일씩 3후(三候)를 정하여, ① 물이 비로소 얼고, ② 땅이 처음으로 얼어붙으며, ③ 꿩은 드물어지고 조개가 잡힌다고 하였다."

절기구분에 따르면 이제 '겨울철'에 접어들었고 명백히 '겨울 산행'인 셈. 그런데 아직도 언론매체에서는 늦가을, 늦가을비, 늦가을 산행이라는 표현을 쓰고 있더라구요. 도도한 대세를 따르지 뭐.
사실은 계절 구분에 묘한 게 있어요. 겨울이라 함은. 24절기에서는 입동(立冬: 11월 7일경)부터 입춘(立春: 2월 4일경)전까지를 말하지만 천문학적으로는 태양 황경(黃經)이 270˚인 동지(冬至: 12월 21일)부터 이것이 0˚가 되는 춘분(春分: 3월 21일)까지를 가리키고 기상학에서는 북반구의 경우 12월~2월을 겨울이라 하죠. 일단 기상청 일기예보는 11월이니 늦가을로 보는구나.

그건 그렇고. 겨울은 음양오행설에 따르면 음기(陰氣)와 수기(水氣)가 강하다고 해요. 그 결과, 하늘에 걸린 달빛은 더욱 환하고 땅에 쏟아지는 햇살이 엷어진다고 해요. 특히 땅의 기운은 아래로 내려오고 하늘의 기운은 위로 올라간다고 해요. 그래서 겨울이 되면 자연은 왠지 휑하고 인간은 왠지 쓸쓸한가.
하기사 요새는 겨울철에 실외보다는 실내로 꼭꼭 숨기 때문에 자연의 변화도 예전같이 느끼지 못하고 있죠. 자연을 극복하는 지 자연을 거스르는지 모르겠지만 하여튼 독종 인간.

버스 출반 전 간단히 소주를 마시며 지난 3주 동안 못 나눈 얘기꽃을 활짝 피웠다.
중국의 도연명은 귀원전거(歸園田居)에서 “술을 삼일간만 마시지 않으면 形(몸)과 神(정신)이 서로 친하지 못하여 몸과 마음이 서로 일치하지 않는다.”고 했다죠. 알콜중독자 얘기 듣지 말라고요. 그래도 도연명은 동양사회에서는 알아주는 문인인데, 너무 하시네.

별2

머리 위 하늘을 올려다보니 별들의 축제가 벌어지고 있었다. 일제히, 아! 감탄사가 연발이다. 이렇게 많은 별들이, 이렇게 선명하게, 이렇게 가깝게 반짝이는 것은 근래 보지를 못했다. 별이 총출동한 것 같다. 별들도 먹고 살기 힘들어 시위할 일이 있나. 하늘의 별이 내 가슴에도 마구 쏟아진다. 아, 아파라. 뭐야.

"성좌는 천문(天文) 즉, 하늘의 문학이고 명산대천은 지문(地文) 즉, 땅의 문학이다." 딱이네. 별만 쳐다봐도, 견우와 직녀가 생각나고 온갖 신화와 문학과 예술이 떠오르네.

보름달의 전성시대를 막 퇴기(退妓) 그믐달이 훤하게 산천을 비우고 있다. 내가 보기에는 초승달과 똑같이 고고한 빛을 내면서 눈부시다.

초승달, 그믐달에 대한 애찬 하나 소개. 당나라 시인 이상의 '달'. "물 건너고 집안까지 달빛 마냥 밝고/ 사람 나무 감싸고 멀리까지 맑구나/ 초생달 그믐달을 사람들은 공연스레 서글퍼하지만/ 둥근달 휘영청 밝을 때 어디 정답기만 하던가" 맞습니다. 보름달만 최고냐. 초승달도 최고고 그믐달도 최고다.

우주를 화려하게 수놓고 있는 달과 별. 너무 감격스럽습니다. 고맙습니다. 감사합니다. 또 낮에 뜨는 해, 소위 삼총사. 해는 지구의 부모이고 달은 자식이고 별은 형제. 이헌태 정리 잘하네. 물레 돌듯이 뜨고 지고 뜨고 지고 뜨고 지고. 한 치의 어김도 없이. 너무 재미없구만. 권태롭네.

권태롭다고 엉뚱한 짓 하지마세요. 전혜린 아시죠. 한 세기에 한 명 나올까 말까한 천재 글쟁이. 권태와 광기를 악마의 주술처럼 끌고 다녔죠. 결국 31살의 나이로 요절했지만. 자살이라고 봐야하나. 그녀의 좌우명이 무엇인 줄 아세요. "절대로 평범해져서는 안 된다." 벤처시대에 딱 맞는 구호네.

'식은 숭늉 같고 법령집 같은 나날'이라고 일상을 단조로워 했던 전혜린의 글 몇 개 소개. "피라도 흐르고 흐르는 그런 강렬한 자극이 얻고 싶다/ 비정상적인 일을 하고 싶어 죽겠다/ 무엇에든지 monomaniac(편집광)한 obsession(강박관념)을 일순이라도 가져보고 싶다/ 후회의 극치까지를 행위로 규명해보고 싶다/ 지킬 박사는 하이디씨일 수 밖에 없었어. 적어도 때때로는……" 후회의 극치까지도. 와, 무섭다.

또. "하여간 아무것에도 관심이 없고 아무것도 하고프지 않다. 누가 죽인대도 모든 것이 귀찮다." 와, 무섭네. 그러나 그녀는 순수의식을 갈구했나 봐요. 일기에서 "될 수 있는 대로 감정은 질식시켜버릴 것. 오로지 맑은 지혜와 의지의 힘에만 기댈 것. 이것이 사람이 도달할 수 있는 최고의 곡예사인 것 같다. 그 상태에만은 야심을 느낀다. 다른 모든 것은 아무래도 좋다. 물 같은 맑은 의식의 세계에서 늙은 잉어같이 살고 싶다." 캬, 좋다.

전혜린과 비슷한 인물, 니체. 그의 좌우명 "너는 항상 필요한 존재가 되어라." 두 분 말씀 이 시대에도 다 맞는 말이네. 그런데 두 분은 왜 그렇게 힘들게 이 세상을 사셨는지. 혼자 이세상의 고민을 너무 많이 하셨네. 미안합니다.

나의 말

'너는 항상 필요한 존재가 되어라', 저도 어딘가에 필요한 존재가 돼야 하는데, 저는 아직도 제가 무엇을 잘하는지 모르겠어요. 하지만 저만 그런 건 아닌 것 같아요. 주위 친구들한테 물어보면 이 전공이 맞는지, 이 회사가 맞는지 항상 고민하더라고요. 그렇게 끊임없이 자신에게 물으며 사는 게 인생일지도 모르겠네요. 흔히 잘하는 것을 하라고 하는데 정말 찾을 수 있을까요?
(작년 말 취업준비생 시절에 이런 고민을 정말 많이 했습니다. 저는 지금까지 내가 어떤 일을 할 때 가장 즐거웠을지 생각해봤는데요. 그 일을 하는 것이 즐거웠기에 점점 잘하게 되었습니다. 그 일을 회사에서도 계속하고 있으니 정말 다행이에요! 조급해하지 마세요. 나에게 솔직히 물어보면 찾을 수 있을 테니.)

동생의 말

니체의 좌우명 '너는 항상 필요한 존재가 되어라'. 제가 워드입력 봉사활동을 시작한 계기가 생각나요. 우연히 아란 강사님의 '거저 일함의 아름다움' TED영상을 보게 되었는데 강사님이 미국 홈리스 아이들을 돌보는 곳에서 봉사를 하다가 왜 이 아이들과 나는 다르게 살고 있을까 의문이 들었다고 해요. 고민하다 얻은 답은 '불공평한 세상, 우리에게 주어진 일은 세상을 공평하게 만들어가는 것'이라는 거예요. 우리가 거저 얻은 것들을 거저 나누자는 겁니다. 각자에게 거저 얻은 것이란 창의성, 독특한 목소리, 언어적 능력 등등 다양하지만 모두가 똑같이 거저 얻은 것은 '시간'이라고, 24시간에 24분이라도 나누자고 하더라고요. 시각장애인들에게 책을 읽어준다거나 하는 예시를 드셨고요. 다본 후 영상이 머리에 맴돌아서 근처 장애인도서관을 알아봤어요. '워드입력봉사'라고 시각장애인을 위해 일반도서를 전부 직접 타이핑해 점자책으로 변환하는 봉사가 있더라고요. 재택봉사에다가 전 책을 정말 좋아하고 타자도 빠르니 이보다 더 좋을 수 있는 봉사활동은 없었어요. 바로 봉사를 시작했고 역시 짐작한 대로 재밌었죠. 분명 저보다 더 책을 아끼고 손으로 읽는 분들이 많을 텐데 이렇게라도 더 나눌 수 있다니 행복했습니다. 가끔 오타도 발견해서 출판사에 관련메일을 보내면 감사하다고 답이 와서 왠지 몽글몽글해지기도 했고요. 엄청난 타자속도로 몇 번이나 점자책에 '옮긴이: 이승은'이 찍혔는데 앞으로도 간간히 찍히겠죠. 관심있으신 분들은 주위 장애인도서관 홈페이지에 들어가 보세요! 힘들지만 보람차답니다.

어린이

청년과 노인이 나오면 어린이도 끼워주어야지. 어린이가 환상은 무슨 환상, 아무 생각이 없겠지. 그런데 그게 또 아니더라구요. 어린이가 얼마나 어른의 스승인지. 예수님, 노자님, 니체님의 말씀을 들어보세요. 장난이 아니더라구요.

먼저, 예수님. 마르코 복음 10장 13-16절에 따르면. "사람들이 어린이들을 예수께 데리고 와서 손을 얹어 축복해 주시기를 청하자 제자들이 그들을 나무랐다. 그러나 예수께서는 화를 내시며 어린이들이 나에게 오는 것을 막지 말고 그대로 두어라.……누구든지 어린이와 같이 순진한 마음으로 하느님의 나라를 받아들이지 않으면 결코 거기 들어가지 못할 것이다." 어린이가 미래 인간성의 기준으로 제시되었다고 해요.

이어 노자님. "두텁게 덕을 품고 있는 사람은 갓난아이와 같다. 독벌레도 쏘려하지 않고 사나운 새와 맹수도 잡으려 하지 않는다. 뼈는 약하고 근육은 부드럽지만 세상을 제대로 쥘 줄 안다. 남녀 교합을 알지 못하면서 성기가 뻣뻣이 선다. 정기가 최고조에 있기 때문이다. 하루 종일 울어대도 목이 쉬지 않는다. 조화가 극에 달해 있기 때문이다. 조화로움을 알면 변하지 않는 이치를 알게 된다. 이를 밝은 지혜라 한다. 그럼에도 매일같이 자기만의 생을 이롭게 도모하는 이들이 있으니 이는 이치에 어긋나 괴이한 것이다. 마음을 부려 기를 내는 것도 도에 어긋나는 경직된 것이다. 만물은 과하면 늙으니 과함은 도답지 않은 일이다. 이치에 어긋나면 일찍 끝난다." 노자님은 무슨 말씀을 하시려고 했는지 의도는 알겠지만 너무 과장되게 표현했어요.

다음, 기존의 가치체계를 거부한 반항아, 니체. 그는 '차라투스트라는 이렇게 말했다'에서 인간정신의 3단계 변화를 비유를 들어 설명했죠.
"낙타는 무거운 짐을 짊어지고 고독한 사막을 걸어가는 허무주의 정신이며 사자는 자유를 상징한다. 자유로운 정신은 지금까지 모든 허구와 거짓을 몰락시킴으로써 모든 것을 소유하고 자신의 힘을 과시한다. 그러나 자유로운 정신만으로도 군주로서 군림할 뿐 진정한 정신에 도달하지 못한다. 그러므로 진정한 정신에 도달하기 위해서는 기존의 가치를 부정하고 무에서 새로운 가치를 창조하기 위해서는 순수한 어린아이의 경지에 이르러야만 한다. 그것이 바로 가치의 전도이다. 그렇게 함으로써 허무주의를 극복하고 새로운 가치를 창조하며 미래를 참다운 세계가 형성되는 것이다."

평범한 인간인 제가, 무례하게도 이런 얘기해도 되겠습니까만, 어린이들 요새 너무 버릇이 없어서 문제가 많다고 해요. 중국에서는 어린이들이 왕자나 공주처럼 받들면서 자라서 '소황제'라고 하잖아요. 어린이에 대한 것도 좋은 면도 있고 나쁜 면도 있고. 이헌태 정리 잘하네.

정상

드디어, 이번 코스의 최고봉인 덕항산(1071미터)에 올랐다. 사위가 탁 트인다. 전망이 기가 막혔다. 북동쪽을 쳐다보니 또다시 푸른 하늘아래 짙푸른 동해바다와 삼척시가 오롯이 풍광을 드러냈다.

정상에서 맞는 이 행복감. 색깔로 따지면 황금빛이 약간 물들인 은빛이 아닐까. 유 대장은 "이게 바로 조용한 아침의 나라"라고 감탄. 나는 "3만원의 저렴한 비용으로 맞는 이 지상낙원"이라고 탄성을 내지르고. 어떤 이는 "떠나기 싫다"고 행복감을 표현했다. 영원히 사세요. 50년이든 100년이든, 산삼처럼.

구양수의 '부사山水기'. "대저 천하의 온갖 물건을 다 끌어다가 하고 싶은 대로 해보는 것은 부귀한 사람의 즐거움이다. 장송 그늘에서 다북한 풀을 깔고 앉아 시냇물이 졸졸 흘러가는 소리를 듣다가

돌샘의 물을 떠 마시는 것은 산림에 사는 사람의 즐거움이다. 그러나 산림에 사는 선비는 천하 사람들이 즐거워하는 것을 보더라도 그 마음이 조금도 움직이지 않는다. 간혹 마음으로 하고 싶은 것이 있더라도 힘을 헤아려 얻을 수 없어 그만둔 자는 물러나 이곳에서 즐거움을 얻는다. 저 부귀한 사람은 능히 온갖 물건을 이르게 할 수 있지만 아우를 수 없는 것이 있으니 오직 산수의 즐거움이 그것이다."

이헌태의 생각. 산속의 아름다움, 청정한 산속 공기, 자연의 향기와 바람소리는 도시 어디에도 팔지 않고 살 수 없습니다. 아무리 비싼 돈을 주어도 살 수 없습니다. 다만 와서 누리는 자는 무조건 '공짜'입니다. 희한하네.

덕항산 정상에서 정상주도 마시고 시낭송회도 가지면서 모처럼 풍류산악인답게 여유로운 시간을 가졌다. 송 후배가 얼마 전에 늦가을비가 내려서 그 흥에 겨워, 두 편의 시를 특별히 준비했단다.

천양희 시인의 '비오는 날'. "잠실 롯데 백화점 계단을 오르면서/ 문득 괴테를 생각한다/ 괴테의 '젊은 베르테르의 슬픔'을 생각한다/ 베르테르가 그토록 사랑한 롯데가/ 백화점이 되어 있다/ 그 백화점에서 바겐세일하는 실크옷 한벌을 샀다/ 비가 내리고 있었다……// 친구의 승용차 소나타3를 타면서/ 문득 베토벤을 생각한다/ 베토벤의 월광소나타 3악장을 생각한다/ 그가 그토록 사랑한 소나타가/ 자동차가 되어 있다/ 그 자동차로 강변을 달렸다/ 비가 오고 있었다……// 무릎을 세우고 그 위에 얼굴을 묻은 여자/ 고흐의 그림 '슬픔'을 생각한다/ 내가 그토록 사랑한 '슬픔'이/ 어느새 내 슬픔이 되어있다/ 그 슬픔으로 하루를 견뎠다/ 비가 오고 있었다……"
코미디같은 시네. 거의 내 수준에 맞네. 다들 내 수준에 딱 맞는 시라면서 내보고 한번 낭송하란다. 백두대간 산행 이후 나도 처음으로 시낭송을 해봤다. 아, 부끄러. 낭송하다보니 나도 웃고, 듣는 이들도 모두 웃는다. 송 후배, 고맙다. 주위를 기쁘게 해주어서. 그런 깊은 뜻이. 천양희 시인님 무시하는 게 아니니. 참 재미난 시네요. 넘어갑시다.

또 한편을 마저 읽었다. 용혜원 시인의 '가을비를 맞으며'. "촉촉이 내리는/ 가을비를 맞으며/ 얼마만큼의 삶을/ 내 가슴에 적셔왔는가/ 생각해 본다// 열심히 살아가는 것인가/ 언제나 마음 한구석/ 허전한 마음으로 살아왔는데/ 훌쩍 떠난 날이 오면/ 미련 없이 떠나버려도/ 좋을 만큼 살아 왔는가// 봄비는 가을을 위해 내린다지만/ 가을비는 무엇을 위해 내리는 것일까/ 싸늘한 감촉이/ 인생의 끝에서 서성이는 자들에게/ 가라는 신호인 듯한데// 온몸을 적실만큼/ 가을비를 맞으면/ 그때는/ 무슨 옷으로/ 갈아입고/ 내일을 가야 하는가"
그런데 이 두 편의 시는 명대의 문학가 호응린이 말한 "시를 읽으니 몸과 세상잊고 만 가지 사념이 모두 사라지네." 와 조금 분위기가 다르네.

수두룩

심심풀이 땅콩. 역사상 잘못 알고 있는 것이 수두룩하다는 이들도 수두룩. 이것만 모아서 한번 정리.

'후흑학(厚黑學)'이라고 들어보셨나요. 느낌이 좋지 않죠. 중국의 사회비평가 리쭝우(1879-1944)의 책이죠. '면후심흑(面厚心黑)', 즉 낯짝이 두껍고 뱃속은 시커멓다는 뜻. 처세학의 대표책. 하기사 지금 세상은 온통 '면후심흑'. 아니면 말고. 지금 세상은 겉은 사람, 속은 짐승 즉 人面獸心인가.

그는 이 책에서, "유비의 장기는 얼굴이 두꺼운데 있으니 조조에게 의지하다가 여포에게 붙고 여포에게 의탁하다가 숙적 손권과 결탁하고 다시 원소의 품에 안기는 등 동서 여기저기 찾아다니지 않은 집이 없고 다른 사람의 울밑에서 기탁하면서도 부끄러워하지 않을 뿐만 아니라 평생 울기를 잘한다.……해결하기 어려운 일을 만나게 되면 그 사람 앞에서 한바탕 통곡하여 어려운 국면을 유리하게 전환시켰다. 그래서 당시 사람들은 '유비의 강산은 모두 그의 울음으로 얻어진 것'이라고 하였으니 이 사람 역시 능력있는 영웅임에는 틀림없다. 유비는 두꺼운 얼굴로, 조조는 검은 마음으로 서로 쌍벽을 이룬다. 두 사람은 서로를 칭찬하면서 원소등 여러 군웅을 낮추어본다. 그래서 조조가 '천하영웅은 오직 그대와 나 조조뿐이다'라고 한 것이다."

삼국지를 쓴 나관중은 유비를 착한 사람이라 치켜세우고, 조조를 나쁜 사람이라고 깎아내렸는데 보는 시각이 다르네요.

'면후심흑'은 꼭 나쁜 뜻만은 아니라고 해요. 이보전진을 위한 일보후퇴도 있고 대의를 위해 소의를 가차 없이 버리는 냉혹한 결단도 있으니까요.

리쭝우는 이 분야의 대가로 한고조 유방을 꼽았죠. 우선 面厚면에서. 항우가 유방의 부친을 인질로 삼아 삶아 죽이겠다고 하자 유방은 태연히 그 국 한 사발을 나누어 달라고 했죠. 또 心黑면에서. 유방은 한 왕조건설의 일등공신인 한신이 제나라 땅을 가진 뒤 힘이 커지자 없는 죄를 뒤집어 씌워 죽였죠.
이에 반해 항우는 어떻게 했나요. 홍문의 연회에서 후세에 욕을 먹을까 두려워 유방의 목을 치지 못했고 해하의 싸움에서 패한 뒤 강동으로 돌아가 권토중래는 꾀하지 않고 강동의 부형들 보기가 부끄럽다며 스스로 목숨을 끊었죠. 나중 역사에서 보면 치사하게 놀지 않고 당당하게 죽은 항우를 '진짜 사나이'로 쳐주는 분들도 많더라구요. 위의 주장에 대해 어떻게 생각하세요. 역사를 찬찬히, 꼼꼼하게 쳐다보면 영웅과 역적이 뒤바뀐 사례가 한두 개가 아니더라구요.

이헌태의 결론, '뭐가 뭔 줄 모르겠다'. 제가 약간(?) 살아보니 성공하려면 세상은 '면후심흑'도 있어야 하고 '의리지조'도 있어야하고. 그래서 나는 성공을 못하나. 팔자 따라 복 따라 사람마다 성공의 케이스가 다르겠지 뭐. 하여튼 사람을 한 면만 보고 함부로 평가하지 맙시다.

백두대간 산행 마지막 가을을 보내면서 재미없으면서도 눈여겨볼 책. '사라져가는 이 땅의 서정과 풍경'이란 책이 있어요. 글은 이용한 씨가 쓰고 사진은 안홍범, 심병우 씨가 찍었더라구요. 참 좋은 책이더라구요. 이 책에서 제가 몰랐던 내용도 있고 추억이 풀풀 다시 살아나기도 하고. 인간의 물질적으로 가난했지만 정이 넘치고 자연과 함께 살았던 그 시절을 그리워하는가 봅니다.
내 피붙이 마냥 가을을 보내면서 이 책에 나오는 '가을묶음'을 소개. 추억을 되살려 봅시다. 내용인 즉, "호롱기 탈곡과 도리깨질(호롱호롱 타락타락, 알곡 터지는 소리)/ 멧돌과 확독/ 떡메질/ 키질/ 바가지, 뒤응박/ 새끼꼬기, 이엉엮기(가을걷이가 끝나면)/ 파대치기(골짜기 찌렁찌렁 산짐승 쫒는다)/ 산수유 씨빼기/ 곶감타래 걸린 풍경(치렁치렁, 추녀밑 가을서정)"

시 하나 소개로 진짜 끝. 이선관 시인의 '우리 모두 알아야합니다'. "글을 모르면 문맹이라 하여/ 무식하다는 말을 듣고/ 컴퓨터를 만질 줄 모르면 컴맹이라 하여/ 왕따를 당할 수도 있지만/ 자연을 모르면 생태맹이라 하여/ 우리 모두 살 수 없음을 알아야 합니다" 자연만세. 백두대간만세. 눈 내리는 겨울을 오매불망 기다리면서, 또 꽃피는 봄이 하루빨리 오기를 기다리면서. 두 계절을 바라네. 너무 오버했나. 안녕.

아버지의 말

나는 지난 2002년 10월부터 2005년 9월까지 약 3년에 걸쳐 우리나라 허리인 백두대간을 종주 산행한 바 있다. 매 3주마다 주말에 무박2일 일정 산행을 꾸준히 계속한 것이었다. 일생일대에 남을 멋진 추억이 아닐 수 없다.

함께 종주한 산행팀의 이름은 '백두대간 한걸음 이어가기'. 지리산 천왕봉에서 시작하여 한반도 등줄기를 뚜벅뚜벅 걸으며 휴전선 아래 진부령까지 735km 긴 거리를 3주일마다 끊어 완주한 것이다. 나는 한 구간을 마칠 때마다 '백두대간 종주기'라는 이름으로 산행기를 총 46회에 걸쳐 썼다.

내가 본 조국의 산하는 더할 나위 없이 황홀했다. 용트림하는 준령, 아름다운 일출과 낙조, 신비로운 운해, 고요한 밤하늘의 별과 달의 향연, 형형색색의 녹음방초와 단풍과 설경 등등.

백두대간 종주의 감회가 특별나지 않을 수 없다. 백두대간 종주기 마지막 편에 나는 이렇게 감동을 전했다.

"아, 백두대간! 민족의 영산(靈山)인 백두산에서 한반도 등뼈를 따라 남으로 남으로, 남아(男兒)답게 뻗어 내리다가 바다에 가로 막혀 지리산 앞에서 멈춰선 민족의 기상과 정기. 한반도의 단단한 근육질로 이뤄진 장쾌하고 호쾌하고 상쾌한 백두대간 종주 산행을 하면서 보고 겪었던 무수한 정경과 탄성, 그 숱한 추억들이 주마등처럼 스쳐 지나간다. 더러 더러 고통도 있었지만 지나고 보면 그것 자체도 아름다운 동화(童話). 봉우리마다 고개마다 내 머리에 오롯이 새겨져 있다. 그 곳마다 나의 영혼을 심고 오지 않았는가?”

얼마 전 아들이 불쑥 내가 쓴 ‘백두대간 종주기’의 양을 크게 줄이고 중간에 젊은 신세대의 소감을 덧붙여 ‘부자잡설’이라는 제목의 책을 내겠다고 했을 때 깜짝 놀랐다. 만약 그대로 책을 내면 7권에 해당되는 어마어마한 분량인데다가 동서고금에서 뽑아낸 지혜와 명구들도 있지만 시종 장난기 섞인 가벼운 글투여서 일반 서적에 익숙한 독자들이 읽기 편하게 정리하기가 쉽지 않기 때문이다.

백두대간 종주기를 마쳤을 때 잘 정리해서 내면 읽을 만한 책이 될 것이란 얘기도 많이 들었지만 심심풀이로 썼기에 “책은 무슨 책”이라며 솔직히 별다른 관심을 기울이지 않았었다.

그런 한편으로 내가 오랜 기간 책을 읽으면서 기억할 가치가 있는 문구를 모아온 소중한 지식의 조각들이라서 그냥 버리기에는 아깝다는 생각은 내 뇌리를 떠나지 않았다. 이런저런 사정으로 때를 놓치고 세월만 마냥 흘렀던 것이다. 그런데 아들은 굳이 왜 뒤늦게 책을 내려고 할까? 아들은 이렇게 써 놓았다.

“그래서 제가 열심히 아버지의 글을 편집하고 있죠. 이 글을 읽으면서 자연의 아름다움과 옛사람의 지혜를, 시인의 감성을 느낄 수 있었습니다. 그리고 ‘혼자 놀기’의 진수도 맛볼 수 있다는 사실. 저 혼자 보기가 너무 아까운 거죠. 저는 이 책을 많은 사람이 읽는 것도 좋지만 한 사람이라도 자신만의 무언가를 찾는다면 이 책의 목적을 충분히 달성했다고 생각합니다.”

12년이란 세월이 흘러 마음 한 켠에 있는 책 발간의 꿈이 드디어 현실이 되니 그것도 아들을 통해서라니 감개무량하다. 아들이 책을 내겠다는 얘기를 농담으로 치부했다가 어느 날 책을 정리해서 메일로 보냈다는 말을 듣고 한마디로 "대단하다 우리 아들"이란 생각뿐이었다. 제자가 스승보다 낫다는 청출어람이란 말이 떠오른다. 아버지보다 나은 아들. 딱 그것이다.

예전에 내가 휘갈겨 쓴 백두대간 종주기를 지인들에게 메일로 보냈더니 장안의 화제까지는 아니지만 꽤 인기가 있었다. 양이 너무 길다는 불평이 많았지만 너무 재미있다는 평에서부터 인생에 금과옥조 같은 좋은 글이 많아 감사하는 반응까지 다양했다. 다음 연재 글이 기다려진다는 팬(?)도 있었다. 훗날 김태일 영남대교수는 모임이 있는 곳에 가면 주변 분들에게 "이헌태의 백두대간 종주기 너무 재미있었다."며 내 종주기 글에 대해 얘기를 꺼내곤 했다.

아들이 보내준 원고를 보면서 예전 백두대간 종주기 글을 쓸 때로 다시 돌아가는 과거로의 시간여행을 하게 되었다. 내가 모은 글을 다시 읽어보니 살아가는데 있어 반짝반짝 빛나는 보석들이 너무나 많아 이를 멋진 표현들을 어떻게 모았나 싶어 "이헌태가 나름 괜찮은 친구"라며 나를 다시 사랑하게 되었고, 내 글을 책으로 엮은 아들을 더욱 사랑하는 계기가 되었다.

예전에 내가 입버릇처럼 중얼거리던 말이 다시 불현듯 생각난다. "책을 사랑하고 산을 사랑하고 나를 사랑하자."

오래 전부터 늘 가슴에 담고 살았던 이 말들을 요즘 들어 살기 바쁘다는 핑계로 잊고 살았다. 다시 끄집어내서 앞으로 남은 인생이 세 가지 모두를 사랑해야겠다는 다짐을 해 본다. 백세 시대를 맞아 앞으로 남은 찬란한 내 인생을 위하여.

종주기를 다시 보면서 나에게 가장 인상에 남는 말을 하나 소개한다. "아메리카 인디언 '나바호족'의 노래.
"모든 것이 아름답다/ 내 앞의 모든 것이 아름답고/ 내 뒤의 모든 것이 아름답다/ 내 아래의 모든 것이 아름답고/ 내 둘레의 모든 것이 아름답다."

아들의 소감에서는 우리 기성세대들이 모르는 다음 세대들이 그리는 세상, 고뇌, 사랑과 즐거움 등을 살펴볼 수 있었다. 세대 간의 생각 차이를 이해하는 동시에 세대 간의 공감과 이해로 나아가는 계기도 되었다.

아들 소감 가운데 가장 인상 깊은 대목은 이 부분이다.
"아버지는 저에게 '공부 잘해라'라거나 '돈을 많이 벌어라'라는 얘기는 하지 않으셨어요. 항상 '성실하게 살아라'라고 말씀하셨죠. 이게 저희 집 가훈이기도 합니다. 그리고는 남이 몰라줘도 성실하게 살면 '하늘이 알고 땅이 알고 내가 안다'고 말씀하셨죠. 그런 얘기를 귀에 못이 박히도록 들어서인지 저도 제 갈 길 묵묵하게 걸어야겠다고... 다짐은 하는데 쉽지는 않네요. 한 걸음 한 걸음."

책을 만들면서 출고 직전에 어머니가 생전에 쓰신 〈80年 살아온 이야기〉를 추가하고 글 잘 쓰고 문학적 감수성까지 뛰어난 미래 소설가 딸의 글까지 넣었다. 드디어 보기 드문 삼대잡설이 완성된 것이니 기쁘기 한량없다. 할머니가 남기신 기록을 보고 쓴 딸의 글에서 함께 참여한 4명 모두가 같은 핏줄임을 진하게 느낀다.

"이제 보니 가끔 글을 쓰는 오빠나 저나 이미 책을 몇 권 내신 아버지와의 '글로 표현해야 하는 욕구'는 할머니께 온 게 아닐까 싶어요. 이것도 핏줄로 흐르는 집안 내력일까요?"

책을 끝맺으면서 외치고 싶다. "내가 쓴 백두대간 종주기 사랑한다." 그리고 "책을 낸 아들과 딸아, 사랑한다." (끝)